SERGE JONCOUR

Chien-Loup

———

ROMAN

Chien-Loup

DU MÊME AUTEUR

Vu, Le Dilettante, 1998 (prix Jean Freustié) ; Folio, 2000.

Kenavo, Flammarion, 2000 ; J'ai lu, 2002.

Situations délicates, Flammarion, 2001 ; J'ai lu, 2003.

In vivo, Flammarion, 2002 ; J'ai lu, 2006.

U.V., Le Dilettante, 2003 (prix France Télévisions) ; Folio, 2005.

L'Idole, Flammarion, 2004, 2012 ; J'ai lu, 2009.

Que la paix soit avec vous, Flammarion, 2006 ; J'ai lu, 2008.

Combien de fois je t'aime, Flammarion, 2008 ; J'ai lu, 2009.

L'Homme qui ne savait pas dire non, Flammarion, 2009 ; J'ai lu, 2012.

L'Amour sans le faire, Flammarion, 2012 ; J'ai lu, 2013.

L'Écrivain national, Flammarion, 2014 (prix des Deux Magots) ; J'ai lu, 2015.

Repose-toi sur moi, Flammarion, 2016 (prix Interallié) ; J'ai lu, 2017.

Chien-Loup, Flammarion, 2018 ; J'ai lu, 2019 (prix Landerneau des lecteurs).

Nature humaine, Flammarion, 2020 (prix Femina).

1re PARTIE

Juillet 1914

Jamais de tels cris n'étaient descendus depuis les collines. Jamais on n'avait entendu beugler comme ça. Vers minuit, au village, les premiers hurlements résonnèrent depuis les hauteurs, des hurlements lointains, qui à l'évidence se rapprochaient. Les anciens eux-mêmes ne déchiffrèrent pas tout de suite ce hourvari, à croire que les bois d'en haut étaient le siège d'un furieux sabbat, une rixe barbare dont tous les acteurs seraient venus vers eux. On pensa d'abord à des lynx ou à des renards qui se disputeraient une prise, ces petits fauves libres et enragés qui enfièvrent les nuits de leurs carnages. Ou alors c'était le requiem des loups, parce que les loups modulent entre les graves et les aigus, en meute ils vocalisent sur tous les tons pour faire croire qu'ils sont dix fois plus nombreux. Ces derniers temps on balançait ce qu'il faut de strychnine, malgré ça des loups il en restait dans les collines, alors on réveilla tout le monde, les anciens comme les enfants, on les tira du lit pour qu'ils frappent des cuillères sur le cul des casseroles, qu'ils sortent en criant bien fort, unique méthode éprouvée pour faire reculer les loups.

La nuit, les bois sont un royaume peuplé de cris et de chevauchées. Dans l'ombre, les animaux en profitent pour vivre à l'abri des hommes, de loin on les entend chasser ou s'accoupler, certains même se battent, chaque nuit la terre redevient le monde des bêtes sauvages, et ce soir-là elles l'étaient plus que jamais.

— C'est quand même pas des...

— Tais-toi !

Puis la ronde endiablée bascula de ce côté-ci de la colline, le bruit se précisa, et là on comprit que c'étaient des aboiements, des aboiements heurtés et déchirants, mais les loups n'aboient pas et jamais des chiens n'auraient geint aussi fort, pas même des chiens évadés de l'enfer, seuls des chevreuils pouvaient le faire, des chevreuils qui aboyaient atrocement ce soir, une marée de chevreuils sans doute survoltés par les baies de bourdaine ou enflammés par la peur. Jamais ils n'avaient gueulé aussi fort, jamais ils n'avaient lacéré les collines de cette alarme démoniaque. Du coup, plus la peine de taper sur les casseroles, mais il fallut rappeler aux enfants que tous les étés les chevreuils aboient, la nuit ils aboient plus fort encore que des chiens, et d'une façon plus dramatique, plus gutturale et affolante, c'est la gueulante infernale des mâles qui chamboulent les ténèbres, les appels de brocards en rut dont on ne sait s'ils cherchent à effrayer l'adversaire ou à hurler leur détresse.

Tout de même, pour qu'ils gueulent tous et dans ce même chœur, c'est que quelque chose devait les effrayer. À Orcières, on ne les avait jamais entendus aussi nombreux, c'est par dizaines qu'ils semblaient rappliquer, refoulés du fond des âges vers les maisons. Au village personne n'avait peur des chevreuils, mais tous tremblaient à l'idée de savoir ce qui pouvait les terrifier ainsi.

Si on eut vite fait de s'alarmer cette nuit-là, c'est aussi que depuis des semaines le monde frémissait. Depuis le printemps, tout ce qu'on voyait dans les journaux était affolant, à tel point que les hommes étaient allés fouiller dans les tiroirs pour retrouver le carnet militaire et le ressortir au cas où. Ici au village les fils comme les pères se faisaient gagner par la hantise de devoir partir, comme une meute de chevreuils apeurés. Même là, au plus profond de la campagne la plus reculée, on voyait bien que le monde était soumis à l'inconséquence d'une poignée de régnants, tous cousins qui plus est, plus ou moins de la même famille. Ces rois qui faisaient du tennis ou du bateau dans *L'Illustré national*, ces filiations prodigieuses où le kaiser était le neveu du roi d'Angleterre et le cousin du tsar, elles étaient sur le point d'exploser. Plus l'été avançait et plus l'ambiance était lourde, déjà parce qu'il faisait trop chaud, et puis parce que ces tensions projetaient des ombres sur le visage de quiconque parlait d'avenir. L'Europe était un brasier contenu où les armées se tenaient tranquilles, tandis que les états-majors se raidissaient au gré des pactes, on s'alliait non plus par fraternité mais pour se préparer au pire, de sorte que chaque soir, au village, les hommes et les femmes restaient tard devant les maisons, avant de se coucher tous prenaient l'air et goûtaient l'instant, comme si chaque soir devait être le dernier.

La guerre ici, on n'en voulait pas. La guerre, ça ne se pouvait pas, en tout cas pas à Orcières, pas au fin fond du causse et à des jours de marche de la première frontière. Pourtant ce vendredi-là à minuit, même les plus placides s'inquiétèrent. Quel ennemi rôdait donc là-haut, quel monstre rabattait cette marée d'herbivores en panique ? Chaque année, à la fin juillet, on se faisait surprendre par les mâles qui se battent en traçant des ronds de sorcière, des brocards qui luttent de leurs bois et rivalisent de cris désespérés, simplement les aboiements de chevreuils en temps normal, ça durait le temps de rouler une cigarette et de la fumer, alors que là ça n'en finissait pas, si bien que la peur les gagna tous au village, elle glaça les âmes et s'attarda sur le bout des lèvres comme un mégot éteint.

Personne ne le savait encore, mais ce jour qui s'achevait dans la nuit d'un 31 juillet était veille d'une guerre. Ici, au tréfonds des collines, on n'imaginait pas que dans quelques heures le tocsin vitrifierait les campagnes et qu'un vent soufflé des clochers abolirait l'été. Après-demain la guerre aspirerait les hommes du causse par trains entiers, avec au bout quatre années de feux, la disparition de quatre empires et plus de quinze millions de morts. Mais en ce samedi naissant, ce qui les tracassait tous, c'est qu'une onde d'aboiements descendait vers eux, des dizaines de chevreuils qu'on voyait maintenant bondir hors du bois pour se jeter à corps perdu dans la vallée, des chevreuils détalant sous la lune qui ne se souciaient même plus de s'offrir à la vue des hommes. Seul un monstre pouvait les affoler comme ça. Ils jaillirent en rafales de la colline d'en face et se précipitèrent plein ouest, de l'autre côté de la vallée.

Dans le silence retrouvé on n'entendait plus rien, sinon des bruits de pas épais venus du bois, une marche pesante avec une teinte métallique, celle d'une créature invisible jusque-là. La lune gibbeuse éclairait bien et la chose remuait dans les derniers taillis. Ceux qui avaient de l'imagination s'attendaient à voir surgir un gigantesque loup, la patte prise dans un piège à dents, ou pourquoi pas la tigresse tueuse de Champawat dont l'histoire avait fait le tour du monde. En fin de compte c'est une ombre encapuchonnée qui sortit de là-dedans, un genre de gros moine tirant une mule exténuée, les gamelles tintant sur le havresac. Les vieux se signèrent en voyant ça, et les mômes se rangèrent derrière eux. Personne ici n'avait jamais vu de pèlerins. Dans le temps, des marcheurs descendaient de l'Auvergne et traversaient les bois pour décrocher la félicité du côté de l'Espagne, mais il y avait bien longtemps que plus personne ne marchait vers

Saint-Jacques, depuis des lustres on ne croisait plus de pénitents cheminant vers l'apôtre. En découvrant cet oiseau de malheur, on aurait dû comprendre que cette nuit du 31 juillet était une frontière entre deux mondes, que ce serait la dernière nuit avant quatre années de calamités. À voir ce mystique ayant perdu le nord on aurait dû sentir que dès le lendemain le monde basculerait vers une autre ère et que cette mue se ferait dans la folie, le feu et la peur, et surtout le sang.

Printemps 2017

L'annonce parlait de calme, de paix assurée, d'un gîte perdu au milieu des collines. Trois photos donnaient peu à voir mais confirmaient cette impression d'ensemble. Une vue satellite embrassait le parc régional du causse vert, en zoomant on devinait la maison isolée dans un océan de verdure, entourée de combes et de crêtes. Lise était sûre d'avoir trouvé là un coin tranquille. D'autres auraient dit paumé. Un court texte présentait une maison du XIXe siècle, une bâtisse simple au sommet d'une hauteur, aucun voisin à dix kilomètres à la ronde et le premier village à vingt-cinq minutes de route.

Lise était tombée sur cette annonce en cherchant au hasard sur Internet. En lisant ce descriptif n'importe qui d'autre aurait fui, tandis qu'elle y retrouvait une grande partie des critères qu'elle s'était fixés : la nature, le soleil et l'isolement.

L'isolement justement. Le petit détail qui l'intriguait, c'est que parmi toutes les locations présentées sur le site celle-ci était la seule dont aussi peu de cases étaient cochées. Les équipements semblaient minces, l'installation rudimentaire, autant dire qu'il n'y aurait pas de piscine, pas de clim, et même pas de télé. Mais surtout pas de téléphone, et par conséquent pas de Wi-Fi.

Pour ces dernières raisons elle décida que ce serait l'endroit parfait. Depuis des années elle rêvait de faire une coupure, de passer trois semaines sans connexion ni ondes, elle tenait là l'occasion ou jamais d'en faire l'essai, de se déconnecter d'une façon radicale.

— Mais enfin, Lise, tu nous imagines trois semaines sans Internet...?

— Moi oui.

— Eh bien, je te le dis franchement, moi je ne pourrais pas. Vis-à-vis de mon boulot je ne peux pas me le permettre.

— Je t'assure que ça nous ferait du bien, sans parler du bruit, de la pollution et surtout des ondes...

— Non, Lise, tu ne vas pas recommencer avec ça !

Depuis plusieurs années Lise disait souffrir des ondes ou alors des radiations, voilà pourquoi elle voulait faire l'expérience de s'en tenir à l'écart. Et plus que tout vivre le plus sainement possible, au rythme des jours, voir le soleil se lever et le suivre jusqu'à son coucher, regarder le temps en face, ne rien faire d'autre que marcher, méditer, respirer un air traversé d'aucune particule, d'aucun bruit... En poussant les recherches elle avait repéré qu'au premier village on trouvait un magasin bio, pour le reste elle se voyait déjà cueillant des baies et des fleurs, des racines qu'elle avait répertoriées, tel était son rêve, passer trois semaines dans un état de nature, trois semaines quasi sauvages en étant coupée de tout.

— Je t'assure, Franck, des gîtes en pleine nature sans télé ni Wi-Fi, ça n'existe pas. Une chance que je sois tombée sur celui-là, et en plus il est encore libre tout le mois d'août !

— C'est ce qui m'inquiète. Tu vois bien qu'il n'y a pas un avis, pas un commentaire de client, c'est quand même étrange. Et en plus, qu'est-ce que tu veux faire de cent vingt hectares de bois ?

— Rien, justement. Rien.

— Enfin, Lise, il n'y a aucun confort... Pas de clim, pas de télé, si ça se trouve il n'y aura même pas de bouilloire ni de grille-pain...

— Tu peux pas vivre trois semaines sans bouilloire ni grille-pain ?

— Non. Moi je suis un homme moderne, moi le matin j'aime avoir une bouilloire et un grille-pain. Déjà qu'il n'y a pas de piscine. C'est curieux, d'ailleurs, c'est la seule location où il n'y a pas de piscine ! Et puis d'abord, c'est quoi ce site, t'as vérifié au moins ?

— Franck, t'as peur de quoi, qu'on se retrouve tous les deux face à face, c'est ça, t'as peur qu'on se retrouve sans personne autour, sans bruits de mômes ni de hors-bord, sans voisins ?

— Si tu veux être tranquille, autant faire une croisière, ou un circuit dans le désert, je reçois plein de promotions dans ma boîte mail, crois-moi, les endroits calmes dans le monde, c'est pas ce qui manque...

— Parce que les avions, les trajets, les groupes, pour toi c'est le calme... Vivre au milieu des autres, respecter les horaires, c'est ça, pour toi, être tranquille ?

— De toute façon il faut un 4 × 4 pour monter là-haut, c'est écrit sur ton annonce, « véhicule 4 × 4 recommandé ».

— Eh bien, on en louera un !

— Lise, tu sais ce que ça coûte de louer un 4 × 4 ?

— Et une croisière ?

Les mises en garde sur le chemin étaient formelles, et autant elles rebutaient Franck, autant elles confortaient Lise dans son choix. On disait que l'accès au mont d'Orcières était très abrupt, la dernière partie non goudronnée, il fallait donc un véhicule quatre roues motrices pour y monter. Pour se faire une idée plus claire, Lise tenta de retrouver le gîte sur Google Earth. Il n'y avait pas d'adresse précise, rien d'autre que le nom du lieu-dit le plus proche, elle dut survoler des hectares vert émeraude avant de repérer l'endroit. De toute évidence la maison était celle-là, dans le secteur il n'y en avait qu'une seule dressée au-dessus des bois. Quant au fameux chemin on le devinait, qui serpentait. Sans 3D on ne pouvait apprécier la rudesse de la pente, mais on discernait la trace sinueuse et claire qui partait de la route pour se perdre dans le vert, comme un dessin à la craie esquissé au milieu d'un décor. Lorsqu'on dézoomait, on découvrait alentour tout un maquis de chênes verts et des collines, et surtout pas d'autres propriétés. En revanche, à l'est du gîte, on remarquait une brillance en haut à gauche, un halo étincelant au cœur d'une masse sombre. On aurait dit un gigantesque éclat de soleil, une sorte de miroitement, Franck zooma dessus pour y voir plus clair, mais le reflet faisait une tache blanche.

— Qu'est-ce que t'en penses ?

L'idée de se perdre trois semaines au milieu des collines, d'avance ça le démoralisait.

— J'en pense que ton annonce n'est pas nette.

— Non, je te parle du truc qui brille là, c'est quoi ?

— J'en sais rien, Lise, un miroir... Ou un plan d'eau.

— Eh bien voilà, comme ça tu pourras te baigner !

— Demande-leur au moins si ça capte.

— Quoi donc ?

— Le portable, Lise, le portable.

Août 1914

À Orcières-le-Bas le clocher était en trop mauvais état pour faire sonner le tocsin, mais s'il ne sonna pas ce jour-là, tout le monde l'entendit pourtant, et plus fort que jamais, un tocsin universel qui battait la campagne en déchirant le ciel, un tocsin relayé par les clochers affolés de Limogne et de Villefranche, à moins qu'il ne fût directement réverbéré par l'au-delà... Les clochers déversèrent une telle frayeur qu'elle résonnerait dans les esprits pendant des mois. Chaque fois que le vent se lèverait, tous croiraient de nouveau entendre ces cloches éperdues qui, en une seconde, avaient fait basculer le pays du bel après-midi d'été à l'effroi le plus total.

Le pèlerin prophétique et sa mule avaient passé la nuit dans la maison du médecin. Parmi la trentaine de foyers que comptait le village, c'était bien le seul où il y avait assez de place pour l'accueillir, et pour cause, en plus de la grandeur de leur mas, le docteur Manouvrier et sa femme Joséphine, sans qu'on sache trop pourquoi, n'avaient toujours pas d'enfants. Après une nuit courte, le marcheur et la mule étaient repartis à l'aube, ne doutant pas de cheminer comme ça jusqu'à Saint-Jacques, alors qu'ils fonçaient droit vers un jour de guerre. Pour ne pas se soustraire à la volonté des hommes, bien plus procédurière que celle de Dieu, ils auront sûrement fait demi-tour quelque part. À moins qu'ils ne soient tombés au fond d'une igue, le secteur en est plein. Au village, on ne sut jamais ce qu'étaient devenus le pèlerin et sa mule, en tout cas on ne les revit jamais passer dans l'autre sens, mais tous se souvinrent que la visite de cet oiseau de malheur fut le jour où éclata la guerre.

De cette première journée d'août, on se souviendrait aussi qu'elle était idéale, les moissons s'annonçaient exceptionnelles, les cultures donnaient comme jamais, l'après-midi resplendissait comme un tableau à peindre. Cependant, où que l'on fût à seize heures ce samedi-là, à moissonner en plein soleil ou à récupérer à l'ombre des noyers, chaque être fut cloué par ce prodigieux coup de froid. Orcières était loin de tout, au fin fond des collines escarpées du causse et à trente kilomètres de la première gendarmerie, mais ici comme ailleurs il aura suffi de ces cloches et d'une grande affiche collée sur les murs pour que tout se dérègle.

Par décret du Président de la République, la mobilisation des armées de terre et de mer est ordonnée, ainsi que la réquisition des animaux, voitures et harnais nécessaires au complément de ces armées.

Printemps 2017

« Paix assurée. » Rien qu'à voir le titre de l'annonce, Franck était démoralisé. Avec Lise ils n'étaient jamais partis plus de dix jours en vacances, la plupart du temps à la mer, dans des maisons louées avec des amis, et souvent avec plein de monde autour. Jamais ils n'avaient fait le choix de l'isolement dans un coin paumé.

— Lise, je m'excuse, mais ce sera sans moi.

— Tu sais, Franck, je n'ai pas envie de me battre. Après les deux ans que je viens de passer, je n'ai juste plus envie de me battre, et encore moins pour ça. J'irai seule, c'est pas grave.

— Mais enfin, Lise, c'est pour toi que je dis ça, je n'ai pas envie que tu te sentes mal, si ça se trouve au bout de deux jours tu vas déprimer, y a rien là-bas, rien, c'est un trou je te dis, j'ai fait des recherches sur Google Maps et il y a rien autour, même pas un village, rien que des collines...

— Eh bien justement, c'est ça dont j'ai envie.

— Franchement, Lise, elle est pas nette ton annonce, y a quelque chose qui cloche.

En comparant l'annonce avec d'autres sur différents sites, Franck avait relevé plusieurs détails qui ne collaient pas. Visiblement ce gîte était proposé à la location depuis peu, peut-être même pour la première fois, puisqu'il n'y avait pas de commentaires des précédents locataires, et que, chose étrange, il était encore disponible tout le mois d'août alors qu'on était fin mai.

— Au contraire, c'est bon signe !

Pour Lise, que cette maison soit libre quand toutes les autres étaient déjà réservées relevait de la pure chance. Le hasard la lui destinait. Et pour ce qui était de son équipement minimal, là aussi elle avait toutes les solutions. Ils apporteraient les draps et le linge comme on disait de le faire, sans savoir s'il y aurait une machine à laver, elle se voyait déjà laver le linge à la rivière, le faire sécher sur le fil, rien ne l'inquiétait, au contraire, elle souhaitait plus que tout faire cette expérience au plus près de la nature, effectuer ses séances de méditation au milieu des arbres, peindre quelque chose d'autre que des décors urbains, et marcher, marcher hors de toute route et de tout sentier, marcher en étant sûre de ne jamais tomber sur quelqu'un.

Dans les jours qui suivirent, la personne de l'annonce à contacter n'était jamais pressée de répondre à ses mails, peu diserte dans ses réponses. Les deux fois où Lise avait composé le numéro de téléphone commençant par 0065 elle était tombée sur un correspondant ne parlant ni français ni anglais, certes on l'avait bien rappelée, mais chaque fois à trois heures du matin et sans laisser de message. Après tout, le site était certifié et l'annonce validée, il ne pouvait pas y avoir d'arnaque. De toute manière Lise avait décidé de ne plus se faire de souci, d'une façon générale plus rien ne la tracasserait dans la vie, à compter de maintenant elle ne se fierait qu'à son instinct.

Peu à peu, Franck se faisait à cette idée, se disant qu'au pire, si ça se passait mal, il aurait beau jeu de reprendre le dessus. Sans recourir à la mauvaise foi il lui dirait simplement : « Tu vois, je te l'avais bien dit, la campagne on n'est pas faits pour ça. » Il n'était pas inquiet, d'avance il savait qu'il ne resterait pas trois semaines là-bas, le travail lui fournirait ce qu'il faut de prétextes pour remonter un maximum de fois à Paris, il trouverait mille astuces pour limiter l'expérience, contrairement à Lise il n'avait aucune envie de se couper de la civilisation, sans aucune possibilité de se lier avec quiconque.

— Dis-toi bien que dans un trou pareil, personne ne viendra nous voir !

— Au fond, ça doit être ça qui te fait peur, qu'on passe trois semaines tous les deux, face à face, ça te semble insurmontable, pas vrai ?

— Non, Lise, je crois juste que... enfin tu ne sais pas ce que c'est que de vivre à la campagne.

Remisant tout égoïsme, il songea que pour elle ce serait peut-être l'occasion de mettre à l'épreuve toutes les intuitions qu'elle avait sur sa santé, sur cette nouvelle hygiène de vie à laquelle elle se pliait désormais. Pendant un mois elle voulait vivre à l'écart de tout ce qui lui faisait mal. Ce n'est pas rien dans l'histoire d'un couple, d'avoir craint si longtemps pour la vie de l'autre. Même si l'on n'est plus très sûr de s'aimer, même s'il arrive souvent qu'on s'engueule en se jurant que c'est fini, il n'empêche que quand l'un des deux se retrouve suspendu à des diagnostics et des résultats d'analyses durant des mois, tout cet amour possiblement éteint se ravive, tout cet amour qu'on ne se donnait plus resurgit sous forme de révolte. Pendant ces six mois de traitement, mille fois il se sera dit que s'il perdait Lise il perdrait tout, seul il ne serait plus rien. Depuis, il avait pour elle un infini respect, il admirait la force qu'elle avait eue tout au long de l'épreuve, sa manière d'encaisser les rendez-vous médicaux et les traitements sans jamais douter, ou en ne le montrant pas. Il vénérait cela chez elle, ce sang-froid dont elle ne s'était jamais défaite, cette confiance et cette humeur étale. Depuis que Lise était guérie, il veillait sur elle. Sans rien en laisser paraître, il veillait sur elle, alors même qu'il la savait plus forte que lui. Il comprenait bien tout ce que son cancer avait fait naître en elle, ce besoin de retour à la nature, à tel point qu'elle enrageait chaque fois qu'elle allumait son ordinateur et qu'elle découvrait des dizaines de réseaux Wi-Fi dans sa fenêtre de connexion en haut à gauche de l'écran, de même qu'elle souffrait de voir dans la rue, dans le métro, au café, tous ces gens qui téléphonaient autour d'elle parce que maintenant elle en était là, à ressentir physiquement ces faisceaux d'ondes, ces réseaux abstraits auxquels les voisins et les immeubles environnants se connectaient, elle se sentait irradiée par ces millions de connexions invisibles que l'on traverse en ville, des millions de connexions, de coups de fil et de réseaux qui sont là sans cesse, qui passent à travers nous à tout moment, pour ne rien dire des hotspots et des myriades de communications dans le RER et les cafés, à longueur de temps elle se sentait parcourue par ces flux d'ondes abstraites, à croire que son corps en souffrait vraiment. À cela il fallait ajouter les pics de pollution et les alertes aux particules fines, cette mise en garde permanente en ville contre le fait même de respirer, elle en venait à haïr tous ces scooters ou ces bus qui crachent des fumées noires, ces autocars à l'arrêt qui restent le moteur allumé, ce manque de civisme qui est à l'origine de tout. Mine de rien, elle s'était enrôlée dans le conflit permanent contre tous les êtres motorisés, sans parler des révélations qui surgissaient chaque jour sur l'omniprésence des produits phytosanitaires ou des perturbateurs endocriniens dans le moindre haricot vert... Là-bas au moins, il n'y avait aucune culture dans les environs, aucun champ, rien que le causse.

Sans songer à changer de vie, elle était intimement sûre de la nocivité de toutes ces menaces. Au jour le jour elle les vivait comme une agression, et à ce qu'elle comprenait de ce gîte, sur ce plan-là elle serait tranquille. Elle avait même écrit un mail aux propriétaires, une question qui avait dû les surprendre, d'ailleurs ils avaient mis trois jours avant de lui répondre, un mail où elle leur demandait de lui certifier que là-haut il n'y avait pas de réseau et que, surtout, les téléphones mobiles ne captaient pas. À ce mail-ci ils avaient répondu par un laconique « Non, désolé, là-haut ça ne capte pas », craignant que ce ne soit la mauvaise réponse.

Août 1914

Ce samedi 1er août 1914, les hommes croyaient ne déclarer la guerre qu'aux hommes, pourtant ce n'est pas seulement une marée d'êtres humains qu'on envoya à la mort, mais aussi des millions d'animaux. Dans les villes comme dans les campagnes on réquisitionna les chevaux avant même de rassembler les hommes. Cette affiche de mobilisation qui dormait depuis des années dans les tiroirs des mairies, il aura suffi de la placarder sur tous les murs de France, d'y inscrire une date dans la case prévue à cet effet pour qu'aussitôt des flots entiers de maris, de pères et de fils se ruent dans les trains afin de massacrer des flots entiers de maris, de pères et de fils désignés comme ennemis, enrôlant dans cette folie tout un monde animal qui n'avait rien à voir avec l'Histoire. Partout en Europe les animaux furent enrôlés au même titre que les hommes, au premier rang desquels des centaines de milliers de chevaux qu'on envoyait au feu, des montures chamboulées par l'effroi qui servaient les régiments de cavalerie légère ou de cuirassés, hissant les officiers au-dessus des combats ou tractant tout ce que les moteurs ne tractaient pas encore. Aux bœufs on attela des canons sur des chemins impossibles, trois paires de bœufs tiraient des carrioles farcies de munitions ou de bardas, traînant des tonnes de pièces d'artillerie en s'exposant aux lignes de tir, tout ce que l'homme avait domestiqué de bêtes dociles et loyales se retrouva engagé dans la fureur des combats et devint une cible pour l'ennemi.

Dès les premières heures, l'ordre fut donné de déclarer aux recruteurs de l'armée tout ce qu'on possédait comme animaux, à croire que la perspective de la guerre les rendait tous avides ou fous, une folie qui amena à vider les chenils et les fourrières pour former à la va-vite des chiens renifleurs de mines ou de gaz, des molosses aussi bien que des toutous qu'on jeta du jour au lendemain au cœur des combats pour détecter les bombes, il en est même qu'on piégea en les chargeant de poudre et d'une mèche afin qu'ils aillent se faire exploser dans les tranchées ennemies. Comme les Romains lançaient des cochons de guerre enflammés sur les éléphants d'Hannibal, en 1914 on précipita des moutons dans les champs de mines pour qu'elles explosent ailleurs que sous le pas des fantassins. Du jour au lendemain, les hommes basculèrent dans la barbarie et la fureur, et la mort, ce microbe peu subtil qui enjambe allègrement la barrière des espèces, faucha en quatre ans de guerre des générations d'hommes en même temps que des millions de chevaux, de bœufs et de mules, tout autant que des chiens, des pigeons et des ânes, sans compter tous les gibiers coincés dans la démence des feux, toute la faune sauvage surprise par les bombardements, les légions de proies immolées sans même avoir eu l'honneur d'être chassées, aussi bien des chevreuils que des renards, des lièvres anéantis dans les territoires incendiés, alors que les autres se faisaient braconner par des ombres qui cherchaient de quoi manger.

Dans les fermes, on réquisitionna des troupeaux de moutons, de vaches et de chèvres qu'on hissait jusqu'aux zones de combat. Des bêtes tremblantes qu'on montait chaque jour par trains entiers vers le front pour nourrir des soldats épuisés par la peur et le feu. Rien que les vaches, il fallait en tuer trente-cinq mille par jour pour nourrir les troupes. Et encore, c'était bien peu au regard de ces millions de bouches affamées, surtout que dans ces soupes qui leur arrivaient froides, bien souvent on ne voyait même plus la viande, seulement les haricots rouges, les plus farineux qui soient mais qui tiennent au corps. La vache ou le mouton dans tout ça n'y était plus que par fragments, un animal évaporé dans le surplus du bouillon, délité jusqu'à l'inutile, sacrifié pour ne faire que calmer des faims.

Les hommes valides étaient partis vers Gramat ou Cahors pour s'enfourner dans leurs trains, pourtant il faudrait moissonner avant que le temps change ou que les grains cuisent, il faudrait le faire sans eux. D'après *La Dépêche*, dans les grandes villes les hommes étaient fiers d'aller se battre, galvanisés par l'ivresse de buter du Boche ils grimpaient même dans les trains en chantant. Alors qu'au village les hommes étaient partis la tête basse et dans les larmes. Les femmes étaient d'autant plus démunies qu'elles devaient donner aussi les chevaux et les bœufs, et même les mulets et les ânes s'ils étaient valables, parce que, en attendant que les usines tournent à plein régime, les moteurs manqueraient. Les précieux pigeons qu'on élevait dans les hauts pigeonniers furent tous recensés ou relâchés, parfois même les gendarmes les tuaient d'office, par crainte que certains n'aient dans l'idée de les faire voyager pour le compte d'on ne sait quel ennemi.

La seule aubaine, c'est qu'Orcières était perdu dans les collines, en temps normal les gendarmes n'y venaient jamais. C'est pourquoi Fernand le maire cacha aux commissions de réquisition ces troupeaux qui étaient là-haut à l'estive, deux cents moutons en règle mais qu'il dissimula pourtant, préférant qu'on les garde bien à l'abri, au secret, dans les prairies au-delà du mont. De même qu'une semaine plus tard il ne dit rien au sujet des cinq lions et des trois tigres qui débarquèrent dans sa commune, huit grands fauves tapis derrière les panneaux jaune et rouge des carrioles bariolées de chez Pinder, huit monstres mortifères, rugissants et fous.

Août 2017

Franck et Lise roulaient depuis le matin. Ils avaient prévu d'arriver en milieu d'après-midi pour récupérer les clés à l'endroit convenu et prendre possession du gîte avant la tombée du jour, histoire de découvrir tranquillement les lieux. Avec un peu de chance ils pourraient même redescendre faire des courses en ville, pour peu de la trouver et que les magasins ne ferment pas trop tôt. En plein été, ils ne doutaient pas qu'il y ait quelque part une épicerie ouverte après dix-neuf heures.

Cependant, depuis le départ, tout contrariait leur plan. À commencer par les bouchons à la sortie de Paris. C'était bien la première fois qu'ils se retrouvaient à devoir partir un samedi classé rouge de début août, et ils étaient piégés dans le grand flux. Puis au déjeuner il y eut cette attente interminable au restauroute, suivie de la panne électronique qui avait bloqué le démarreur de l'Audi, l'énorme 4 × 4 de location que Franck maîtrisait mal, aussi sophistiqué qu'encombrant, mais c'était le seul disponible sur tous les sites de location.

Une fois sortis de l'autoroute ils s'engagèrent d'abord sur une nationale, puis sur des petites routes, et là toutes les imprécisions du GPS firent qu'ils n'arrivaient jamais à atteindre Orcières. À plusieurs reprises ils s'en rapprochèrent, avant de s'en éloigner de nouveau. Les ordres donnés par la voix de synthèse semblaient contradictoires. Franck en vint même à douter que ce lieu existe réellement. Depuis le début il avait la sourde appréhension de s'être fait avoir, depuis le début il pensait que quelque chose n'allait pas dans cette annonce, le numéro de téléphone qu'ils avaient tenté d'appeler correspondait à la zone Asie, à Singapour pour être précis, et même s'il était concevable que les propriétaires habitent là-bas, demeurait cette bizarrerie, tout de même, qu'on ne leur réponde jamais autrement que par mail. Si ça se trouve cette annonce était bel et bien une arnaque et les mille quatre cents euros d'acompte étaient perdus.

Pas trop expert en voitures de location, Franck comprit enfin pourquoi il ne parvenait pas à rejoindre Orcières. Le véhicule était tellement large que, par mesure de sécurité, le loueur avait programmé le GPS en mode camping-car, de sorte que les trop petites routes ne leur étaient jamais proposées, on ne leur suggérait que des départementales, en aucun cas les voies étroites et escarpées, si bien qu'ils n'en finissaient pas de tourner autour de leur objectif.

Il était dix-neuf heures quand ils atteignirent enfin le village où ils avaient rendez-vous, Orcières-le-Bas. Il s'agissait plutôt d'un hameau éparpillé, plusieurs fermes se présentaient à eux, chacune distribuée par un chemin, sans jamais de pancarte. C'est dans l'une d'elles qu'on les attendait pour leur remettre les clés, laquelle ils ne le savaient pas, il n'y avait pas de nom aux chemins, pas de numéro aux portails. À cause de la chaleur qu'il faisait encore – le tableau de bord indiquait 36 degrés, les portes et les fenêtres gardaient leurs volets fermés. Par trois fois ils cognèrent à des portes sans succès, à la quatrième, quelqu'un apparut, « Pardon de vous déranger, mais vous ne sauriez pas où habite monsieur ou madame Dauclercq ? » Sans sympathie la vieille femme leur répondit : « Les Dauclercq, c'est la dernière ferme, au bout à gauche. » Elle les regarda partir avec méfiance, Franck vit cela dans son rétroviseur, sans doute à cause de la taille de la voiture, de son allure imposante. Peu après, ils tombèrent enfin sur la bonne ferme, celle dite de La Combe.

Cette fois Franck rentra directement dans la cour avec le 4 × 4, il aperçut une silhouette au fond d'un hangar, ce devait être la mère Dauclercq. Pour jouer la connivence il klaxonna, mais la vieille paysanne, plutôt que de venir vers eux, se dirigea vers sa maison. Franck et Lise descendirent de voiture et partirent à sa suite, mais déjà la femme ressortait en leur tendant le trousseau de clés, le tenant devant elle comme pour se débarrasser d'eux, signifiant bien qu'elle

n'avait rien de plus à leur dire et à leur donner.
Tout de même, Lise tenta quelques questions
auxquelles la bonne femme répondit sèchement.

— Le gîte, il est bien sur la colline là-haut ?

— Non, c'est pas cette colline-là, c'est l'autre
plus loin, à six kilomètres, à l'épingle à cheveux
vous prenez le chemin à gauche, et vous montez.

— D'accord. C'est joli par ici.

— Pensez-vous, c'est trop sec.

— Et pour faire les courses, il faut aller au
village en bas ?

— Non, vous ne trouverez rien.

— Mais au village il y a bien une épicerie ?

— Y a plus de village.

Franck enchaîna, presque agacé :

— Attendez, y a un supermarché, je l'ai vu
sur Internet.

— Si vous voulez des magasins faut descendre
à Limogne ou à Saint-Martin, mais pour ça faut
faire de la route.

— Ah oui, c'est à combien de kilomètres ?

— Une bonne demi-heure.

— Donc, ce n'est pas loin.

— Si, c'est loin.

Tout en parlant Franck remarqua près du hangar une niche étonnamment grande, une niche
qui devait faire plus d'un mètre cinquante de
haut, comme si elle abritait une sorte de chien
immense, mais pour l'heure elle était vide.

Ils restèrent tous deux devant cette brave
femme qui restait elle-même devant le pas de
sa porte. Elle ne leur avait pas proposé d'entrer.
Encore moins de prendre un verre. Franck sentait

bien qu'en plus de la gêner ils produisaient chez elle une forme de désapprobation acide. Il en déduisit que cette bonne femme n'avait aucune envie que le gîte soit loué, de toute évidence ce n'était pas le sien, elle ne faisait que garder les clés, mais au fond d'elle-même, et pour on ne sait quelle raison, elle n'aimait pas l'idée qu'il soit occupé.

— Et les propriétaires, ils sont où ?

— Ça fait longtemps que la mère Henderson est en maison de retraite.

— Henderson ? Ce n'était pas ce nom-là sur l'annonce.

— Ça, c'est leurs affaires.

— C'est pas un nom du coin ?

— Non.

— Ah bon, et elle a quel âge ?

— Pas loin de quatre-vingt-dix-huit, peut-être bien cent.

— Mais alors, qui est-ce qui a mis l'annonce ?

— Sa fille, elle est en Amérique ou j'sais pas où, c'est pour ça qu'on a les clés, sans quoi vous pensez bien que je me casserais pas la tête avec tout ça...

— Et Singapour, alors, pourquoi il y a un numéro de téléphone à Singapour ?

— Qu'est-ce que vous voulez que j'en sache...

— Mais pardon, madame Dauclercq, que je comprenne bien, c'est bien vous qui vous occupez du gîte ?

— On rend service, c'est tout. Mon mari fauche leurs prés, et en ce moment je vous prie de croire qu'il faut les faucher tous les mois, sinon ça serait la jungle là-haut, la jungle, je vous dis. D'ailleurs vous le verrez bien en montant, vous attendez pas à voir de la belle pelouse, c'est la jungle là-haut, même quand on fauche, ça repousse tout de suite.

Franck désigna les étables et rétorqua malicieusement à la paysanne :

— Mais j'imagine que pour vous ça tombe bien, toute cette herbe que vous leur fauchez, ça vous fait du foin, non ?

— En un sens... Disons que ça arrange tout le monde.

— Et avant nous, quelqu'un a déjà loué ce gîte ?

— Dans le temps la fille venait un peu l'été, mais ils habitent loin. Et puis avec des enfants c'est pas possible. J'espère que vos enfants sont grands, ou vos petits-enfants, je ne sais pas...

Lise et Franck ne savaient jamais quoi répondre dans ces cas-là, comme fautifs de ne pas avoir d'enfants, comme si ça ne se pouvait pas de ne pas avoir d'enfants.

— Des enfants, on n'en a pas, dit Lise aussi légèrement que possible.

La bonne femme trouva ça étrange, aussi étrange que cette grosse bagnole noire qui avait soulevé tant de poussière en rentrant dans la cour, une poussière qui flottait encore dans l'air.

— Dans ce cas-là vous êtes tranquilles, mais faut y vivre là-haut, y a pas de téléphone, pas de chauffage, pas de pression au robinet. Que je vous explique, vous avez la réserve d'eau cachée derrière les buis, un vrai bassin, mais faut surtout pas la boire, cette eau-là, c'est un coup à attraper le choléra.

— Vous plaisantez, j'espère…

— Je vous parle de ça, c'est ce qu'on racontait dans le temps. En tout cas moi, cette eau, je la donnerais pas à mes chèvres.

— Il est profond, ce bassin ?

— Pardi, il est immense ! Y a que les animaux qui y boivent, ça les attire, je vous prie de croire que la nuit vous allez en entendre, y en a même qui tombent dedans, et un animal qui se noie, ça fait du barouf… Bon, allez, j'ai trois rangées de haricots à ramasser, avec la chaleur qu'il a fait aujourd'hui, j'suis pas en avance…

Lise répliqua, avec une allégresse déconcertante dans ce contexte tendu, soulevée de bonne humeur :

— Mais c'est formidable ! Vous savez quoi, eh bien, c'est chez vous qu'on va faire les courses… On peut vous prendre des haricots ?

Sans être conquise la petite mère fut sensible à cette proposition, même si elle s'appliqua à ne pas trahir le moindre contentement. Sa sale humeur la regagna bien vite et elle leur dit de repasser demain, vu que les haricots n'étaient pas encore cueillis. Lise, avec un enthousiasme absolument pas de circonstance, demanda si elle n'avait pas des œufs par hasard, la paysanne dévisagea cette Parisienne comme on toise l'ennemi, l'air de se dire « Mais qui c'est celle-là ? ».

— On verra demain. Je vous en garde, promis.

Franck ne voyait pas sur quelle formule de politesse prendre congé. Il regarda Lise s'avancer jusqu'à la bonne femme pour lui serrer la main. Il admirait ça chez Lise, cette forme de cordialité naturelle, cette profonde empathie, depuis plus de vingt ans qu'ils vivaient ensemble, il ne savait pas bien ce qui faisait qu'ils ne s'étaient jamais séparés, mais à coup sûr il enviait cette disposition chez elle, de toujours envisager les choses sous le meilleur angle, de déceler de la bonté chez les plus antipathiques, elle aurait même trouvé de l'humanité chez un éventreur ou un monstre.

En manœuvrant pour sortir de la cour, de nouveau l'Audi souleva une forte poussière. Mine de rien, Franck examinait la niche, il l'apercevait maintenant dans le rétroviseur, profonde comme si elle ouvrait sur un tunnel d'ombre, comme si c'était le débouché d'une galerie connectée avec l'enfer d'où jaillissaient des animaux énormes, des molosses à la morsure enragée.

Août 1914

Dans tous les grands moments de l'Histoire, il est des êtres qui ne craignent pas d'aller contre le cours des choses et continuent de penser en hommes libres. Le dompteur était de ceux-là. Wolfgang Hollzenmaier, son nom était écrit en lettres d'or sur les carrioles. Bien des années avant d'entendre sonner ce tocsin, il avait fait le choix de se taire, de ne plus parler ailleurs qu'en lui-même, sinon pour donner des ordres à ses tigres et à ses lions, des injonctions cinglantes et en allemand, langue dans laquelle depuis quinze ans il dirigeait ses félins au sein des plus grands cirques d'Europe. Artiste ou pas, la mobilisation valait aussi pour lui, bien qu'il fût dompteur, bien qu'il fût allemand. Depuis quelques années, les spectacles itinérants connaissaient leur âge d'or, les cirques répandaient de l'émerveillement un peu partout sur le territoire, dressant leur chapiteau aux abords des villes, jusque dans les bourgs les plus reculés des campagnes. Seulement, dès les premières heures du conflit, ces troupes ambulantes furent obligées de se disperser comme elles le pouvaient, de se démanteler, plongeant du jour au lendemain dans la faillite la plus totale. Ces artistes et ces manutentionnaires se retrouvèrent pour la plupart mobilisés, au même titre que tous les autres civils, d'autant que les clowns, les jongleurs et les acrobates feraient à coup sûr de prodigieux fantassins.

Face à la guerre qui lui tombait dessus, le dompteur ne discerna qu'une urgence : sauver ses animaux. Ses félins, il ne pouvait plus rien en faire, sinon les abandonner dans leurs cages ou les lâcher dans la nature, livrant le monde à leur possible cruauté, ce qui rajouterait de la sauvagerie au grand chaos des hommes. C'est pourquoi le dompteur demanda au maire la permission de se planquer là-haut. En plus de ses fauves qui restaient bien cachés, le dompteur était accompagné d'un grand chien comme on n'en avait jamais vu par ici, un chien de berger marron et noir, le maire racontait que ça s'appelait un « berger allemand ». Que les Allemands combinent des espèces pour concevoir des chiens aussi grands et altiers, aussi musclés et féroces d'aspect, disait tout de leur arrogante prétention.

Les animaux on les réquisitionna jusque dans les cirques, au premier rang desquels les chevaux et les ânes, ainsi que les éléphants qu'on affecta à des tâches de déblaiement ou de trait pour remplacer les bœufs partis au front. Dans le Lot-et-Garonne où était Wolfgang le jour de la déclaration de guerre, dès le mardi les trois pachydermes du cirque Pinder furent embrigadés pour les travaux des champs, d'office on les harnacha de harnais à rallonge, et ils remplacèrent les bêtes réquisitionnées par les autorités militaires.

Au bout de quelques jours, les premiers manques de nourriture se firent sentir, et sans scrupule un peu partout en Europe on se mit à décimer les pensionnaires des ménageries pour s'en faire des pitances, on mangea des buffles et des otaries, des chameaux et des lamas, à Prague on mangea les deux girafes et les kangourous. Dans un monde défait, ces nouvelles-là allaient vite, parce qu'elles mêlaient le spectaculaire au distrayant, l'extraordinaire au sordide.

Au cours de cette ruée meurtrière, certains allèrent même jusqu'à donner leur propre animal pour participer à l'effort de guerre, et en zone frontalière, face au refus des populations civiles d'abattre leurs pigeons domestiques, on déclara passibles de la peine de mort tous ceux qui refusaient de vider leur pigeonnier. Quelques semaines plus tard, on irait jusqu'en Alaska pour en ramener des centaines de chiens de traîneau, ils viendraient en renfort aux chasseurs alpins qui affrontaient les neiges précoces des Vosges. Dans cette guerre folle, c'est tout le règne animal qu'on enrôla avec la même application que les hommes, et dans ce schéma infernal les fauves n'avaient pas leur place. Le dompteur comprit que la fascination que ses lions et ses tigres exerçaient depuis toujours sur les foules ne manquerait pas de se retourner contre eux. Très vite on ne les convoiterait plus pour leur surplombante beauté, mais pour la vigueur appétissante de leurs flancs.

En deux jours il n'y avait plus eu de chapiteau ni de piste, plus de clowns ni de jongleurs, plus d'acrobates ni de cavaliers, Wolfgang s'était donc retrouvé seul avec ses fauves. Sans plus de caravanes ni de tréteaux, que faire de ses fauves sinon les cacher, tout autant que lui-même, déserteur de fait, combattant absenté. S'il fallait vite se planquer, il devait le faire au plus près, quelque part dans cette savane déserte, là-haut sur le causse. Et c'est comme ça que le soir du 5 août, après deux jours à trotter plein est, il était arrivé à Orcières-le-Bas avec ses deux carrioles, deux voitures-cages attelées à quatre chevaux. Une fois là, il avait demandé à voir le maire. La vérité, c'est que le dompteur n'était pas en terrain inconnu. Un mois plus tôt, il était déjà passé à Orcières-le-Bas sur le conseil de l'équarrisseur, il était venu avec une carriole vide récupérer les cadavres des dix brebis affolées par l'orage qui s'étaient dérochées du sommet du mont d'Orcières, cette colline à la maison abandonnée, cette colline dont il avait vite compris que plus personne ne voulait y mettre les pieds, tant il semblait clair que le malheur y avait ses quartiers. Et c'est justement en se souvenant de la falaise, en se souvenant de ce mont maudit qui attirait le malheur, qu'il s'était dit que pour lui ce serait le territoire parfait, pour lui et surtout pour ses fauves.

Nul ne le guida pour monter en haut de ce chemin à la pente impossible. Quant à la maison elle n'avait pas de serrure, uniquement une porte hermétique et forte. Il manquait quelques carreaux aux fenêtres, il aurait le temps de les réparer. Au moins sur cette colline bannie il serait protégé du reste du monde. Pour les fauves ce serait le refuge parfait, car si les lions et les tigres n'ont peur de rien et ne se savent pas d'ennemis, dans un monde en guerre leurs jours étaient comptés. D'instinct ils flairaient le grand désordre qui régnait autour d'eux. Déjà ils avaient ressenti la difficulté cruciale qu'avait leur maître depuis quelques jours à les nourrir. Et tout se jouait là-dessus, car si leur maître n'assurait plus leur pitance, il perdrait toute autorité sur eux. Dès lors il ne constituerait plus une protection ni un rempart, et les fauves n'auraient d'autre choix que de l'attaquer lui et de le dévorer. Là-haut, sur le mont, il comptait bien recréer un équilibre, et surtout il comptait se faire oublier, avec rien moins qu'un mont à soi tout seul, un mont moins sacré que celui de Noé, moins noble sans doute, mais non moins exposé aux plus violents dérèglements. Avec ses bêtes il se posa là, tel un Noé sans alliance.

Août 2017

Le moteur de l'Audi avait du couple, pourtant Franck hésitait à se lancer. Il sortit de la voiture pour jeter un œil à la pente, se demandant si la voiture pourrait gravir cette côte quasiment verticale et pleine de trous. Il n'y avait pas de pancarte mais ce ne pouvait être que là. Depuis la route, le chemin partait sur la gauche, comme le lui avait dit la paysanne, un accès encore plus abrupt qu'une rampe de parking, raviné par les pluies, la terre fendue par le soleil. Il s'assura qu'il était bien en position 4 × 4. Vu d'en bas, ce chemin ressemblait à un tunnel fait de chênes verts et de massifs de buis, une masse compacte de part et d'autre dont les cimes se rejoignaient. Il décela par endroits des rochers affleurant, il faudrait donc éviter tout écart, tout coup de volant. En même temps, l'idée de tester ce moteur l'excitait, trois cents chevaux que jusque-là il n'avait fait que contenir, veillant à ne pas dépasser les limitations de vitesse, là au moins il pourrait lâcher les fauves. Ils rattachèrent leur ceinture et se lancèrent, comme dans une attraction. Très vite la montée s'avéra coriace, d'autant qu'il y en aurait deux kilomètres, deux kilomètres de sente pierreuse et défoncée, avec une déclivité de 40 %, il avait un mal fou à retenir ces trois cents chevaux, une puissance totale qui hissait le poids de l'Audi mais qu'il fallait dompter pour ne pas prendre trop de vitesse, la sente caillouteuse se dérobait sous ses pneus, après chaque virage la voiture se retrouvait tellement penchée qu'il craignait qu'elle ne se retourne ou ne parte en tonneaux du côté du vide. Les capteurs et le Park Pilot bipaient de toutes parts, l'électronique de veille s'affolait, toutefois plutôt que d'en rester là, Franck redonnait chaque fois un coup d'accélérateur, les cailloux jaillissaient de sous les roues comme des projectiles, la caillasse fusait en produisant des impacts qui faisaient l'effet de tirs. Et le chemin n'en finissait pas. Franck était de plus en plus tendu, il avait l'impression d'être tombé dans un piège, réalisant qu'il n'y avait aucune possibilité de faire demi-tour et que plus ils grimpaient, plus le ravin à sa gauche devenait impressionnant, à cause du vertige il se sentait peu à peu gagné par la panique, alors que Lise se cramponnait ferme en lui disant de continuer, comme si elle trouvait cela excitant...

Ça dura cinq minutes, cinq minutes d'ascension comme une épreuve, cinq minutes à piloter cette voiture trop large tout en entendant crisser sa carrosserie. Tout au long de la montée des branches avaient griffé le métal verni, et dans les derniers mètres la pente était si forte que

Lise et Franck avaient le dos plaqué au fond de leur siège comme dans un avion cabré, ils débouchèrent alors sur une clairière de pins où l'ombre semblait fraîche, ils abordèrent le sommet par ces alignements de hauts conifères, pour ainsi dire par en dessous. Toujours plaqués vers l'arrière ils voyaient le soleil par-delà les cimes et puis soudain, ils se retrouvèrent à l'horizontale, comme s'ils atterrissaient, du haut de la colline l'environnement leur apparut comme un monde autre.

Un pur émerveillement. Le panorama s'ouvrait grand devant eux. Au bout de ce couloir d'ombre le paysage leur sauta aux yeux. Dans la clarté d'un soleil rasant, la vue s'offrait à 360 degrés. Même Franck en fut troublé. La colline se dressait comme une île au milieu d'un océan de verdure, de là-haut on embrassait tout un territoire de collines semblables, paraissant se prolonger à l'infini. Sans descendre de voiture ils découvrirent ce décor dans un parfait éblouissement. À partir de là une émotion les souleva, comme s'ils venaient de traverser une phase ultime de la stratosphère et qu'ils se hissaient au-dessus de la quotidienneté du monde. Sur le chemin à présent plan qui suivait la crête, la voiture se stabilisa. Bien qu'arrivés au sommet, ils ne voyaient toujours pas la maison. Le chemin était bordé par un muret de pierres sèches, une muraille pas très haute qui l'encadrait, le gîte devait être au bout du sentier, ne restait plus qu'à coulisser le long de la crête de cette colline nue.

Mais plutôt que de rouler ils demeurèrent là, se remettant de la fatigue du voyage, absorbés par la vue. Un infini relief rejetait sans fin les limites d'une nature sauvage, uniquement faite de collines et de bois. En regardant plein est, Franck visualisa la zone dans un survol mental, comme s'il naviguait sur Google Earth il se représenta les causses, puis le Massif central là-bas, puis les Alpes en enjambant le Rhône, et au-delà de ça l'Eurasie et les steppes de l'Oural...

— Elle doit être derrière les arbres là-bas...

— Qui ?

— La maison !

Lise désignait l'îlot à droite, un bosquet de toutes sortes d'essences entouré de cyprès. Un eucalyptus s'élançait au centre, épaulé par un vieux chêne probablement centenaire. La maison devait être de l'autre côté de cet asile arboré, une source d'ombre au milieu de la colline aux flancs nus. Lise voulut marcher à l'air libre et embrasser le panorama, sentir l'air à pleins poumons. C'était pour elle un parfait aboutissement, un pur cadeau que de se retrouver ainsi hors du monde. Franck lui-même était bouche bée, lui qui aurait mille fois préféré rejoindre des amis en Corse ou sur un bateau, passer deux semaines dans un cadre balnéaire et civilisé, il était saisi par la beauté de l'endroit, puis fut aussitôt envahi par la sensation d'isolement radical qui en émanait.

Pourtant ce soleil rayonnant sur l'émeraude verni des collines l'émerveillait. Il y a des paysages qui sont comme des visages, à peine on les découvre qu'on s'y reconnaît. De par son métier, Franck avait suivi des tournages un peu partout dans le monde, mais rarement il avait ressenti cette émotion, la sensation d'être accueilli par le décor, à cause de la fatigue sans doute, et de l'envie de se poser. Il faut dire qu'ils avaient roulé longtemps, l'épuisement s'ajoutait au soulagement de s'être sortis de cette ascension, après ces heures de route en pleine chaleur. Restait encore à voir la maison, quel genre de bicoque c'était. Il s'attendait à une mauvaise surprise, mais au moins il y aurait ça, ce panorama envoûtant, même s'il savait que pareille fascination ne durerait pas au-delà de deux jours en ce qui le concernait.

Lise avait voulu qu'il lui prenne la main, jamais ils ne s'étaient retrouvés seuls dans ce genre de dispositions, jamais ils n'avaient vécu dans un semblable environnement, jamais ils n'avaient été seulement deux êtres perdus en pleine nature. Que ce soit en ville, en voyage, à la plage, au ski, en croisière, jusque-là tous leurs dépaysements avaient toujours eu un côté sociable, ils étaient entourés d'autres gens ou d'amis, même quand ils étaient allés dans le désert il y a trois ans, ils n'avaient pas quitté le groupe, et en dehors d'une nuit sous la tente ils rentraient tous les soirs à l'hôtel. Alors que cette fois l'éloignement était bien concret.

Une petite odeur de putréfaction vint troubler cet émerveillement, elle rôdait dans les effluves chauds du maquis. Franck fronça les sourcils et regarda autour de lui, cherchant un animal crevé, puis, en amorce de l'îlot de verdure, il avisa le grand quadrilatère de buis en contrebas de la voiture. Laissant Lise à sa contemplation il marcha jusqu'à l'enceinte végétale, à mesure qu'il avançait, la sale odeur se renforçait. Cette ceinture de buis de deux mètres de haut cachait bien quelque chose, elle recelait le parfait rectangle cimenté d'une réserve d'eau, une véritable piscine de plus de six mètres de long, faite d'un très vieux ciment noirci par les années. Il s'en rapprocha, les rebords n'étaient pas très hauts, à peine plus d'un mètre, en revanche le bassin semblait profond, rempli d'une eau croupie et trouble, avec une nappe de pois verdâtres flottant à la surface. Le niveau de l'eau était bas, ou alors elle était vraiment très profonde. Les yeux mangés par le soleil, Franck y voyait mal dans cet antre obscur. En se penchant et en se concentrant mieux, il découvrit le lac d'ombre à deux mètres en contrebas, une eau épaisse et noire couverte de toute une flore opportuniste et minuscule. Il n'y avait pas de bête crevée là-dedans, l'odeur venait peut-être de ces pois d'eau qui pourrissaient. Pendant ce temps-là, Lise tournait lentement sur elle-même face au soleil, goûtant le spectacle panoramique. En faisant un autre tour complet, un peu éblouie, elle ne vit plus Franck, l'espace d'un instant elle éprouva la sensation atroce de l'avoir perdu et d'être absolument seule, là, elle se sentit prise d'une horrible sensation de perdition et d'abandon total, doublée d'un infini contentement. Seule.

Août 1914

Là-haut le dompteur serait chez lui, et il y resterait le temps qu'il voudrait. Le maire lui cédait l'endroit. On ne chercha même pas à lui demander un quelconque loyer ni la moindre contrepartie, sinon qu'on pensait profiter de l'illusoire protection de ses fauves. Depuis que les hommes valides étaient partis au front, au village on ne savait plus bien où on en était de la peur. Après tout, puisque dans les collines on planquait déjà tout un troupeau de brebis, plus de deux cents bêtes, pourquoi ne pas cacher quelques lions en plus. De toute façon plus personne n'y montait sur le mont d'Orcières. Plus personne n'aurait jamais voulu vivre dans cette maison, parce que cette terre était maudite, cette terre-là on la laissait livrée à elle-même.

« Si le Boche veut vivre là-haut, après tout qu'il y aille », disait-on, comme on l'aurait dit d'un ennemi qui s'avance inconsciemment sur un terrain miné. « Qu'il aille donc s'installer sur ces terres de malheur, là-haut c'est le domaine du diable, il n'y survivra pas longtemps, pas plus que ses lions... »

Le mont d'Orcières avant, c'était des terres à vignes opulentes et gaies, mais dévastées par le phylloxéra à la fin du XIXe siècle, elles devinrent des terres brûlées par le sulfure de carbone et l'huile de houille qu'on déversa dessus, des produits qui détruisirent jusqu'à la texture même des sols. Des vignes pour lesquelles on aura tout tenté dans l'espoir d'éradiquer la malédiction. Mais l'insecte jaune avait gagné la partie. Ici comme partout le phylloxéra avait anéanti le vignoble, signe qu'un minuscule insecte peut parfaitement changer la face du monde. C'est pourquoi cette terre du mont d'Orcières, depuis trente ans on la considérait comme maudite, en plus d'être asphyxiée à force de traitements chimiques, elle surplombait le village de son ombre, tout prouvait qu'elle portait malheur.

Le phylloxéra au début, ce fut comme une guerre. Celle-là aussi on la pensait facile à gagner, et bien que la maladie enjambât les cantons, sautant d'un vignoble à l'autre au moindre coup de vent, ce phylloxéra on refusait de le voir comme une damnation. Toutefois, même les plus optimistes comprirent vite que cette guerre était perdue d'avance, une guerre contre un simple puceron de quelques millimètres, qui pourtant terrassa les vignes de tout le pays. La nation entière perdit le combat. En quelques printemps la totalité des vignobles de France furent décimés par le puceron piqueur, un être minuscule qui pondait ses œufs au plus fort de l'été, qui les enfouissait, avant qu'ils éclosent au printemps suivant comme des mines, des mines qui éclataient aux beaux jours sous forme de nymphes dociles qui à leur tour se mettaient à sucer la sève des ceps, jusqu'à les dessécher et à les tuer sur pied.

Là-haut sur le mont d'Orcières, depuis deux mille ans la vigne était chez elle. Ici sur le causse du Quercy, c'était le pays du vin. Au Moyen Âge on y produisait ce vin noir pour la table des rois, un vin qui allait jusqu'en Angleterre. À l'époque Bordeaux n'était qu'un point de passage recueillant tous les nectars descendus le long du Lot. Pour sauver ces vignes, on les aura d'abord inondées, croyant que ça suffirait pour noyer le sale suceur, mais comme ça n'y changeait rien on s'était mis à les traiter au point de brûler la terre. Après des mois de traitements les vignes ne furent plus que des rangées de ceps cramés au naphtalène et au sulfure de carbone, des gisants alignés comme des cavaliers fossilisés, des gladiateurs de Pompéi.

Sur le mont d'Orcières, rien n'y avait fait, pas même les nouvelles greffes puisqu'elles ne poussaient pas sur le calcaire. Vers Bordeaux en revanche, elles prirent vite, parce que là-bas la terre était douce et modelée par la Garonne. Tandis que par ici plus rien ne poussait, si bien que le vigneron et sa femme, épuisés par ces saisons sans vendanges, ruinés par ces produits, auront arraché tout ce qu'il restait de ceps avant d'y mettre le feu et de se pendre tous deux au grand chêne. Dans les flammes ils avaient même jeté les fûts et le pressoir, si bien que là-haut toute la colline avait brûlé, les vignes et la végétation autour, les coteaux avaient flambé, et même les genévriers au-dessus des rochers, tout avait été détruit sauf la maison, la maison et cette poignée d'arbres autour qui lui assurait de l'ombre. C'est tout ce que les gens du village avaient pu sauver, faisant la chaîne pour se passer des seaux d'eau depuis le bassin de retenue, au moins grâce à eux la maison vigneronne et son atoll de végétaux avaient été épargnés.

Puisqu'elles étaient damnées, ces terres, autant que l'Allemand les occupe avec ses fauves. De toute façon on savait bien que ça lui porterait malheur à lui aussi, nul ne pouvait prospérer là-haut, pas plus que survivre, pas même des tigres ou des lions de deux cents kilos, pas même le maître de ceux-là. Le maire lui prêtait les terres et la maison, le temps qu'il voulait, après tout qu'il y mette ses cages et ses carrioles sur ce toit du monde, au pire ça leur ferait un homme valide et costaud au cas où. Quant aux lions et aux tigres, est-ce qu'il convenait d'en avoir peur, on ne savait pas trop. Dans les esprits persistait encore, l'histoire de la tigresse de Champawat, depuis qu'un chasseur anglais l'avait abattue, les journaux en avaient fait un feuilleton, et dans des contrées où les loups rôdaient toujours, l'image de cette tigresse du Bengale qui avait tué quatre cents personnes là-bas en Inde avait réveillé des peurs anciennes. À part dans les journaux et les livres illustrés, sur le causse ça n'existait pas, ces bêtes-là, à la rigueur on les avait vues dessinées sur les carrioles et les affiches de cirques, mais on préférait ne pas les voir en vrai. Si bien que les savoir là-haut ne rassurait pas.

En bas au village, pour faire accepter la présence de l'Allemand, Fernand le maire eut l'astuce d'inventer que cet homme était un saint, que c'était par hauteur d'âme qu'il avait refusé de devenir soldat, par refus de tirer sur des Français, parce que ce Boche-là aimait les Français, contrairement aux autres. Il fit courir le bruit qu'il était un pur pacifiste, un indocile qui rejetait les ordres et refusait de verser le sang. En plus de Fernand le maire, Couderc le maître, l'instituteur, corroborait ses dires, tous deux voulaient rassurer la trentaine d'habitants qui restaient au village, surtout des femmes. De toute manière ce mont d'Orcières, quand bien même le pape ou Dieu lui-même viendrait s'y installer, on continuerait de le maudire. Ce rocher en surplomb, avec sa falaise brutale dressée au-dessus du village, il élevait comme une frontière entre la terre et le ciel. Il gênait. Ce mont, on le blâmait d'autant plus en hiver parce qu'il ajoutait de l'ombre, de novembre à avril il masquait le soleil tout le matin, pour ne le reverser qu'à partir de midi sur le village.

Si cet homme parvenait à vivre sur ce mont funeste, s'il réussissait à survivre sur ces terres qui auront rappelé à elles tout ce qui y aura vécu, c'est donc qu'il était le diable. Et dès les premiers soirs, dans le vent du couchant on entendait les rugissements des lions, des feulements atroces et profonds, des râles d'une brutalité déchirante, et soyeuse pourtant. Les vaches encore à l'étable n'arrivaient pas à trouver ça normal, les quelques chevaux non plus, à chaque rugissement le vieux cheval du maire ou l'entier nerveux du médecin hennissaient aussi follement que si le feu venait de prendre aux écuries. Ces appels léonins affolaient même les chiens, les chiens écrasés par ces râles surplombants, tellement impressionnés qu'ils n'en aboyaient même plus. D'autant que les rugissements portaient loin, ils retentissaient le soir mais aussi le matin, ils faisaient froid dans le dos, pareils à un tocsin quotidien.

Au village, en plus des hommes qui manquaient, en plus de cette fatigue qui assommait les femmes, sans parler des pénuries qui se faisaient déjà sentir, de ces allocations qui ne venaient pas, en plus de l'angoisse atroce de devoir un beau matin apprendre la mort de son fils ou de son homme, il fallait en prime endurer les cris des lions. Très vite s'installa la peur sourde qu'un jour ou l'autre ils ne se sauvent. Si le dompteur ne ressentait rien de la malédiction de la terre d'en haut, ses animaux eux devaient la sentir, pas de doute que l'instinct leur soufflait qu'ils étaient sur une terre à fuir, qu'il ne fallait pas y demeurer, c'est sûrement pour ça que d'en bas on les entendait rugir, ces fauves ne songeaient sans doute qu'à s'échapper.

Août 2017

En tendant bien l'oreille, on n'entendait rien d'autre que des chants d'oiseaux et des bourdonnements d'insectes. Pas le moindre bruit de moteur ni de voisin, pas même un chien pour aboyer au loin, ni l'écho d'une route lointaine ou d'un avion, pas la moindre manifestation de l'humain. Pour Lise c'était le bonheur absolu. Pour Franck la parfaite angoisse. Une fois dans la maison ce fut pire. Il se sentit oppressé par le silence de ces murs épais, littéralement coupé du monde, d'autant qu'avec cette fraîcheur humide qui est le lot des maisons restées longtemps fermées, on se serait cru dans une grotte sous terre, ou bien dans un module échappé dans l'espace. Ce silence était bien plus dense que celui du dehors, c'était la même paix, mais angoissante. Franck soudain se trouva mal, en tout cas très éloigné de sa zone de confort, alors que Lise, elle, ouvrait tout en grand, les portes comme les fenêtres, gaiement, remettant de la vie dans cet intérieur éteint.

À première vue le réfrigérateur était neuf. Au rez-de-chaussée c'était le seul élément du mobilier indiquant que l'endroit était voué à la location, sinon tout semblait ancien, datant probablement des années 1950. La gazinière, le poêle, les sanitaires, bien qu'impeccablement propres on les aurait crus sortis d'une brocante ou d'un film. C'est l'impression qu'eut Franck sur le coup, il retrouvait cette irréalité concrète qui règne sur un plateau de tournage, à cette poignée de porte fine et ronde, ce verrou à molette désuet, et surtout ce pan de faïence bleu ciel qui encadrait l'évier, un évier en pierre d'un seul tenant comme on n'en fabrique plus depuis deux siècles. En tant que producteur, l'espace d'un instant, il eut cette sensation d'anachronisme qui prend quand on visite un décor recréant une époque, aussi bien le XIXe siècle que les années 1950, si le chef décorateur a réussi son effet on se trouve réellement hors du temps. En découvrant cette maison, tout ce qui déconcertait Franck émerveillait Lise. Tout la ravissait. Elle semblait comblée, pour elle il y avait là tous les éléments du dispositif rêvé, le calme, la nature, l'isolement, pour de bon ils étaient loin de tout.

Une fois les volets ouverts, la maison devenait lumineuse. À la lumière du soir, les teintes brillaient de leur plus bel éclat, l'ensemble irradiait d'une simplicité franche, authentique, ou suspecte aurait dit Franck. À voir ces volets bleus, ces rideaux au rouge intense, il n'aurait su affirmer si la décoration était intentionnelle ou si elle résultait simplement de l'histoire de l'endroit, de ses successifs propriétaires. En termes d'équipement il n'y avait pas grand-chose, le minimum, une grande table, quatre chaises, une gazinière, un poêle à bois. Tout était à sa place, rien de plus. Le rez-de-chaussée se composait d'une grande pièce, puis d'une plus petite à gauche, et au fond d'une salle de bains. Un escalier en bois montait à l'étage. Là encore ils ouvrirent les volets pour faire apparaître une chambre immense, avec quatre fenêtres donnant sur les quatre points cardinaux. Lise était réjouie, chaque fois qu'elle poussait les volets d'une pièce elle redécouvrait l'océan de collines au-dehors, cette vue qui l'enchantait. Les murs en pierre et le parquet solide, les poutres au plafond, cette authenticité la réconfortait.

Malgré son malaise, Franck était soulagé. Au moins ce n'était pas une arnaque. Au moins ils ne s'étaient pas fait avoir. Il y avait bien une maison à l'autre bout de cette annonce. L'autre soulagement, c'était pour Lise de voir que son téléphone ne captait pas. Depuis qu'ils s'étaient engagés sur le chemin, mine de rien elle n'avait cessé de jeter un œil à son smartphone, et à aucun moment elle n'avait capté le moindre bout de réseau, comme sur la route avant l'ascension. Dans les derniers kilomètres elle n'avait vu s'afficher qu'une barre, et finalement il n'y avait plus rien eu, le petit éventail en haut de son écran restait vide, siphonné de tout signal. Mais elle se gardait bien de le dire à Franck. Pour elle c'était tout aussi primordial et merveilleux que le soleil qui se couchait face à eux, faisant flamboyer le moindre reflet dans la chambre, chaque lampe, chaque huisserie, chaque miroir ou bout de verre s'ornait d'un éclat, comme si le soleil leur rendait hommage, qu'il saluait les nouveaux venus.

Quand les portes et les fenêtres furent ouvertes, la maison entièrement explorée, Franck fut rattrapé par une prémonition. Il redescendit vite récupérer son smartphone dans le vide-poches de la voiture et constata avec effroi qu'il ne captait pas. Sans plus le moindre sang-froid il se mit à marcher de long en large pour essayer d'attraper du réseau quelque part, il tenait le téléphone tendu devant lui, comme une télécommande pour rallumer le monde. Il longea même la crête, il sillonna tout le plateau en haut de cette colline sans déceler le moindre signal. Où qu'il aille il n'arrivait pas à accrocher la moindre barre de réseau, et ça vraiment, ça ne se pouvait pas. Alors il s'élança dans cette grande pente face à lui, il dévala la belle prairie qui se déroulait vers l'est jusqu'à une combe, à cinq cents bons mètres de la maison, il parcourut tout le flanc de colline avec ses chaussures de ville, s'emberlificotant les pieds dans les herbes hautes, il descendit de plus en plus vite, emporté par le mouvement.

Depuis la fenêtre Lise l'observait. Elle le vit se ruer dans cette longue prairie inclinée, déporté par l'élan, à croire qu'il s'efforçait de marcher lentement mais que la déclivité l'entraînait, il gardait les yeux rivés sur son téléphone sans regarder vraiment où il mettait les pieds, comme s'il veillait un petit animal qu'il ne réussissait pas à réanimer.

Parvenu au pied de la colline, il se retourna, tout surpris d'avoir marché autant. La maison paraissait loin déjà, bien haute en tout cas. À cette heure-là, le creux du vallon était à l'ombre, ici il faisait presque frais. Face à lui, une autre colline se dressait, couverte de chênes verts et de buis celle-là, une éminence de bois dense et pentue dans laquelle il serait quasiment impossible de s'enfoncer, à moins d'affronter tout un maquis de ronces et d'arbustes, de batailler ferme. De là-haut, Lise embrassait le creux de vallon où trépignait Franck. Le versant devant lui s'élevait en une montée dense et profonde, elle admira cette colline tout aussi pentue mais qui semblait impénétrable à cause de la végétation épaisse, de tous les arbres qui se pressaient dessus. Vue de la fenêtre, cette masse végétale paraissait se lever comme une vague, d'autant que le soleil tapait sur son sommet, la rehaussant davantage... Lise était aux anges, elle avait ce qu'elle voulait, ne voir que des collines et des arbres, une disposition qui faisait de cette maison une île, une île perdue dans un océan vert et insondable. Elle se dit que les bêtes devaient grouiller là-dedans, les sangliers et les loups, les renards et les chevreuils, après tout elle ne savait rien de la faune d'ici, cette idée pourtant la traversa, la soulevant d'un petit frisson.

Tout en bas, Franck ressemblait à une figurine. Son polo rose et son pantalon de ville trahissaient tout de sa perdition. Elle continuait de l'observer, il avait les yeux toujours rivés sur son téléphone, bougeant en tous sens, faisant des écarts à droite à gauche, à un moment il s'engagea même dans le bois pour voir s'il captait.

— Alors ?

Elle lui avait lancé ça comme une exhortation, mais il était trop loin pour l'entendre. Elle le suivait du regard, absorbé par son problème, il marchait les bras tendus devant lui, comme un sourcier cherchant un point d'eau avec une baguette de noisetier. Ce spectacle la comblait, parce que, à l'évidence, il n'y avait pas le plus petit fragment d'onde par ici, pas de Wi-Fi ni de hotspot, ni même de ligne téléphonique, rien. Sur ce plan-là, tout était tel qu'elle l'imaginait, ce qui l'emplissait d'une profonde gaieté. En revanche elle se doutait bien que pour Franck ce n'était pas une bonne nouvelle. Sans s'en rendre compte il était dans l'addiction, elle n'ignorait pas qu'il deviendrait fou de rage, lui qui allait sans cesse sur Internet, relevant compulsivement ses mails et des tas de notifications sur les réseaux sociaux, toujours à l'affût de toutes sortes d'actualités dont il s'abreuvait avec frénésie, aussi bien à table qu'au lit, et même en regardant un film. D'une certaine façon, le voir à ce point perdu était cruel. Vis-à-vis de ses partenaires et de son boulot elle savait que Franck ne devait jamais être trop loin de son téléphone. Mais justement, elle tenait à ce qu'il fasse l'expérience, sans parler de se désintoxiquer, qu'il prenne au moins ce peu de recul, cette distance qu'il n'était plus capable d'envisager. Si elle souhaitait fuir les ondes et leur toxicité, elle voulait que Franck se défasse de son omniprésente préoccupation du boulot, d'autant que le métier de producteur n'est pas une activité à horaires fixes, c'est un envahissement permanent, elle voulait voir s'il arriverait à se détacher de cette aliénation. Parfois, un boulot occupe tellement la vie qu'il envahit l'être, avec son lot de satisfactions, mais surtout ce stress constant. C'est la première fois qu'elle le sentait si largué, et la première fois aussi qu'elle le regardait d'aussi loin, dans un cadre absolument sauvage.

Depuis près de vingt-cinq ans ils étaient indissociablement liés, y compris sur le plan professionnel. Ce n'est pas rien tout de même, de se dire que depuis vingt-cinq ans sa vie est liée à cette personne avec qui l'on vit, au point d'être soudé à elle. Quand ils s'étaient rencontrés, Lise tournait beaucoup, elle enchaînait les rôles et travaillait fréquemment aux États-Unis, elle l'avait même aidé à produire son premier long-métrage en y allant financièrement de sa poche. Avant de rencontrer Lise, Franck n'avait produit que des courts-métrages, des petites choses qui gagnaient des prix dans des festivals mais ne rapportaient pas d'argent. Ses deux premiers longs furent des échecs, là encore c'est Lise qui aura sauvé la mise, lui évitant de se retrouver sans un rond. C'est peut-être ça un couple, avoir irrémédiablement besoin de l'autre, être fondé en partie sur lui, sachant que selon les circonstances, ce sera à l'un ou à l'autre d'assurer, en fonction des échecs et des réussites, sans quoi il n'y aurait plus d'équilibre.

Elle savait mieux que personne l'épreuve que c'était de produire un film, elle respectait totalement ce travail où l'on doit à tout moment être fort, rassurant, bien que souvent au fond d'eux-mêmes les producteurs tremblent et jouent leur peau. Sans elle, il est possible que Franck ne serait jamais parvenu à bâtir cette carrière qui était la sienne. S'ils ne s'étaient pas rencontrés, peut-être qu'il en serait encore à produire des courts-métrages ou des films publicitaires, ou alors il aurait ouvert le restaurant dont il parlait à l'époque, le genre de projet de secours auquel on se raccroche quand on n'y arrive plus. Au fil des années, entre Lise et Franck, les rôles s'étaient équilibrés. Pendant dix ans ils avaient tous les deux réussi, chacun de son côté, ils n'avaient jamais travaillé ensemble, mais s'étaient toujours aimés, épaulés, jusqu'à ce que Lise ne trouve plus de rôle à sa hauteur, puis qu'elle perde l'envie de tourner. Comédien est un métier qui laisse assez peu l'occasion d'être soi-même, et une fois passé quarante ans, Lise n'avait plus eu envie d'être quelqu'un d'autre, de se mettre dans la peau d'un personnage, plus ou moins proche d'elle, de faire face à cette caméra qui traque la moindre ride ou le manque d'éclat. Elle n'en pouvait plus de sentir ce gros œil se porter sur elle, à tout épier. Parce que jouer au cinéma ça revient fatalement à tricher sur son âge, on joue les trentenaires à quarante ans, les quadragénaires à cinquante ans, on triche de plus en plus désespérément. Alors, à force d'enchaîner les personnages, elle avait eu le sentiment de ne plus savoir qui elle était vraiment, ni ce qu'elle aimait, quelle était la vie qu'elle voulait. Ce qu'elle cherchait profondément, c'était l'authenticité, le calme, la paix, comme là. C'est pourquoi, avant même de faire le tour complet de la maison, avant même d'explorer ces paysages qui l'entouraient, Lise se sentait pleinement à sa place dans cet endroit, là au moins il y avait tout ce qu'elle désirait, pour trois semaines au minimum.

Franck en bas dans la combe ne se décourageait pas. Lui vint l'image d'un homme courant après son époque, mais n'arrivant pas à la rattraper. Ces derniers mois elle se rendait bien compte qu'il était inquiet, il vivait mal ce nouveau virage que le cinéma doit prendre, cette tendance des jeunes générations à consommer des films sur des écrans de plus en plus petits. Depuis un an elle savait qu'il était gagné par la sensation de faire du cinéma à l'ancienne, d'ailleurs ça se passait mal avec ses deux nouveaux partenaires, deux trentenaires qui ne parlaient pas de film mais de contenu, et qui ne rêvaient que d'une chose, coproduire avec Netflix.

Franck était un entêté. Voilà dix minutes qu'il avait disparu de son champ de vision. Avec une intime ironie elle songea qu'il occuperait ses trois semaines à ne faire que ça, trouver l'endroit où ça capte. Elle contempla la petite terrasse providentielle au premier étage, plein sud. Elle décida qu'au matin ce serait là qu'elle poserait son chevalet, depuis deux ans qu'elle s'était remise à peindre, elle s'était juré que l'année prochaine elle ferait sa première exposition avec ou sans une galerie, et ici l'inspiration ne manquerait pas. Du haut de ce belvédère surplombant la colline elle décida que ce serait dans les roseaux et dans les buis là-bas, du côté de la réserve d'eau, qu'elle ferait son heure de méditation dans les premiers feux du soleil. Sous le grand tilleul elle prendrait ses bains d'ombre. Là-bas près du grand chêne elle peindrait le soir. Où qu'elle regardât, tout semblait la combler, tout était promesse d'activités. Franck réapparut enfin, il jaillit du sous-bois tout en bas et commença de remonter la colline vers la maison, sans plus regarder son smartphone. De loin elle lui lança de nouveau :

— Alors ?

Il répondit d'un geste las. Visiblement la pente était rude, c'était étrange de voir Franck dans ce décor, avec ce polo et ce pantalon qu'il venait visiblement de déchirer dans les ronces. Les herbes étaient plus hautes qu'il n'y semblait, pour progresser là-dedans il devait lever les genoux comme s'il marchait dans l'eau. Il n'avait pas la démarche d'un homme capable d'affronter ça, surtout pas avec ses mocassins en veau retourné. Il était essoufflé et en nage, c'est alors qu'en plus de son cœur qui lui battait dans les tempes, il entendit plein d'insectes qui lui tournoyaient autour, au loin il y avait même des cigales qui stridulaient frénétiquement, en fait ce silence était un faux silence. Et là son téléphone sonna, du moins il crut l'entendre. Il le sortit bien vite de sa poche, l'en extirpa comme s'il devenait brûlant. Mais il n'y avait rien, pas le moindre appel manqué. Ce n'était qu'une sonnerie fantôme, un genre de mirage. Il paraît que ça arrive chez les gens vraiment accros. Au bout d'une heure déjà, il était pris d'hallucinations. Lise comprit la situation, et à quel point ça l'obséderait. Cette colline était une île, ils y seraient totalement seuls, perdus, et avec une bonne dose de prémonition elle savait déjà qu'ils y seraient heureux, baignant dans la plénitude de moments salutaires. Ils y seraient heureux. Ou alors ce serait l'enfer.

mêmes elles ne l'auraient pas fait. Là encore on passe des affiches et on ordonna des appels téléphoniques de gardes champêtres, jusque dans la presse on vit fleurir cette publicité.

Août 1914

Le premier drame de cette guerre fut bien d'être déclenchée au plus fort de l'été. Le soleil avait gonflé les épis tout le printemps, les récoltes promettaient comme jamais, mais le tocsin sonna juste au moment où on avait prévu de lancer les moissons. Les parcelles gavées de grains sans plus d'hommes pour les moissonner, ces hectares de cultures désertés, c'était tout l'or de la nation qui menaçait de mourir sur pied. Pourtant dans les champs des milliards et des milliards de francs allaient s'évaporer et le pain de la patrie pourrirait avant même d'avoir cuit.

Le lendemain de la déclaration de guerre, le président du Conseil lança un appel solennel aux femmes pour qu'elles remplacent les hommes, qu'elles assurent les moissons, comme si d'elles-mêmes elles ne l'auraient pas fait. Là encore on placarda des affiches et on ordonna des appels tambourinants de gardes champêtres, jusque dans la presse on vit fleurir cette pathétique supplique du chef du gouvernement :

« Debout femmes françaises, jeunes enfants, filles et fils de la patrie ! Remplacez sur le champ du travail ceux qui sont sur le champ de bataille... Préparez-vous à leur montrer, demain, la terre cultivée, les récoltes rentrées, les champs ensemencés ! Debout ! À l'action ! À l'œuvre ! Il y aura demain de la gloire pour tout le monde. Vive la République. Vive la France. »

À Orcières-le-Bas, dès le lendemain du départ de leur mari, de leur père ou de leurs fils, les femmes prirent les choses en main. Pendant que les hommes s'évaporaient par trains entiers vers le front de l'Est où il s'agirait de tuer pour ne pas mourir, les femmes à l'inverse étaient tendues vers la vie. Les hommes, c'étaient ces êtres bringuebalés de position en position, de pauvres pions embarqués dans ce grand dispositif de la mort, alors que les femmes pérennisaient la vie en tout. Dès le 4 août, elles assurèrent les récoltes et fauchèrent les blés avant de les battre, après quoi elles rentrèrent la paille, elles se mirent même à tirer l'araire et à labourer à la seule force de leurs bras. Là où avant on attelait trois chevaux ou deux bœufs, elles n'avaient plus qu'un vieux bœuf, une vieille carne qui tirait péniblement la charrue, à tel point qu'elles pesaient de tout leur corps pour que le soc s'enfonce. Puisque les outils étaient conçus pour des hommes, ils étaient toujours trop hauts, trop lourds, dès que le soc butait sur une pierre, les laboureuses se prenaient les mancherons en pleine poitrine, au fil des sillons la terre les frappait comme si elle les rejetait. Certaines, faute de bœuf, tractèrent les charrues elles-mêmes, elles s'y attelaient comme des bêtes de somme et les tiraient. Travailler la terre était cent fois plus dur que du temps des hommes, et pourtant elles moissonnèrent et battirent, elles labourèrent et fanèrent, en plus de ça elles continuaient à nourrir les gosses et à soigner les anciens, chaque femme était une âme en veille dans un monde travaillé par la mort. Rien ne les effrayait, travailler quinze heures de rang ou ne pas dormir, passer les sangles pour tracter, laver le linge, cuisiner et semer, ici au village rien ne leur paraissait insurmontable à ces femmes. Sinon d'entendre gronder les lions, avec la hantise de devoir un jour les affronter.

Au fil des semaines, on supportait de plus en plus mal de vivre avec ce Boche au-dessus de la tête, de savoir cet Allemand et ses fauves au-dessus de soi. Au bout d'un mois on s'en méfiait, comme il convenait de le faire des lions, et de n'importe quel Allemand surtout. Aux premiers jours de la guerre, le journal disait que les Boches n'avaient rien d'impressionnant, qu'ils tiraient des balles molles et que leurs projectiles traversaient à peine les vêtements. À en croire les articles de *La Dépêche*, ces Boches étaient tellement mous que les soldats français les pliaient rien qu'en leur marchant dessus, il suffisait d'avancer pour les piétiner et ils craquaient sous le pas de nos troupes comme de vieux fagots. Il faut dire aussi que le journal du jour, c'était le maire qui le recevait, avec sa patte folle lui seul avait le temps de le lire. Parfois on se demandait si ce n'était pas lui qui le réécrivait sous l'ordre du préfet.

N'empêche, que les Allemands soient cassables ou pas, cette guerre durait. Elle durait même bien au-delà des quinze jours promis au départ. Après trois semaines de combats, on évoqua des déluges de feu et des pluies de balles, on se mit à parler des mitrailleuses, des machines allemandes qui équivalaient à cent fusils, l'image à elle seule terrifiait. Chaque soldat allemand aurait donc cent fusils dans les mains... De là les femmes comprirent que les hommes ne reviendraient pas aussi vite que prévu, qu'en plus d'assurer les moissons il leur faudrait prévoir les récoltes suivantes et anticiper l'hiver.

Les états-majors ne s'étaient pas trompés, ils avaient prélevé dans les campagnes tous les paysans, ils savaient que ces êtres forts et rustiques formeraient des bataillons de fantassins inépuisables, de sorte que maintenant c'était aux femmes de tenir tête aux dangers, c'était aux jeunes mères, aux jeunes épouses et aux gamines de perpétuer le vivant, d'élever les bêtes ainsi que les enfants, c'était aux femmes de pérenniser toute vie sur terre, de nourrir et de soigner, les bêtes comme les gamins, les vieillards comme les chiots, aussi bien que les ânes fatigués, les volailles, les lapins et les prairies... Dans un monde occupé à se détruire, toute vie était pareille à une chandelle fragile, à elles d'être fortes, d'autant qu'un jour on leur demanderait de recueillir et de consoler, pour peu que cette guerre finisse.

À Orcières, excepté l'Allemand, il n'y avait plus un homme valide et dans la force de l'âge. Et cet Allemand-là, avec son armada de tigres et de lions tonitruants et barbares, il devait être comme tous ses congénères, travaillé par le mal. C'était d'autant plus inquiétant que les femmes ne savaient pas se servir de ces fusils de chasse en haut des armoires, et qu'elles ne voulaient pas plus y toucher. À présent qu'elles portaient le monde, c'était à elles de conjurer la peur et de déjouer les périls.

Seulement, ces cris de lions et de tigres qui déchiraient le soir, ces hurlements barbares qui éclataient là-haut comme l'orage, ça devenait insupportable. Dans la nuit noire, les vociférations oppressaient comme un ciel de plus. Certaines croyaient y déceler les appels suppliants de leurs hommes qui refusaient de mourir, d'autres y voyaient la prémonition des mois à venir, uniquement faits d'angoisses et de cris. Si ça se trouvait, ces fauves hurlaient leur faim, des faims énormes de tigres et de lions de deux cent cinquante kilos, des faims démentes, des faims de fauves dont on se demandait avec quoi le dompteur pouvait les rassasier.

Août 2017

Déjà il saignait. Franck était redescendu. Il voulait cette fois gravir la colline d'en face, mais se battait contre les ronces qui l'empêchaient d'avancer autant que de faire demi-tour. Une fois retourné à la maison, il s'était changé, et sans attendre il avait voulu monter dans les bois, convaincu que par là-bas ça capterait. Cependant, sur ce versant-là, la végétation était dense et épineuse, c'était impossible de progresser là-dedans, d'autant que l'idée d'avoir mis un short s'avérait désastreuse, les buissons de houx et les ronces lui déchiraient les jambes, l'enrobant comme s'ils cherchaient à l'attraper. Du coup il n'arrivait pas plus à redescendre qu'à continuer de monter. Après huit heures de route il n'avait plus la force de se battre, surtout pour dénicher un fragment de réseau.

Vivre, c'est répondre en permanence à des problèmes d'intendance, Franck le savait mieux que personne, producteur est un métier qui se résume à cela, à sans cesse trouver des solutions, à palier les peurs et les demandes, au jour le jour régler les problèmes et les factures, gérer les défaillances ou les caprices, jouer sans fin le rôle du père auprès des réalisateurs aussi bien que des acteurs. C'est un métier où il faut constamment être fort ou feindre de l'être, mais là, aux premières heures de ses vacances, il n'avait aucune envie de ce genre d'épreuve. Jamais il ne pourrait passer une soirée sans connexion, cela ne se pouvait pas. Sur les tournages dans des zones reculées, les équipes sont prêtes à toutes sortes de concessions, à ne pas voir leurs enfants pendant des semaines, en particulier pour ceux qui les ont en garde alternée, à ne pas avoir de bistrot ou de casino à proximité, ni même de confort ou d'eau courante, ça, ça reste jouable, mais jamais un acteur ou un technicien n'accepterait de séjourner dans un endroit où ça ne capte pas. Jamais. Tout mais pas ça ! Il râlait tout seul et fort, sans rien ni personne pour l'entendre, il en était presque à appeler au secours. En maugréant il songeait qu'il était fini le temps de *Fitzcarraldo*, son bateau noyé dans la jungle, c'est l'image qui lui vint en se retrouvant piégé par ces ronces tressant de véritables lianes autour de lui, *Fitzcarraldo*, film emblème de la déraison qu'il faut pour en réaliser un. Il regarda la pente imprenable face à lui, se disant qu'il ferait mieux de laisser tomber, et là à vingt mètres devant, au milieu de cet embrouillamini de feuilles et de branchages touffus il crut distinguer une masse qui bougeait, une bête marron qui fuyait vers la droite. Il avait trop de sueur dans les yeux pour bien voir. Il entendit un bruit pourtant, celui d'un animal qui se glisse entre les buissons, qui s'éloigne. Cet endroit ne lui plaisait pas.

Lise continuait de visiter la maison. Elle apprivoisait l'environnement. Plus elle l'explorait, plus elle s'étonnait qu'il corresponde très précisément à ses attentes. Elle essaya les chaises une à une, tâta le lit étonnamment neuf, le matelas avait encore son étiquette et le sommier était toujours protégé par des plastiques. De toute évidence personne n'avait jamais dormi dedans. Pour ce qui est de la maison, c'était sans doute une autre histoire. Lise songeait à ce qu'elle devait être à l'origine, se demandant qui l'avait habitée, et surtout qui avait décidé de la construire là, parce que tout de même, quelle curieuse idée d'un jour bâtir une maison à ce point à l'écart, qui plus est au sommet d'une colline.

D'en haut elle vit Franck qui ressortait du bois, visiblement cassé. Cette bête, il l'avait rêvée, il se convainquit de cela, ou alors c'était un chevreuil effarouché, un sanglier, ce maquis sauvage devait en être rempli.

Lise jeta un œil par la fenêtre, après une heure passée ici, déjà Franck semblait tout autre, pas seulement à cause de son polo déchiré, de sa tête totalement dépeignée, mais aussi de son allure d'aventurier fragile. Apparemment il ne désespérait pas que le miracle se produise, qu'à un moment ou à un autre il trouve auprès d'une pierre ou d'un promontoire un flux soudain qui le ramènerait à la vie. Il y a cent cinquante ans, pour édifier cette maison-là, un être plus ou moins radiesthésiste avait probablement sondé l'abstrait de la même façon que lui, c'était certain. Avant de bâtir une maison loin de toute rivière, il fallait s'assurer qu'il y avait de l'eau pour vivre. D'ailleurs aujourd'hui même, d'où venait-elle cette eau, et y en avait-il bien au robinet ? Lise repensa au bassin dont leur avait parlé la paysanne. D'un coup le doute l'assaillit, elle redescendit au rez-de-chaussée et fonça vers la cuisine pour ouvrir le robinet. Rien. Lise avait oublié la sensation de détresse totale à laquelle cela renvoie, de ne pas avoir une goutte d'eau en tournant le robinet. Poussée par l'angoisse, elle se pencha sous le lavabo pour repérer d'où venait le tuyau en cuivre, elle le suivit, il passait derrière le meuble, puis s'enfonçait dans le sol, pour ressortir dehors sûrement, de l'autre côté du mur, mais dehors elle ne vit qu'une trappe épaisse, elle peina à la soulever, une pierre lourde faisait office de couvercle, et là, elle découvrit un amas de paille compressée, un conglomérat compact et putride. Avec pas mal d'écœurement, elle dégagea ce bouchon de vieux chaume tassé qui veillait sur une cache secrète, elle avait peur de tomber sur une bête morte ou un serpent, mais au fond elle trouva un robinet qui dormait dans l'ombre, elle le dévissa en forçant et entendit le bruit magique de l'eau qui gicle sur la pierre d'évier. L'autre robinet à quelques mètres de là coulait fort, quand elle revint dans la pièce ça éclaboussait partout, mais au moins ça marchait. Elle approcha le visage de ce jaillissement et s'en aspergea comme un nomade en plein désert.

Elle referma le robinet, de nouveau le silence habita cette pièce bien fraîche. Il y a parfois des lieux qui nous mettent mal à l'aise dès qu'on y met les pieds, et d'autres qui nous accueillent, qui vous adoptent, comme s'ils nous attendaient.

Elle toucha les murs. Par endroits il n'y avait pas d'enduit, on voyait la pierre. Ces parois épaisses garantissaient la fraîcheur, malgré la chaleur qui régnait dehors, à l'intérieur il faisait bon. C'était le domaine d'un temps inaltérable ou arrêté, rôdaient encore les existences vécues aux siècles passés, des vies en autarcie, des vies à travailler les cultures, à entretenir des vergers, du bétail ou Dieu sait quoi. C'est alors qu'elle fit le rapprochement avec les deux motifs gravés dans la pierre qu'elle avait remarqués en arrivant. En essayant de trouver la bonne clef, elle avait discerné, de part et d'autre de la porte, deux motifs gravés dans le mur. Bien que grandement effacés, on devinait un dessin de feuilles de vigne d'un côté, avec deux grappes de raisin, et de l'autre un tonneau, suggérant qu'à l'origine la maison avait à voir avec le vin.

Franck remontait maintenant vers la maison, exténué et amer. Lise le regardait faire depuis l'intérieur, à l'ombre, tandis que lui était en plein soleil. Aux deux tiers de la pente il cala ses deux poings sur les hanches, accablé par ce téléphone inanimé dans sa main. Les barres avaient carrément disparu. Il avait même mis du sang dessus, du sang déjà séché. Pourtant il fallait qu'il soit joignable. Il ne pouvait pas tout dire à Lise, il ne voulait pas s'ouvrir sur ses récents conflits, mais ce n'est pas rien de s'associer avec deux jeunes partenaires de vingt-cinq ans de moins, et qui surtout venaient du monde du jeu vidéo, un monde où ils avaient fait fortune. Franck se méfiait d'eux, de leur façon de tout remettre en cause, et encore plus de ce rendez-vous qu'ils avaient planifié avec Netflix dans les jours qui venaient. Depuis trois mois Liem et Travis lui faisaient peur, mais il ne voulait pas l'avouer, de crainte de passer pour un vieux con. C'est pour ça qu'il devait être joignable, pour éviter qu'ils fassent une connerie.

Lise le vit apparaître dans l'encadrement de la porte, hors d'haleine comme s'il avait couru pendant des heures. Avec le peu d'air qu'il lui restait, il lança, totalement désemparé :

— Lise, c'est terrible, y a rien... Y a rien !

— Comment ça y a rien ?

— Je ne comprends pas, ça capte nulle part, j'arrive même pas à accrocher une barre, tu te rends compte, même pas une barre...

— T'as vu comme t'es essoufflé ?

— Mais bon sang, Lise, ça monte partout ici, enfin ça monte, ça descend, et en face c'est plein de ronces et de bêtes, c'est vraiment une région paumée...

Lise ne voulait pas trop en rajouter, face à un tel désarroi. Franck tenait toujours son téléphone en main comme une pauvre créature qui saignait.

— Tu t'es blessé... ?

— C'est rien. Mais putain, c'est un truc de dingue, on est en hauteur et ça capte nulle part, c'est de la folie !

Lise s'approcha et regarda ses jambes maculées de griffures.

— Il faut qu'on pense à acheter de l'alcool à 90 degrés et des pansements, au cas où...

— Attends, on n'est pas non plus au fin fond de la jungle.

— Mais, regarde, au bout d'une heure t'es déjà plein de sang !

Lise le guida vers le robinet, elle sentait qu'il avait chaud, avec des écorchures plein les jambes, sans rien dire elle pensa à la maladie de Lyme, à tout ce qu'on dit sur les tiques dans les rubriques santé, mais elle ne lui en dit pas un mot, redoutant qu'il ne sombre dans la phobie, en bon citadin qu'il était.

— Lise, t'as pas l'air de te rendre compte, c'est grave.

— Mais il y a encore plein de choses que tu peux faire avec ton portable, prendre des photos, regarder l'heure, et ça te servira de lampe cette nuit...

— Écoute, Lise, je vais être clair, je ne passerai pas trois semaines dans ce trou, franchement je ne peux pas me le permettre, sincèrement je ne le peux pas !

Lise fut prise d'un fou rire en l'entendant dire cela.

— C'est pas drôle, putain ! C'est pas drôle. Moi j'ai besoin du téléphone... Crois-moi, je ne peux pas me permettre de passer une journée sans être joignable.

— Même en vacances ?

— Surtout en vacances... Tu ne te rends vraiment pas compte de ce que je vis en ce moment apparemment...

— Tu as sorti le chevalet de la voiture ?

— Tu vas quand même pas te mettre à peindre maintenant ?

— Non, mais ça me rassure de le savoir là. Un peu comme toi avec ton téléphone.

— La différence, c'est que moi, le téléphone, c'est pour le boulot...

Sans amertume, Lise lui céda le plaisir de goûter sa petite vacherie. Elle le laissa se calmer, lui assurant qu'il trouverait forcément un endroit où ça capte, en avançant vers la falaise, ou carrément de l'autre côté, vers l'ouest. Sans lui dire elle pensa qu'il devrait peut-être grimper dans cet arbre, un énorme chêne à quelques mètres de la maison, l'idée lui dessina un sourire qu'il ne pouvait pas comprendre.

Pour l'heure le plus important, c'était de se poser, de s'installer, de défaire les valises bien calmement. Une fois encore, Franck reconnut ce sang-froid chez sa femme, ce mouvement naturel de poser tranquillement les choses, de ne jamais verser dans l'inquiétude. Depuis vingt-cinq ans, en fin de compte, c'est elle qui le rassurait. Quand on est en couple depuis longtemps, on a eu maintes occasions d'éprouver le vrai tempérament de l'autre, de le reprendre ou de s'en inspirer. Franck était intimement admiratif de sa femme, ne serait-ce que parce qu'elle gardait son sang-froid, ne cédait jamais à l'affolement. Et même si elle avait connu mille désillusions et galères, à ses yeux elle restait la personne la plus harmonieusement posée dans l'univers, la plus sereine.

Ils commencèrent à sortir les affaires de la voiture, il y avait de quoi faire le lit ce soir, du linge de rechange pour trois semaines. Avec cette chaleur ils s'habilleraient d'un rien. Puis, très vite, se posa la question du dîner. Vu l'heure, il n'était plus question de redescendre on ne sait où faire des courses, tout serait fermé. Joueuse, Lise avança :

— Dis-moi, c'est bien des noisetiers qu'il y a en bas ?

— J'en sais rien, Lise, j'en sais rien. Tu crois peut-être que je regarde les arbres !

— Tu devrais. Parce que si ce sont des noisetiers, il y aura peut-être des noisettes, ou des mûres, et des champignons, t'as regardé s'il y en avait ?

— Lise, sérieux, tu veux vraiment manger des champignons avec des noisettes ?

Lise ne lui répondit pas. Mais en femme providentielle, elle déballa au milieu de tous leurs bagages deux grands sacs contenant des chips, trois sachets de salades tièdes, ainsi qu'une bouteille de vin et un assortiment de boissons qu'elle avait achetés à la station-service, au cas où.

Franck se sentait perdu. Dans cet environnement inédit, il ne savait pas quoi faire ni où se mettre. Il suivait les instructions de Lise qui lui demandait de prendre tel ou tel sac dans le coffre, de monter tel ou tel autre à l'étage. Dans ce contexte, elle avait pris le dessus. Il la regardait faire, elle semblait fraîche, reposée, alors que lui était griffé de partout, en nage, avec du sang sur les bras et les jambes. En bon exécutant il l'écoutait, dans la chambre il lui donna un coup de main pour faire le lit.

— Mais ce matelas il est tout neuf, c'est bizarre, tu ne trouves pas ?

— L'essentiel, c'est qu'il y ait un lit.

Franck brancha son chargeur près de la table de nuit, seulement ça non plus ça ne fonctionnait pas, il se remit à râler, jusqu'à ce que Lise, par souci d'apaisement, lui dise d'aller mettre l'électricité en marche. Franck descendit l'escalier, fouilla partout pour trouver le compteur, il était derrière un rideau, il le mit sur ON et aussitôt une radio se déclencha dans la salle de bains, un vieux poste FM diffusant un morceau de Bob Marley, une musique pas vraiment de circonstance, mais au moins il avait obtenu quelque chose de cette maison. Perturbé par cette éruption sonore il se dirigea vers la salle de bains pour l'éteindre, c'était un vieux Telefunken noir à molette et à grande antenne, le même genre de poste qu'il avait à l'adolescence.

Lise passa un coup d'eau sur la vieille table dehors. Ils sortirent des chaises. Mis à part cette table, il n'y avait pas de mobilier de jardin. Le soleil se couchait. À l'ouest le versant de la colline était abrupt, la prairie s'étirait sur deux cents mètres, une pelouse sauvage et irrégulière, elle se terminait par une rangée d'arbres et de buissons bordant le précipice au-dessus de la vallée, le promontoire surplombant le chemin d'accès. Face à eux, le soleil basculait de l'autre côté des collines lointaines. Le sentier par lequel ils étaient arrivés devait être là-dessous, caché par les rochers et les arbres. Au pied de ce mont, il devrait y avoir les vestiges de l'ancien village, ces rectangles qu'ils avaient repérés sur Google Earth, ce village dont Franck avait lu qu'il n'existait plus, quelques ruines, seules, subsistaient.

Ils mangèrent dans ce silence inédit. Petit à petit les chants d'oiseaux s'amenuisèrent, se diluant dans la douceur du soir, un pivert frappait dans les arbres. Pas d'autres bruits que ceux-là, sinon le bourdonnement léger de quelques insectes qui voletaient, des abeilles tardives ou des mouches lasses. Lise semblait à l'aise, déjà fondue dans cette nature dont elle connaissait les sons. Franck était déboussolé, près de paniquer, de partir, de ne pas être là, de se réfugier dans la voiture, la bonne grosse berline cossue et propre, sans insectes… Il était mal mais n'en disait rien. Lise le sentait. Il savait qu'elle le sentait, mais ils ne s'en parlaient pas. Croquer dans les chips faisait un bruit démesuré dans l'absence de vacarme, ça croustillait tellement que Franck redoutait qu'on ne l'entende jusque dans la vallée.

— Je crois que je pourrais faire ma vie ici.

Franck ne répondit pas. Derrière cette phrase, il n'aurait pu voir que le constat un peu béat de la citadine qui rêve de campagne. Mais il y entendait surtout la désillusion d'une comédienne qui a abandonné toute ambition, qui n'a plus aucun désir de tourner...

Le soleil sombra par-delà la colline là-bas, les bois s'incendièrent d'une teinte qui gagna tout le ciel, un ciel rouge comme du velours. Lise se rafraîchit sous la douche. Puis elle remit la radio, ce vieux poste sur l'étagère de la salle de bains. On avait beau tourner la molette d'un bout à l'autre de la bande FM, ça roulait dans le vide, on ne trouvait qu'une seule et même fréquence, une station qui ne diffusait que de la musique, sans pub ni infos, sans aucune parole. Lise baissa le volume au minimum, se disant que ça rassurerait Franck. Quand elle revint dehors, elle s'avança pieds nus derrière lui, lui demanda juste, « Ça va mieux... ? » Il sursauta. Il faisait noir à présent. Un filament de lune donnait forme à ce dehors énigmatique. À l'intérieur, près de l'évier, Lise repéra un interrupteur qui devait commander l'ampoule extérieure, par chance c'était bien ça. Franck respira. D'y voir plus clair, ça le rassurait. Seulement, maintenant qu'il y avait de la lumière autour d'eux, un halo jaune dans lequel on voyait, tout le reste était plongé dans le noir, rendu encore plus inquiétant, une sorte d'ombre infinie et totalement mystérieuse. Franck monta à l'étage chercher la lampe frontale qu'il avait dans sa trousse de toilette, il la passa autour de sa tête et redescendit, armé d'un rai de lumière qui jaillissait de son front.

— Franck, éteins ça. Profite de ce silence, de cet air. Respire…

À force le regard s'habituait. On discernait quelques formes au-delà du halo jaune. On distinguait même la rangée d'arbres au bord du précipice. Lise s'était assise auprès de Franck, et il ne put s'empêcher de rallumer sa frontale, les vingt watts de la lampe LED dessinaient un faisceau étroit mais qui visait loin, il balaya le fond de la combe, soulevant des milliers de papillons blancs dont certains venaient se jeter sur sa lampe, et là, en pointant le faisceau tout en bas, juste en face dans la ravine, ils n'eurent pas besoin de se concerter pour comprendre qu'ils voyaient très exactement la même chose, une chose qui leur apparut au même instant, en lisière du bois on percevait très nettement deux lueurs jaunes, à deux cents mètres de là, deux pupilles dans lesquelles la lumière se reflétait, deux yeux effilés et phosphorescents, pas trop proches du sol, de toute évidence c'était une bête qui se tenait là, à les observer.

— C'est quoi ?

Lise feignit le détachement en répondant que ce devait être un chevreuil, une biche, peut-être même un renard ou un chat, les animaux par ici, ce n'était pas ce qui manquait.

— En fait, t'en sais rien…

— Non, Franck, je ne sais pas. Mais je trouve ça joli.

Tout de même, l'écartement semblait large entre ces deux pupilles obliques, cela rendait ce regard intense, fixe, deux brillances fluorescentes calées dans l'axe même de la maison. De toute évidence ces yeux les visaient, sans bouger, sans jamais ciller. Quelle que soit cette bête, hostile ou bienveillante, elle les fixait.

— C'est peut-être un loup...

— T'es sérieuse ?

— Je suis sûre que ces bois sont pleins de bêtes sauvages, je l'ai lu sur Internet...

— Non, Lise, déconne pas.

— Ne t'inquiète pas. Tout ce qui compte, c'est que ce soit joli, tu ne crois pas ?

— Oui, sans doute. Sans doute.

Août 1914

Ne voyant plus revenir leur maître, les chiens se sentaient perdus. Rien ne pouvait expliquer une si longue absence des hommes. De peur qu'ils se mettent à traîner et attrapent la rage, on les attachait la plupart du temps, on les consignait près des maisons. Pour eux c'en était fini des longues virées, des journées dehors à suivre les hommes aux travaux des champs ou dans les bois, à la chasse. À Orcières, les chiens n'entraient jamais dans les maisons, au contraire ils s'en tenaient bien à distance, mais depuis quelque temps ils se rapprochaient timidement des pas de porte, on lisait dans les regards qu'ils jetaient à l'intérieur de ces sphères interdites qu'ils ne comprenaient pas pourquoi les hommes n'en sortaient plus. Ces maîtres, ils ne les flairaient même plus. De même, à ces coups de truffe qu'ils lançaient vers les étables désertes à cause des bœufs partis sur le front et des moutons qu'on n'osait pas redescendre de l'estive, ils sentaient bien qu'une partie du monde s'était évanouie. À hauteur de chien, tout un pan du village avait disparu, sans explication ni consolation. Le pire, c'est que des râles de fauves s'étaient substitués aux paroles des maîtres, chaque fois que les lions ou les tigres grondaient là-haut, les chiens baissaient la tête, sans un mouvement d'humeur, ces grognements les impressionnaient tellement qu'ils n'osaient même plus regarder en direction du mont.

Depuis l'installation du dompteur tout se déréglait. Bien sûr que c'était lui qui leur apportait l'orage. Avant l'Allemand et ses fauves, jamais le ciel n'avait tremblé sous l'effet de tels nuages tragiques, jamais on n'avait reçu des grêles aussi folles et pareilles bordées de glaçons. De mémoire de patriarche, jamais on n'avait vu semblables sursauts. Depuis la mi-septembre il pleuvait dru et fort, et pendant des heures. Puis d'un coup plus rien, plus de nuages, du soleil de nouveau et le ciel calme. Mais le lendemain le thermomètre s'emballait de plus belle et le baromètre replongeait. Depuis le début de l'été le ciel avait été généreux et clair, mais là on ne le reconnaissait plus, il se montrait violent et lunatique, larguant des grêles armées, engendrant des prémonitions funestes disant que le temps était déréglé, que l'hiver serait glacial et amènerait les loups, que cette guerre n'en finirait pas...
— C'est les bombes qui déglinguent tout, paraîtrait que là-haut ils s'envoient des bombes à longueur de journée, des milliers de bombes, et la nuit aussi, des nuées de bombes qui perforent

le ciel et détraquent les astres, plus rien ne sera comme avant...

De ces bombes à Orcières, tout ce qu'on en entendait c'était des lions. Des lions et des orages, c'est tout. L'autre explication à cette météo détraquée, c'était la Bûche qui la donnait. La Bûche, c'était l'ancien forgeron, il était un peu sourd à force d'avoir cogné le métal, et l'alcool lui procurait des fulgurances. Pour lui tous ces orages, c'était la faute aux cages, les grandes cages en fer que le Boche avait dressées là-haut, il y en avait trois à ce qu'il se disait, dont une géante, une cage de fer de quinze mètres de large et plus haute que les arbres, c'est donc l'acier qui aimantait les astres... On n'avait aucun mal à le croire, depuis que le dompteur avait apporté toutes ces barres sur sa grande charrette et les avait assemblées au sommet du mont, le temps n'était plus le même. Certains jours il faisait plus chaud qu'en Afrique, d'un coup ça se couvrait, et dans la demi-heure il pleuvait dru et glacé. Ce n'était plus de la pluie mais des caillasses jetées d'un firmament glaciaire. Avant le Boche, jamais Orcières n'avait reçu autant de colère et d'eau. En bas, tout le monde en était convaincu, les enfants maudissaient le ciel en levant le poing vers le surplomb rocheux, les vieux par superstition n'osaient même plus un regard vers la cime. Lors de ces fortes pluies le ravinement était tel que le limon filait vers la rivière, la terre décampait en une boue délayée par les bouillons de l'orage, quittant les champs et les jardins, cette terre déjà épuisée par le manque de main-d'œuvre, voilà qu'elle décampait au point même de déchausser le socle des maisons.

C'était d'autant plus difficile à accepter qu'ici il avait fallu des siècles pour fertiliser les sols, des vies entières à ôter ces cailloux que les générations d'avant avaient ensuite alignés en murets de pierre sèche autour des parcelles. Ici, c'est par la sueur des ancêtres que la terre calcaire était devenue arable. Avant que les vignes ne meurent, le précieux malbec inondait le marché de Bordeaux, l'enrichissant pour moitié, avant c'était un pays riche ici, et voilà que de nouveau la terre se défilait au gré des averses, elle se débinait comme ces hommes envolés, ici tout foutait le camp désormais.

Pour étouffer les plus folles croyances et les superstitions, Fernand le maire et Couderc le maître rappelèrent que l'hiver précédent, celui de 1913, avait été féroce lui aussi. Bien avant l'arrivée du dompteur, on entendait déjà les pires prophéties, jurant que le temps était devenu fou. De janvier à mars 1914, l'hiver avait été un vrai cauchemar. Les tempêtes de neige s'étaient enchaînées jusqu'en mai. Pour rafraîchir la mémoire des villageois, le maire ressortit les journaux qu'il gardait pour allumer le feu, avec des photos de tornades pliant les vignobles du Roussillon, la plupart de ces vignes nouvellement replantées avaient été balayées par les bourrasques. Dans *L'Illustré national* il retrouva même cette image qui avait tant marqué, six mois auparavant, la promenade des Anglais à Nice dévastée par une tempête, avec des bateaux fracassés gisant sur le rivage. La baie des Anges qu'on ne verrait jamais avait fait la une, défigurée par les éléments, comme après un déluge ou un ouragan. Couderc leur rappela que tout l'hiver 1913 on n'avait parlé que de trains piégés par la neige, de voies bloquées pendant des jours entre Marseille et Bordeaux, depuis novembre jusqu'au printemps les journaux n'avaient montré que ça, même dans le Lot et dans le Tarn on n'avait pas eu aussi froid depuis Napoléon III. C'était donc bien la preuve que l'Allemand n'y était pour rien.

La nature de l'homme est de vite oublier les catastrophes passées, autant que de ne pas voir celles qui s'amorcent. Certaines femmes en revoyant ces photos de fontaines et de sources gelées se dirent que finalement ce maudit hiver avait été prémonitoire. Les plages glacées et les vignes couchées par la neige n'avaient pas menti, elles étaient bien annonciatrices d'un drame, signe que les pessimistes ont toujours raison et que le ciel ne ment pas. Dès lors il faudrait croire les anciens, ceux qui disaient que ces cris de fauves n'apporteraient rien de bon, les rugissements avaient bien à voir avec l'orage, il fallait les écouter et surtout réagir avant que tout ça n'empiète sur la vie des gens d'en bas et les déborde comme tout le reste. Dès qu'on vit avec une épée de Damoclès au-dessus de la tête, la peur qu'elle tombe est bien pire supplice que si elle chutait véritablement.

Août 2017

Franck n'arrivait pas à dormir. À deux heures du matin il se leva et se posta à la fenêtre, oppressé par l'obscurité qui régnait dehors, l'absence absolue de repères. Ses yeux s'habituant à regarder dans le noir, il perçut les contours lointains des collines, cette frontière indécise entre le ciel et la terre. Pour le reste, où qu'il portât le regard, il n'y avait rien ni personne, aucune lumière. Vêtu d'un simple short, il sortit devant la maison et marcha un peu. Tout était calme. Pour autant il n'était pas tranquille, il y avait sans cesse un bruissement, un craquement lointain qu'il prenait pour un bruit de pas, ou alors c'était un frémissement de feuilles, des hululements bizarres, un sournois froissement d'ailes, ça n'en finissait pas. Chaque fois qu'il allumait sa lampe frontale pour la pointer en direction de la zone suspecte, des nuées d'insectes lui fonçaient sur le visage, d'infimes papillons venus du fond de l'atmosphère se jeter sur lui. Il en avala même un ou deux. Seulement, dès qu'il éteignait, de nouveau tout le perturbait. Dans le noir il ressentait mille présences autour de lui, il se sentait au cœur d'un monde inquiet, uniquement peuplé d'insectes, de bêtes et d'animaux tapis dans l'ombre. Dès que tombait la nuit, cette planète redevenait la leur, celle de millions d'êtres invisibles dans laquelle les hommes n'avaient pas leur place. Il sentait bien que tout autour de lui cette faune ne l'acceptait pas.

À trois heures du matin il remonta dans la chambre. Il voulut rallumer la lampe de chevet que Lise avait tamisée d'un foulard et éteinte en se couchant, mais il n'osa pas, de peur de la réveiller. La chambre était plongée dans le noir, comme la maison, comme tous ces arbres au premier plan, comme tout l'univers immergé dans les ténèbres. Tout à l'heure vers minuit, le fragment de lune projetait encore un peu de luminosité sur le paysage, ce qui permettait de distinguer les arbres, les reliefs, la voiture, la petite cabane qui dans le temps devait servir à ranger les outils. Mais l'astre avait depuis disparu à l'ouest, des milliers d'étoiles scintillaient sans produire de lumière. Il se souvint qu'en faisant des recherches à propos de l'annonce, il était tombé sur cette expression qui d'emblée ne lui avait pas plu, « le triangle noir du Quercy », une zone de nuit totale sans la moindre pollution lumineuse. Il était en plein dedans.

Il était trois heures dix. Son téléphone ne servait plus qu'à ça, à donner l'heure et à s'éclairer dans la chambre. Il ne voulait même pas se mettre au lit. L'idée de dormir avec les fenêtres et les volets ouverts le terrorisait. Cette obscurité, il la ressentait comme une encre qui s'infiltre-rait en tout. Cependant il faisait trop chaud, il fallait tout ouvrir pour amorcer le moindre courant d'air. Il s'avança jusqu'à la petite ter-rasse devant la porte-fenêtre de la chambre, les milliers d'hectares coupés du monde impo-saient leur silence. Les bruissements reprirent de plus belle. Il se tenait aux aguets. En plus de la chaleur, des moustiques vrombissaient par-tout autour de lui, dès que l'un d'eux approchait son oreille il se donnait une claque et le tuait. Il retourna dans la chambre, veillant à ne pas faire craquer le parquet. Pour ne pas réveiller Lise il s'installa dans le vieux fauteuil, il voulait qu'elle dorme, ça le rassurait qu'elle dorme. Son souffle était lent et calme. À l'époque où elle voyageait sans cesse pour des tournages et des tournées de promotion, elle avait pris l'habi-tude de mettre un bandeau sur les yeux et des boules Quiès. Elle était plongée dans un som-meil total, absolument pas perturbée par quoi que ce soit. Franck la devinait à l'autre bout de la pièce, dans le grand lit. Comment pouvait-elle ne même pas souffrir des moustiques ? Il l'éclaira de la lueur de son smartphone, elle avait remonté le drap jusqu'au-dessus de son visage, les moustiques n'avaient aucune prise sur elle, elle s'était endormie comme ça, dans cette simplicité, ce naturel. Toute la soirée Franck l'avait regardée s'affairer, il n'en reve-nait pas de la voir aussi à l'aise dans ce décor rustique, elle n'avait jamais vécu à la campagne, pourtant elle semblait dans son élément.

it trois heures trente-deux. En dessous, e-chaussée était comme un lac obscur ... ils reposaient. En bas aussi les portes étaient ouvertes pour faire entrer l'air. Au-dessus il y avait le grenier d'où venaient d'infimes craquements. Au moment de se coucher, Lise lui avait dit que c'était la chaleur qui rétractait les poutres, ou alors un chat-huant. Signe qu'elle savait ce qu'était un chat-huant et n'en avait pas peur. Mais d'où tenait-elle cette assurance-là ? Sur ce, elle s'était endormie, avalée par le silence des astres. Le sang-froid de sa femme l'étourdissait, avant de se coucher elle était allée faire un grand tour du côté de la réserve d'eau, sans lampe, sans même s'éclairer de son portable. En quelques heures elle avait déjà évacué le réflexe de prendre son téléphone. Il reprit le sien, désactiva le mode avion pour voir si par hasard ça captait dans la nuit, de nouveau il plongea le regard dans le rectangle de lumière, et là il y eut des bruits dehors, nettement plus marqués. Il se leva pour jeter un œil à la fenêtre, il regarda du côté des yeux jaunes de tout à l'heure, ces yeux trop écartés pour être ceux d'un chat... On ne voyait rien, pourtant les bruits insistaient, ça ressemblait à des pas étouffés par les herbes, des pas lourds, montant de la combe tout en bas. Franck prit sur lui pour ne pas avoir peur. Jamais il ne passerait trois semaines ici, jamais il n'endurerait un tel cauchemar, ce genre de vacances ne l'intéressait pas. Dès demain matin il trouverait une ville avec du monde et ce qu'il faut de boutiques pour acheter la presse, et surtout un bistrot où se poser et se connecter au Wi-Fi... Il n'attendait que ça, retrouver une sphère civilisée, peut-être même que dès demain il inventerait des prétextes pour remonter à Paris, à moins que de vraies raisons ne le forcent à le faire pour de bon. Liem et Travis n'avaient pas pris de vacances, à cette heure ils devaient dormir tranquillement dans une chambre climatisée, à Paris, sans craquements ni bruits. Il était bien le seul à être ainsi au fin fond de nulle part, à paniquer dans le noir. Finalement, qu'il soit là sur le qui-vive, environné de ces bruits bizarres, bousculé par la trouille, c'était à l'image de ce qu'il vivait professionnellement. Sa situation était celle d'un producteur dont les deux derniers films avaient été des échecs, les télés et les banques ne lui faisaient plus confiance, autour de lui les charognards s'agitaient, des jeunes loups prêts à lui tomber dessus pour lui racheter son catalogue, sentant bien qu'il avait besoin d'argent frais... À présent, ce n'étaient plus des bruits, mais de vrais mouvements en bas, toute une faune de pas épais et sourds qui se bousculaient en tous sens. Il n'alluma pas sa lampe frontale, de peur de se signaler, mais il était clair qu'une population d'êtres nocturnes se déplaçaient sans même chercher à étouffer leur raffut. Ce devait être des bêtes et non des hommes, des bêtes lourdes qui trépignaient ou grattaient le sol. Il se dit qu'il devrait réveiller Lise pour qu'elle entende ça, c'était impressionnant, puissant et profond, ça disait que des créatures sauvages étaient sorties du bois pour se battre ou se rassembler. Demain quand il lui raconterait ça, il savait d'avance qu'elle ne le croirait pas. Mais s'il la réveillait, là tout de suite, peut-être que ça l'affolerait, du coup ils seraient deux à avoir peur, ce qui serait pire.

Il n'avait plus qu'à attendre que ça passe, à se montrer pleutre. Ou bien à aller voir de plus près. Il ne voulait pas en rester là, à cause de cette lâcheté à laquelle ça le renverrait, cette même lâcheté à laquelle il s'en était tenu face à Liem et Travis, le jour où ils lui avaient balancé la petite phrase assassine qui le mortifiait toujours, le genre de petite phrase prononcée quand le ton monte et qui vous cloue parce qu'elle concentre une vérité inacceptable. Alors il se focalisa sur cette petite phrase, trois mois après elle était encore plantée en lui comme une flèche qui n'en finirait pas de répandre son venin, chaque fois qu'il y repensait il avait envie de les tuer... D'autant que sur le coup il ne leur avait pas répondu. Il était tellement choqué que la repartie n'était pas venue, depuis il avait imaginé mille réponses, quand il y repense ça le rend fou.

Les bruits maintenant étaient endiablés, mais surtout une silhouette juste en bas, une masse d'ombre longeait la maison, une sorte de gros animal, ou un type à quatre pattes. Il descendit l'escalier, excédé par toutes ces peurs qui l'assaillaient, ces fantômes qui tentaient de le faire sortir de ses gonds. En traversant la pièce du rez-de-chaussée il eut la présence d'esprit ou le mauvais réflexe de se diriger vers les tiroirs près de l'évier, il fouilla à tâtons pour trouver un couteau, le plus grand possible, et quand il l'eut en main, bizarrement cela ne le tranquillisa pas longtemps. Empoigner une lame pour s'avancer au-devant d'un danger procure une illusion de sécurité, sur le moment seulement, parce que très vite cette lame encombre, le manche épais occupe toute la main et envenime tout. Aller dehors en tenant un couteau à la main, étrangement ce n'est pas rassurant, au contraire, il ajoute à la peur bien plus qu'il ne l'atténue.

Septembre 1914

En 1882 le Parlement avait voté la destruction des loups. Par la loi du 3 août, la nation leur déclarait définitivement la guerre. Trente ans après, Fernand le maire avait toujours les bordereaux de primes dans son tiroir, à ce jour encore il était prêt à donner cent francs à quiconque tuerait une louve, la moitié pour un mâle ou des louveteaux. Depuis ces chasses à primes, la peur du loup dans les campagnes s'était calmée, mais il suffisait d'un rien pour qu'elle renaisse. Fernand le maire connaissait ses administrés, il voyait bien que ces fauves réveillaient en eux de vieux fantômes, ils faisaient revenir le souvenir des loups enragés qui attaquaient les enfants et les femmes il n'y a pas si longtemps, et si les meutes étaient soi-disant remontées du côté du Cantal, sur le Cézallier, les lions eux étaient bien là, à cent vingt mètres en aplomb du village.

Dans le souci d'apaiser les esprits, le maire accrocha la grande affiche de cirque sur le panneau municipal, histoire que tout le monde ait le dompteur sous les yeux et s'en accommode, plutôt que d'en craindre les pires malédictions. Si bien que le Boche, on le voyait là sur le mur de la mairie, en gladiateur romain, un Spartacus armé d'un glaive et d'un fouet, un Spartacus entouré de lions et de tigres piétinant des serpents, et d'autres montés sur des tabourets géants, gueule ouverte et pattes tendues, des lions et des tigres prêts à tout bouffer... Mais le plus saisissant dans cette affiche, c'était son nom inscrit en lettres d'or sur fond rouge, Wolfgang Hollzenmaier, et ce nom, c'était bien ce qu'il y avait de plus affolant. Ce nom, c'était ce qui terrifiait le plus sur cette fabuleuse affiche, Wolfgang Hollzenmaier, ces grosses lettres d'or en éventail, c'était pire qu'une menace ou une déclaration de guerre, d'autant qu'il était impossible à prononcer ce nom, et quiconque essaierait de le dire prendrait à coup sûr le risque de déclencher l'orage... Quand on passait devant l'affiche, on s'en détournait. Seule Joséphine ne trembla pas en la voyant, au contraire, elle lui rappela cette soirée à Villeneuve en juin, elle était allée au cirque avec le docteur Manouvrier, son mari, et ce gladiateur entouré de lions, elle avait tremblé pour lui. Cet homme au milieu de monstres elle l'avait trouvé fragile, vulnérable, écrasé par ces fauves de deux quintaux, elle n'arrivait pas à se dire que ce n'était qu'un artiste exécutant au millimètre près le spectacle prévu, non, elle avait vu un homme environné de dangers, des fauves capables de le transpercer d'un coup de griffes. Devant cet homme tutoyant les périls, trop de choses lui avaient traversé la tête, alors elle avait fermé les yeux en serrant fort la main de son mari, le docteur à ce jour envoyé sur le front, et dont elle était sans nouvelles depuis plus d'un mois... Finalement cette affiche réveillait le souvenir de ses émois, cette affiche en fin de compte la troublait.

Au bout de trois jours, Fernand le maire aura dû retirer son affiche, il la remit dans la grange près de chez lui. Les angoisses ne se calmant pas, se posa alors la question de le dénoncer, cet Allemand, l'Allemand bien plus que ses fauves. D'autant que dans *La Dépêche* les histoires les plus folles couraient au sujet des Boches qui se trouvaient en France depuis la déclaration de guerre, des ressortissants littéralement piégés, sans possibilité de regagner leur pays, « faits comme des rats », c'est ce qu'on disait d'eux, « ils sont faits comme des rats ». Et le dompteur, malgré ses tigres et ses lions, il était bien de ceux-là, « faits comme des rats ». Les Allemands et les Austro-Hongrois qui étaient en France le 3 août 1914, c'étaient autant d'hommes et de femmes qui passèrent instantanément du statut d'étrangers à celui d'ennemis. Et il y en avait des milliers éparpillés sur le territoire, assignés à résidence dans le meilleur des cas, tabassés dans le pire. Les trains étant réquisitionnés, ils ne pouvaient pas repartir vers l'Est. Qu'ils soient curistes ou courtiers, ouvriers ou touristes, qu'ils soient là pour le travail ou par amour, sans rien y pouvoir ils étaient tous bloqués, et si l'un d'eux s'était risqué à monter dans l'un des wagons chargés de militaires, il n'aurait pas survécu.

Face à ces accès de haine qui parcouraient les foules, les préfets durent prendre des mesures radicales pour protéger les ressortissants allemands, allant même jusqu'à les consigner dans des postes de police ou en prison. Du jour au lendemain, toutes sortes de légendes naquirent à propos de ces Boches parasites. La plus répandue par ici étant celle de l'Allemande à chapeau, une élégante qui distribuait des pâtes de fruits empoisonnées aux enfants. Dans le Lot, ce département pourtant si secret, les journaux alarmèrent les populations avec cette *femme aux bonbons*, qui, disait-on, sévissait en voiture autour de Figeac et plus largement dans tout le canton. Une Allemande par ici, surtout en automobile, on devait facilement la remarquer. Il devait y avoir du vrai là-dedans. Fin août un enfant était mort à Lugagnac, de quoi on ne savait pas, mais on l'avait retrouvé étendu le long d'un chemin, sans marque de coups ni trace de loups. Des histoires comme celle-là il y en avait des tas, signe que ces Boches n'étaient pas là par hasard mais bel et bien pour saboter le pays. Alors celui-là, il vaudrait mieux le balancer aux gendarmes. Après tout, c'était bien le métal de ses cages qui aimantait les éclairs et attirait les orages sur le village, garder ce diable au-dessus de soi, c'était s'exposer à mille malédictions.

Mais le dénoncer on n'y arrivait pas. D'autant qu'il venait de leur acheter dix chèvres et dix brebis, pour lui on les avait redescendues de l'estive et c'était une vraie aubaine de pouvoir les lui vendre, en cachette et au prix fort. Comme disait Fernand le maire, d'ici peu l'État ne manquerait pas de prendre de nouveau une part du cheptel pour nourrir les soldats, et on ne pourrait faire autrement que d'honorer les ordres de réquisition. Seulement l'État ne payait pas en billets mais en bons du Trésor, de l'argent dont on ne verrait jamais la couleur. Alors que si le dompteur restait, c'est sûr qu'on lui vendrait des bêtes pour qu'il nourrisse ses fauves, on avait fait le compte, à raison de cinq kilos de viande par jour et par animal, d'ici à deux semaines il aurait besoin de dix autres brebis et dix autres chèvres, et ainsi de suite...

Par ailleurs, ne pouvant les nourrir et n'en ayant plus besoin, l'Allemand avait laissé deux de ses chevaux au maire, deux montures providentielles qui n'étaient pas inscrites au registre des armées. Ces chevaux-là, pas besoin de les planquer pour éviter qu'on les réquisitionne. Les femmes s'étaient mises d'accord pour les confier aux Dauclercq à la ferme de La Brasse, des vieilles qui possédaient des parcelles de tabac longues comme le jour, trois immenses champs le long du fleuve, mais plus un homme pour les travailler.

Si on ne dénonça pas l'Allemand, c'est aussi qu'on ne voulait pas avoir affaire aux gendarmes. Après tout c'est eux qui étaient venus réquisitionner les hommes du village, et ce serait peut-être eux un jour qui distribueraient les avis de décès.

Jean, l'ancien garde champêtre, acheva de les convaincre. Selon lui dénoncer le Boche, ce serait prendre le risque d'une malédiction bien plus funeste que l'orage, le balancer aux gendarmes reviendrait à déclarer la guerre à toute une coalition d'animaux sauvages... Le vieux Jean était un vrai faiseur de superstitions, il vous mettait des anathèmes en tête pire qu'un colporteur. Pourtant on l'écoutait. Né en 1850 il n'aura jamais fait la guerre, mais il aura reçu vingt primes pour avoir tué des loups. Le vieux Jean avait appris dès l'enfance à fourrer du verre pilé et de l'aconit dans des charognes fort odorantes, lui n'avait pas attendu la loi pour libérer le canton des loups bouffant aussi bien les bêtes que les jeunes bergers.

— C'est la guerre qui donne le goût des hommes aux loups... Tout aura commencé par la guerre de Cent Ans, puis les guerres de Religion et celles de l'empereur, c'est les guerres qui leur donnent le goût de la chair de l'homme, dès qu'il y a une guerre ils profitent que les hommes soient partis pour s'en prendre aux plus faibles, à chaque fois ils attaquent, et la guerre, une fois de plus, on est en plein dedans !

— Mais qu'est-ce que le dompteur a à voir avec les loups ?

— Il leur parle ! Les animaux, il en fait ce qu'il veut, croyez-moi, ce diable-là il vaut mieux l'avoir de son côté plutôt que de lui chercher des histoires...

— Tu dis ça parce que tu veux lui vendre tes chèvres !

— Et alors, toi aussi, tu lui en vendras, mais je vous aurai prévenus, on ne cherche pas querelle à un homme qui fait s'asseoir des tigres et des lions, ça porte malheur...

À Orcières la superstition était souveraine, les croyances réglaient la vie quotidienne. Au matin, malheur à celui qui se levait du pied gauche, malheur à celle qui mettait le pain à l'envers sur la table ou cassait du verre blanc, malheur à qui voyait un chat noir ou croisait deux couteaux. Et au soir, malheur dans la maison où rentrait un oiseau, malheur à celle qui renversait du sel ou balayait après le coucher du soleil... Même du temps où les hommes étaient là, le travail aux champs était lui aussi régulé par des superstitions, pour avoir de bonnes récoltes il fallait brûler des feuilles dans le feu de la Saint-Jean, semer à la pleine lune, sonner les cloches pendant l'orage et ne pas donner de trèfle aux vaches les jours sans « r »... Dans ce contexte le vieux Jean avait beau jeu d'en créer de nouvelles au sujet du dompteur. Les femmes essayaient de s'y retrouver dans tout ça, seulement elles voyaient bien qu'à trop écouter les anciens, les croyances n'en finissaient pas de prendre le dessus, un jour il y en aurait tellement qu'on n'arriverait plus à vivre.

Pour calmer les esprits, Fernand le maire et Couderc le maître organisèrent une veillée dans la grande ferme en bas. Chacun y alla de sa parole. Tous avaient encore en tête ces aïeux plus ou moins lointains mordus par des loups enragés, des innocents dont la bouche écumait, au point que les curés ne pouvaient même pas leur donner l'extrême-onction. Le vacher des

Dauclercq lui-même avait été mangé par un loup sous Napoléon III, un gamin de quatorze ans dont on ne retrouva que la tête et un bout de bras, au village ça avait marqué, d'autant que le Gévaudan est juste là, de l'autre côté des collines, le Lot le traverse, alors il ne faudrait pas que tout ça recommence...

— N'oubliez pas, si on s'en prend à lui, qui vous dit qu'il ne nous balancera pas ses lions en représailles ? Qui vous dit qu'il ne liguera pas contre nous tout ce que la nature compte d'animaux sauvages, des chiens errants aux lynx, des sangliers aux loups, dans les collines c'en est plein...

Août 2017

Franck puisait dans la colère, la colère de celui qui est laminé de fatigue et se sent agressé de toutes parts. La peur peut rendre fou. Il s'était éloigné de la maison et se tenait posté en haut de la colline, serrant le couteau dans sa paume, prêt à en découdre, ne sachant pas contre qui. Les bruits étaient de plus en plus nerveux, ils venaient de la combe en bas. Il s'avança vers la prairie en pente, mais n'ayant pas mis ses chaussures, chaque pas était plus douloureux. L'herbe sèche lui attaquait la plante des pieds, chaque petit fétu, chaque brindille le tailladait, c'était comme de fouler des milliers de petites lames, et la pente s'accentuant, c'était de pire en pire. Il ne pouvait aller plus loin. D'ici à la colline d'en face il y avait trois cents mètres, s'éclairer n'aurait servi à rien, sinon à se signaler aux yeux de l'ennemi. Il enrageait de ne pas aller plus avant, ne serait-ce que pour les déranger, surprendre ces bêtes atroces et glauques qui trépignaient en poussant des soupirs gras. Aiguisé par la fatigue, par ces heures de route et d'insomnie, il se rêvait déboulant là-dedans et les liquidant tous. Cette maison, il ne la louait que depuis quelques heures, mais il la ressentait un peu comme la sienne. Le simple fait d'y résider en faisait déjà sa terre, son domaine. Cette terre c'était chez lui, et ce remue-ménage en bas le révoltait, d'autant plus qu'il ne le comprenait pas. Il se trouva con avec ce long couteau à viande dans une main, son portable dans l'autre, et s'apprêtait à faire demi-tour, quand il distingua une masse noire à une dizaine de mètres. Ses yeux habitués à la nuit discernèrent une présence aux aguets, la silhouette d'une bête haute sur pattes, ce pouvait être un chien, un gros chien, ou un loup. Cette apparition soudaine le pétrifia. Sans compter que cet animal avait dû le repérer depuis longtemps, bien avant que lui-même ne le remarque, depuis des heures sans doute. Pourtant la bête ne bougeait pas, absorbée par ce spectacle sonore et olfactif. Franck cherchait son regard. Quand on tombe nez à nez sur un grand chien, la seule façon de déchiffrer ses intentions, c'est de les lire dans ses yeux. Mais au milieu de la nuit noire, ils faisaient comme deux pastilles fluorescentes, deux petits phares saisissants. Est-ce que les chiens voient dans le noir, oui probablement. La bête avait cet avantage sur lui. Franck se sentit totalement démuni. Et le couteau, est-ce que le chien le sentait ? Est-ce qu'il risquait de le prendre pour lui ? Tout ce que Franck comprit, c'est que l'animal rivait ses yeux sur le bas de la colline, lui aussi était venu là pour assister à la scène nocturne, à la différence près qu'il savait de quel bestiaire il s'agissait, de quel rite. Le plus sidérant, c'est que le chien ne se souciait pas de sa présence. Il n'avait ni aboyé ni grogné. De fait c'était son seul allié dans le périmètre. Malgré lui, Franck émit un claquement de langue pour établir le contact. Le chien y réagit instantanément en se rapprochant, sa respiration d'un coup était forte, comme s'il l'avait retenue jusque-là. Franck vit cette grande masse qui s'approchait, le chien renifla ses mollets, puis le couteau. Franck le laissa aussitôt tomber sur le sol en gage de bonne volonté, horrifié à l'idée que l'animal puisse se sentir visé. Une fois le couteau par terre, le chien le renifla vaguement. Puis il redressa la tête et regarda là-bas vers la colline. Franck se baissa pour se mettre à hauteur du molosse, à genoux il faisait la même taille que lui, non pas au garrot mais à la tête. Il voulait voir son regard, il sentait qu'il ne le mordrait pas, qu'il ne l'attaquerait pas.

— T'es qui, toi ? Hein ? Qu'est-ce que tu fous là... ?

Le chien n'avait que faire de ces paroles. Il restait fasciné par le raffut en bas. Franck passa la main sur le dos de cette bête puissante, comme pour en prendre la mesure, ou l'amadouer, c'était un genre de chien-loup, son poil était long, à la fois rêche et doux, plein de vigueur, il affichait l'attitude altière, la souveraine indifférence de ceux qui se savent domestiqués par rien. L'animal ne se souciait pas de ces caresses, ne marqua même pas la moindre reconnaissance. Franck récupéra le couteau, histoire de l'avoir de nouveau en main, il évita tout mouvement brusque, puis se releva. Le chien le prit comme une mise en garde, il se posta en face de Franck, fermement campé sur ses pattes. Franck l'éclaira de son écran de portable, son regard devint encore plus luminescent, il les reconnut ces yeux, c'était ceux de ce soir, ceux qui les espionnaient depuis les fourrés. Le chien le fixait en semblant attendre quelque chose de lui, la tête tendue comme s'il espérait une instruction. C'est ce que Franck comprit intuitivement.

— Dis-moi le chien, c'est quoi là-bas, c'est quoi... ?

Le chien se mit à s'agiter et à glapir, il se retenait d'aboyer en poussant des petits jappements contenus, des couinements de gorge trahissant une nervosité certaine, et surtout, il gigotait devant Franck comme s'il venait pour de bon d'établir le contact. Alors, d'un ton claquant qui le surprit lui-même, Franck ordonna :

— Va chercher ! Va chercher !

Et là, le chien se figea. Il foudroya Franck d'un regard avide, lequel se demanda si le molosse n'allait pas lui sauter à la gorge et le dévorer, mais au contraire le chien fit demi-tour et détala dans une urgence saisissante. Il se lança à corps perdu dans la descente, comme un cheval au galop. Franck n'en revenait pas.

Une fois en bas le chien commença à aboyer, des aboiements qui retentissaient dans la nuit soudain toute chamboulée. Ensuite, Franck entendit des bruits de cailloux, des cailloux qui ripaient ou qui roulaient sous les pattes des animaux surexcités, comme si ces bêtes se battaient entre elles ou avec le chien, ou alors que celui-ci essayait de les bouffer toutes, ou bien le contraire. Puis le raffut s'organisa d'une façon bien différente, comme si toutes ces bêtes se dispersaient. À un moment on sentit bien que le chien tenait quelque chose, il n'aboyait plus, mais on l'entendait qui grognait, qui gémissait, comme s'il était blessé ou qu'il s'acharnait sur une proie, un membre, un quartier de chair, c'était atroce, ce bruit. Franck s'aperçut qu'il avait fait une connerie en lançant ce chien, mais pourquoi l'avait-il écouté ? Il regarda vers la maison pour voir si Lise s'était réveillée, si elle était à la fenêtre pour suivre ça, mais visiblement elle dormait toujours. Le chien lâcha sa prise ou la perdit, toujours est-il qu'on l'entendit de nouveau aboyer, il s'était remis en mouvement mais plus loin, Franck comprit qu'il remontait la colline d'en face, cavalant dans les bois derrière une meute déchaînée qui dans sa fuite fracassait les branchages et les buissons. Le chien gueulait fort et sec maintenant, comme s'il voulait signifier qu'il poursuivait ses proies, qu'il les coursait, ou bien qu'il chassait l'une d'elles pour la rapporter. Franck s'en voulut d'avoir dit à ce chien « Va chercher », si ça se trouve il exécutait réellement l'ordre.

Les aboiements s'élevèrent alors de la colline d'en face, devinrent de plus en plus lointains, ça dura comme ça cinq bonnes minutes. Puis ils s'éloignèrent encore de plus en plus, de même que les cavalcades des fuyards, ils avaient tous basculé sur l'autre versant de l'enfer. De nouveau ce fut le calme. Le calme complet à présent. Franck ne savait pas bien ce qu'il venait de faire. Rétrospectivement il eut peur. Tomber nez à nez sur un grand chien dans le noir, le genre de molosse d'un bon mètre au garrot, ça l'avait profondément épuisé. Il resta un moment à observer les collines trahies par leurs opaques contours, après quoi il retourna vers la maison, il monta à l'étage et prit conscience qu'il n'avait plus le grand couteau dans la main, il avait dû le lâcher dans l'herbe, il ne savait plus, il ne comprenait pas mais n'avait pas le courage de redescendre, cette fois pour de bon il avait sommeil. Il se sentait vidé. L'air ambiant était moins chaud, il faisait frais maintenant. Il s'allongea sur le grand lit et fit comme Lise, il ramena le drap au-dessus de sa tête, s'enfouit dessous. Par intermittence il croyait entendre aboyer, mais loin très loin, peut-être que ce chien n'abandonnerait pas, il courserait ces bêtes toute la nuit. Franck tendit l'oreille, puis il se laissa retomber sur l'oreiller, avec ces images de forêts qui s'ouvrent dans la nuit, finalement il les ressentait ces cent vingt hectares de terrain et ces milliers d'autres tout autour, il avait la sensation d'être au cœur de leur interminable silence. Les fenêtres étaient toujours ouvertes, mais le dehors désormais ne produisait plus le moindre bruit. Dans cette paix revenue il s'assoupit, c'était une révélation pour lui de sentir cette chambre communier avec les grands espaces, dans le même éther, c'était aussi troublant et doux que de s'endormir à la belle étoile.

2e PARTIE

Septembre 1914

2e PARTIE

Septembre 1914

À Orcières les gendarmes ne venaient jamais,
si bien qu'en les voyant arriver ce samedi, on
crut que c'était par rapport à l'Allemand. Mais
non, c'était pour réclamer deux paysans des
fermes alentour qui n'avaient pas rejoint leur
corps, deux mobilisables qui auraient dû se présenter à la gare de Cénevières mais ne s'y étaient
jamais rendus. Et pour cause, Joseph Chartier
était mort deux ans plus tôt. Tout ce qu'il restait
de lui, c'étaient des parents secs et un carnet
militaire dans un tiroir. Quant au fils Cabrérac,
celui de la ferme de La Touche, il avait disparu
corps et biens depuis le jour du tocsin. Il était
fiché parce qu'il avait fait des histoires pendant
son service, l'année précédente à Aurillac, au
point même d'avoir été mis aux arrêts comme
tous ceux qui refusaient de faire le fameux *un
an de plus* de la loi Briand. Ceux-là pensaient
comme Jaurès, que l'État n'avait pas à voler
trois ans de la vie d'un homme, trois ans de
service c'était du vol, c'est bien pour ça que le
jour du tocsin il s'était débiné. Mais cette liberté

qu'il avait prise, aux yeux des autorités il l'avait volée, et ça faisait de lui un criminel.

Après tout les gendarmes étaient des militaires, qu'ils y aillent eux-mêmes au front, au lieu d'envoyer des appelés, c'était à eux de se battre plutôt que de traîner devant des tribunaux militaires de braves gars qui ne pouvaient pas quitter leurs terres. De toute façon les bleus, c'étaient des oiseaux de malheur, c'est toujours par eux que tombaient les ordres venus de Paris, le 2 août c'est à cause d'eux que les maris, les fils et les pères étaient partis, des proches qu'on aura épaulés toute la nuit durant parce qu'il était impossible de dormir, de se coucher en se disant que le lendemain, ce fils, ce mari ou ce père partirait à la guerre, sans savoir pour combien de temps, sans même l'assurance de le voir revenir un jour. Ce n'était pas humain de vivre ça. Alors, profiter que les gendarmes soient là pour leur dire que là-haut se planquait un Boche, leur faire ce cadeau-là, autant cracher par terre.

Si ce jour-là on ne balança pas le Boche, on envoya tout de même le Piqueur pour lui demander de décamper. Le vieux Lucien était un homme robuste de soixante-quinze ans, on l'appelait le Piqueur à cause de la chasse. Du temps où il cavalait, il débusquait tous les gibiers avec ses chiens. C'est donc en piqueur que le vieux Lucien sera monté un matin pour lui dire de déguerpir à l'Allemand. Après tout, des tigres et des lions n'avaient rien à faire là, tout comme le fer de leurs cages et ces roches à nu qui attiraient la foudre, depuis qu'ils étaient là-haut le mont d'Orcières ne faisait plus seulement peur, il rendait fou. Malgré son âge et sa patte folle, le Piqueur grimpa le chemin. Ce matin-là il partit avec Atlas, un mélange de bas-rouge et de berger des Pyrénées, un grand chien qui impressionnait et aurait même su tenir un taureau à distance. Si le Piqueur voulait faire l'ascension avec son molosse, c'était moins dans l'idée d'intimider le dompteur que pour se donner du courage. Avec un chien, on ne va pas seul. Le chien est un être qui épaule bien. Surtout celui-là, une bête de quarante kilos, capable de maintenir au ferme deux sangliers toute une matinée, un chien véloce et haut sur pattes, avec autant de détente qu'un cheval. Atlas, on l'aura souvent vu cavaler dans des coulées étroites pour courser des chevreuils ou même un solitaire armé de défenses, trouant les buis et traversant les rivières comme s'il en foulait le fond. Il était capable de pousser un solitaire de cent vingt kilos dans ses derniers retranchements, après quoi il le bloquait, quitte à se frotter à ses défenses, quitte à se faire ouvrir et à saigner. Le Piqueur était relié à son chien par une laisse invisible, tout le long de la montée le chien patrouilla devant lui, ivre de la fierté toute simple d'ouvrir le chemin à son maître, mais sans comprendre ce qu'il s'agissait de chasser cette fois. Quand le vieux Lucien aborda le dernier raidillon, la dernière pente bien raide où les chaussures ripaient sur la terre sèche, il sentit que son chien s'autorisait de moins en moins d'avance, finissant même par se coller contre sa jambe dans les derniers mètres.

En arrivant au sommet, le vieux Lucien était à moitié plié en deux, le souffle court, il avait tellement de sueur sur le front qu'il ne distinguait plus rien, pourtant il comprit que le dompteur se tenait là, planté sur la roche en surplomb comme s'il les attendait. Depuis le début il les regardait approcher sans broncher, impassible comme un fauve. C'est pour ça qu'Atlas baissait de plus en plus la tête, il renâclait au point même de s'aplatir, ventre contre terre, jusqu'à brosser les cailloux, tout en lâchant de petits gémissements qui ne lui ressemblaient pas. À la fin le vieux Lucien dut même le tirer par le collier. Et le Boche qui ne bougeait toujours pas, se contentait de contempler le spectacle de ces deux êtres essoufflés qui se hissaient jusqu'à lui. Il les toisa sans une once de férocité, mais avec dureté, comme ses tigres, un air d'autorité tel qu'on n'osait pas croiser son regard. Le Piqueur n'avait encore jamais lu la peur dans les yeux de son chien, jamais il ne l'avait vu se tortiller comme un orvet. Il crut distinguer là l'effet d'une force obscure dont cet homme serait l'émetteur, une sorte de fluide avec lequel il manœuvrait ses lions. La vérité était que le pauvre chien avait la truffe assaillie de relents fauves, son instinct de chasseur était totalement ankylosé par ces odeurs affolantes qui le ceinturaient, des fragrances exhalées par le campement de félins, le genre de bêtes auxquelles il ne connaissait rien, mais dont d'instinct il sentait qu'il ne fallait pas s'approcher.

De ces deux créatures qui étaient montées jusqu'à lui, le dompteur semblait ne remarquer que le chien. Il n'était absolument pas concerné par l'homme à la moustache éteinte et aux verres embués, un ancêtre grandi par l'orgueil de relayer le message des autres en bas. Chez les hommes l'audace se confond souvent avec la fierté. Seulement, une fois en haut, de colère le vieux Lucien n'en avait plus. Il ne voyait plus rien, de surcroît il n'avait plus de souffle, plus de jambes, plus rien à dire à ce dompteur auréolé de rugissements léonins. Des bruits provenaient de la grande cage ronde de parade, ils étaient là-bas à tournoyer follement, excités par ces nouvelles présences. Le vieux Lucien comme son chien furent surpris de les découvrir aussi gros, des sortes de gros chats surdimensionnés, des fauves à une tout autre échelle que les animaux d'ici, avec des gueules larges comme des souches d'arbre et des corps aussi lourds que des chevaux. Même à distance ils ressentaient les vibrations de leurs râles, les lions poussaient de ces grondements affamés qui vous glacent comme des orages de montagne, ça vous enveloppait d'une terreur pareille à celle de l'agneau entrant dans la gueule du loup. Derrière le dompteur, le vieux Lucien aperçut une dalle de rocher aplanie comme une table, un billot sur lequel il venait de découper on ne sait quelle carcasse en gros quartiers. Lucien passa ses doigts sur ses lunettes, d'où il était il distinguait une chair palpitante et rouge, elle luisait au soleil en attirant les mouches, c'est pour ça que les lions grognaient. Le Piqueur tombait mal, il déran-geait en plein office, cependant le dompteur se tenait devant lui, toujours muet et lui masquant la vue, et Lucien ne comprit pas quel genre de dépouilles gisait sur ce grand autel sacrificiel. Ces énormes parts que le dompteur venait de trancher, ça n'était pas des quartiers de mouton, encore moins de chèvre, ce n'était pas non plus une brebis géante ni des chevreuils accumulés, non, ce que cet homme venait de découper là ce devait être un grand animal tronçonné en morceaux épais, il y avait bien deux quintaux de chair vermillon, on aurait dit une vache, ou pourquoi pas un homme, opulent et gras. Le dompteur s'appliquait à lui boucher la vue, au Piqueur, et puis là-dessus il lui tendit la main, une battoire énorme et maculée de sang, le vieux Lucien n'osa pas la lui serrer, à cause de tout ce sang, de ce regard surtout.

Dans les jours qui suivirent, le vieux Lucien ne dirait rien de ce qu'il avait vu là-haut, ni de ce que l'Allemand lui avait raconté, c'en était même à se demander s'ils s'étaient réellement parlé. N'empêche que lui au moins il était monté, il avait affronté la pente autant que ses angoisses, mais sans rien livrer de ce à quoi il avait assisté. Pas plus qu'il ne leur avoua comment Atlas s'était couché aux pieds du dompteur après que celui-ci lui avait lancé on ne sait quel mot en allemand, deux syllabes pas plus, un mot cinglant, peut-être de ceux avec lesquels il dressait ses lions. En tout cas le résultat était là, sans même savoir le nom du chien, il l'avait fait se coucher à ses pieds, Atlas soudain soumis, docile comme un poussin du jour. Si ça se trouve ce jour-là le dompteur n'avait parlé qu'au chien, en tout cas le vieux Lucien leur jura qu'il n'y retournerait plus, qu'il ne valait mieux pas grimper là-haut. Pour ne pas attiser les craintes il n'aura rien dit de cet autel sacrificiel où s'amoncelait la chair sanguinolente. Mais en lui-même il savait que l'Allemand nourrissait ses fauves de carne découpée dans de puissants mammifères, des proies à la chair vive, aux muscles rutilants pareils aux humains. À un moment il pensa même au fils Cabrérac et peut-être à d'autres, après tout les hommes sont des animaux, et les animaux sont faits pour s'entredévorer, c'est là le cycle turbulent de la vie. Il préféra taire ses suppositions par peur de les affoler tous. Mais au moins Lucien avait compris une chose, le dompteur n'aurait jamais assez de brebis ni de chèvres pour nourrir ses lions, pour les rassasier il se livrait à on ne sait quelle boucherie, trucidant on ne sait quelles créatures, et en grand nombre, parce que pour nourrir tous les jours huit carnassiers aussi épais et forts, huit fauves démesurés et avides, jamais de simples brebis ne suffiraient, quand bien même en tuerait-il cent...

Août 2017

Cette cohue lui faisait du bien. Réveillé par le soleil, Franck n'avait dormi que trois heures. Ce matin il avait eu un besoin fou de voir du monde, de sentir de la vie autour de lui. Là, dans le centre-ville de Limogne, il se retrouvait au milieu d'une belle petite foule. De même qu'il avait eu le sentiment de revivre en rallumant son portable et en voyant les cinq barres miraculeuses ressusciter. La seule petite déception, ç'avait été de découvrir qu'on avait assez peu essayé de le joindre, il n'avait reçu que trois appels entre hier soir et ce matin, et un seul message émis d'un numéro inconnu, un message qu'il écouterait plus tard, il se le gardait comme une gourmandise.

Limogne était à trente minutes du mont d'Orcières. On y accédait par une petite route où l'on se croisait difficilement. Pendant le trajet il n'avait rencontré qu'une voiture, une vieille fourgonnette dans laquelle il avait cru reconnaître la mère Dauclercq derrière la saleté du pare-brise. Tout en roulant il avait jeté un œil dans les fourrés, en quête du chien de la nuit, à moins que celui-ci ne sorte jamais des collines là-haut, qu'il ne se planque dans les bois comme les loups.

Limogne était une petite ville, avec deux cafés tout de même, et deux grandes épiceries, mais pas de supermarché. Il avait tourné longtemps dans les ruelles avant de se garer là, finalement, en plein soleil. L'essentiel pour lui, c'était de renouer avec la civilisation et de voir du monde. L'avenue principale était bloquée pour cause de *jour de marché*. On était dimanche. Tout à l'heure en rentrant dans le bourg, il l'avait presque béni ce minuscule embouteillage qui ralentissait l'accès au centre-ville, il avait même savouré la difficulté de trouver une place digne de ce nom pour garer ce grand 4 × 4, ça lui faisait un bien fou d'être enfin libéré de la paix assourdissante des collines.

Ce matin quand il était parti Lise dormait encore. En se levant il avait fermé les rideaux pour qu'elle puisse continuer à dormir. À près de neuf heures elle avait toujours la tête enfouie sous le drap, comme si elle n'avait pas bougé depuis la veille au soir. Elle semblait paisible. À croire qu'elle se sentait vraiment dans son élément ici. Il ne comprenait pas cela, qu'elle se laisse aussi naturellement apprivoiser par cette chambre, ce lit, cette maison, qu'elle se sente pleinement à l'aise sur cette colline ouverte aux quatre vents, au beau milieu de nulle part, ça lui paraissait extravagant. Hier il lui avait dit qu'il irait tôt faire les courses, et donc qu'il irait seul. De toute façon il savait que Lise n'avait aucune envie d'aller en ville, elle préférerait passer la matinée tranquille dans la maison, la foule ne l'attirait pas. Elle lui avait préparé une liste de courses, du thé, des légumes, des pâtes, puis du sel, du sucre, du lait, pas mal de choses dans le fond, et si possible dans un magasin bio. Une fois en ville, il fut pris d'un doute, se demandant si c'était bien prudent de la laisser toute seule dans cette baraque paumée, qui plus est avec les fenêtres et les portes grandes ouvertes, hier ils les avaient calées avec des pierres pour créer un maximum de courants d'air et ce matin en partant il ne les avait pas refermées.

Il se dit que ce serait toute une histoire de faire demi-tour, de retourner là-bas et de remonter cette pente atroce pour tout fermer à clé... Une vraie galère en somme, parce que cette montée, peu importe le sens dans laquelle on la prenne, c'était une véritable épreuve. En s'y lançant tous les bips s'affolaient, l'électronique de bord et les détecteurs de distance se mettaient à hurler à cause des branches, des pierres qui dépassaient, la largeur de la voiture était telle qu'elle touchait les arbustes et les ronces dans un bruit pathétique, de longs crissements qui déchiraient le métal, c'était poignant d'entendre ça, mais surtout éprouvant de maintenir le 4 × 4 pile dans l'axe, veillant à ne pas trop s'approcher des bords, parce qu'à droite les rochers étaient saillants, et à gauche il y avait le vide masqué par les taillis... Cette Audi était inutilement grosse, trop large pour les petites routes qu'il avait dû prendre, et même pour celles de Limogne. Il éprouvait d'autant plus de remords qu'il l'avait louée cher et que l'assurance ne couvrirait pas toutes ces rayures qu'il avait déjà faites, pour autant il ne la facturerait pas sur le compte d'Alpha Productions, histoire de montrer l'exemple aux deux petits nouveaux. Ses comptes personnels étaient tendus en ce moment, quand on a sorti deux films dont les entrées n'ont pas dépassé la barre des cinq chiffres, deux films coup sur coup à moins de cent mille entrées, on ne loue pas une voiture de la gamme Prestige et pour trois semaines. Mais c'était le dernier 4 × 4 disponible en agence, sinon on lui proposait le Maserati Levante, encore plus cher. À vrai dire il ne détestait pas de conduire ce genre de monstre, c'était même grisant.

Quand il fut garé il ne sortit pas tout de suite. Il resta cinq minutes sans bouger. Il regarda vivre cette petite ville autour de lui, ces gens qui allaient et venaient, ça le réconfortait. En même temps il se sentait à distance de tous ces êtres, parfaitement étranger. Il remarqua leurs regards. Cette voiture renvoyait une image d'aisance, de richesse bien vécue, alors qu'au contraire toute confiance en lui s'érodait. Depuis fin mars la moindre dépense l'inquiétait, il ne voulait pas en parler à Lise, ne rien en montrer, pourtant il se sentait aussi fragilisé qu'à ses débuts, avec aussi peu de visibilité financière qu'à vingt-cinq ans. Chaque nouvelle production donne toujours la sensation de tout remettre en jeu, de repartir de zéro. La prise de risques est inhérente au métier de producteur, quels que soient son âge et son expérience, mais à plus de cinquante ans il n'avait plus l'insouciance d'un novice. À force de colmater les angoisses à tout bout de champ, de réconforter les réalisateurs comme les comédiens, tous ces partenaires qui vivent mal l'échec, qui en sortent détruits, assaillis par la trouille de ne plus jamais tourner, à force de rassurer les autres donc, il n'avait plus la ressource de se rassurer lui-même.

La portière se referma dans un onctueux claquement, un déclic contenu et souple, semblable au bruit du silencieux vissé au bout d'une arme. Il contempla l'Audi en essayant de s'y reconnaître, il y avait déjà pas mal de griffures sur la carrosserie, des impacts légers sur le bas de caisse, sans doute des éclats de pierres. Déjà il l'avait abîmée. Cette côte était comme une rampe d'accès par laquelle on s'extrayait du monde civilisé pour accéder à un autre, un monde sauvage et sans règles, probablement peuplé d'animaux féroces et mystérieux, un monde plus vraiment humain.

Il se fondit dans la petite foule qui remontait vers la place. Il était le seul à être seul. Tous les autres étaient en couple, en famille, en groupe. C'est là qu'il sentit monter l'angoisse, en réalisant que Lise à cet instant même n'était absolument pas joignable. En repensant à ce téléphone inerte quelque part dans son sac à main, soudain il fut pris d'un accès de panique. Là, aux abords de ce marché bruyant, il en était même à se demander si Lise était bien toujours sous le drap ce matin, après tout il n'avait pas franchement vérifié avant de partir, il avait juste jeté un œil vers elle au moment de se lever, était sorti délicatement du lit pour ne pas la réveiller, sans la voir vraiment. Il repensa au molosse de cette nuit, ce chien allait-il revenir, s'il n'était pas déjà revenu, et pourquoi les guettait-il hier, de toute évidence c'était bien lui, cette présence en bas dans les bois, ces yeux jaunes qui les observaient pendant qu'ils mangeaient... D'un coup Franck fut en nage, rattrapé par tout un tas de peurs idiotes. Il se calma en se promettant d'aller boire un café, se poser dans un bistrot lui ferait du bien. Oui, s'asseoir dans un endroit civilisé le ramènerait à la raison, encore faudrait-il parvenir à s'extraire de la foule compacte du marché et prendre la bonne direction pour en trouver un.

Il la connaissait cette angoisse qui lui coupait les jambes, mieux qu'une crise de spasmophilie, il savait bien d'où elle venait, ce n'était pas seulement la fatigue et l'incertitude quant à l'avenir, non, cette inquiétude qui lui perçait le foie venait de l'impossibilité absolue de joindre Lise. Depuis vingt-cinq ans ils étaient toujours joignables l'un pour l'autre, depuis qu'ils vivaient ensemble, lorsque l'un des deux partait à l'étranger ils avaient toujours eu la possibilité de se joindre, vingt-quatre heures sur vingt-quatre, et là pour la première fois ce n'était pas le cas. Cette peur venait aussi de la maison, de la perte de repères, cette perdition que supposait un séjour de trois semaines dans ce parfait isolement. Il comprit que ce ne serait pas aussi simple de remonter de temps en temps à Paris, lui qui prévoyait de faire un maximum d'allers-retours pour le boulot, en fin de compte ce n'était pas envisageable, jamais il ne pourrait laisser Lise toute seule là-haut, sans téléphone ni voisins, et avec ce chien qui rôdait dans le coin. En quelque sorte il était condamné à rester dans ce trou, à moins de la convaincre d'en partir, de quitter bien vite cette horrible solitude, et même si elle avait rêvé de cet endroit depuis des mois il arriverait bien à la convaincre, même s'il devait lui faire peur...

À moins de se calmer. De se reprendre. À moins de se faire progressivement à l'idée qu'il n'y avait rien à craindre. Oui c'est ça, il n'y a rien à craindre. En dehors de ce chien il n'y a rien à craindre. En dehors de ce silence il n'y a rien à craindre. En dehors de ces bois, de ces collines totalement envahis par l'absence, il n'y a rien à craindre.

À ce que lui dirent des gamins, les deux bistrots de la ville étaient de l'autre côté de la place. Il lui fallait donc traverser tout le marché. C'était brutal après une nuit passée dans un trop-plein de silence. Alors il longea les étals tout en les observant, il les voyait comme les ornements d'un autre monde, un monde bucolique et coloré auquel il ne participait pas. Lise qui était farouchement végétarienne n'aurait pas été à l'aise devant cette profusion de charcuterie préparée par des producteurs artisanaux, des jambons divers et variés, des saucissons suspendus et des conserves, des piles de bocaux, des pâtés, des terrines confectionnées à partir de toutes sortes de chairs d'animaux écrasées, cuisinées, compactées... Quand même, il tomba aussi sur quelques stands de légumes, des légumes qui semblaient bien gros, il ne voyait aucune indication certifiant que c'était du bio, qu'importe, il y avait là une effervescence vivace, comme s'il était au centre d'un gigantesque estomac, un estomac vorace qui boufferait de tout, de la viande, des légumes, des fruits, de la charcuterie et du poisson, ça s'agitait partout, les clients et les commerçants avaient tous l'air de se connaître, chaque transaction durait longtemps parce que tous se parlaient, les gens qui se croisaient se parlaient également, il y avait quelque chose de goinfre dans tout ça, d'abondant, de festif et peut-être même d'heureux, oui ces êtres semblaient unanimement heureux, heureux de se retrouver au carrefour de leurs appétits. Au milieu de ce maelström Franck n'existait pas. Il se sentait spectateur, rien de plus, à coup sûr il n'était pas de cette fête-là, de ces agapes, comme s'il débarquait sur une autre planète. Et puis il faisait de plus en plus chaud. Pour ce qui est des courses il irait plutôt dans une boutique, un magasin calme et climatisé où l'on se servait soi-même, un magasin normal avec de la musique, où l'on ne demande rien à personne, tout ce qu'il voulait c'était remplir son panier mais certainement pas se mettre à parler à on ne sait qui, se faire servir en ceci ou en cela. Au hasard il interrogea une dame :

— Vous ne savez pas où je peux trouver un magasin ?

— Un magasin de quoi ?

— Pour faire des courses !

La bonne dame dut croire à une blague, ou elle le prit pour un étranger.

— Y en a pas assez autour de vous !

Il se sentit bête, mais surtout bloqué par la foule stagnante, ce devait être le quart d'heure de forte affluence. Lui qui ne mangeait plus de viande, l'ironie c'était bien d'être coincé devant ce grand étal rouge, un stand immense au beau milieu du marché, un gigantesque autel voué à la viande. Il faisait face à toute cette bidoche atroce, des cadavres réfrigérés, d'épais morceaux de chairs écœurantes magnifiées par les petites vitrines. Cependant, ce présentoir mortifère le fascina, d'autant qu'il y avait l'odeur de poulet grillé qui montait des rôtissoires, une odeur croustillante comme un souvenir d'enfance, ça lui rappela le pavillon de sa grand-mère, quand elle ouvrait le four et que ça embaumait le poulet grillé, une odeur qui emplissait la maison d'appétits aussi vastes qu'une journée de juillet...

Il y avait tellement de monde que ça n'avançait plus. Franck crut étouffer dans cette foule coagulée, mais il n'osait bousculer quiconque. Malgré lui il regarda faire le boucher, un grand bonhomme ficelé dans un tablier blanc taché de rouge, il le voyait s'activer comme un prêtre à son office, captivé par cette horreur comme on peut l'être d'un film de genre. Bon Dieu, il était énorme ce boucher, campé derrière son étal, avec un auvent vermillon au-dessus de sa tête et une toile pourpre tendue derrière lui, sur laquelle le soleil tapait, une luminescence qui donnait à cette tenture un éclat irréel. En plus d'être grand, le boucher se tenait sur une estrade, un peu comme le curé à la messe, on aurait dit une divinité posée dans son petit théâtre sacrificiel, mais une divinité païenne, un être puissamment sanguin, on le sentait gorgé de toutes les viandes disposées devant lui, il était fait de la même chair que les côtes de bœuf énormes qu'il empoignait et que les quartiers de bovin que ses commis attrapaient à pleine main. À mesure que les gens s'écartaient, Franck distingua mieux ces morceaux d'animaux, tout le long du présentoir il y avait des foies et des rognons, et même une tête de veau sur un carré de marbre blanc, pauvre petit animal livide aux paupières closes, une tête pensive qui trônait au milieu de ce brouhaha profane, une tête plongée dans un profond rêve. À côté il y avait tout un bal de pieds de cochon, des pigeons et des cailles alignés comme des cadavres, des lapins qui pendaient, suspendus par les pattes arrière, des tas de petits êtres emmaillotés dans leur propre mort, des tas de petits néants, bon sang mais comment on arrive encore à manger ces choses-là...

— Et pour monsieur ?

— Non, je regarde.

— Touriste ?

— Non. Enfin oui, touriste si on veut, mais français...

— Alors vous êtes comme ma viande ! Ici tout est français. Et élevé en France !

— D'accord. D'accord.

Franck était fasciné par cet étal comme il l'aurait été par le sanctuaire d'une religion qui glorifierait ses morts avant de les dévorer. Sans être vraiment végétarien, depuis dix ans il mangeait de la viande uniquement quand il ne pouvait pas faire autrement. Lise l'avait convaincu depuis longtemps. Il ne trouvait rien de choquant à ce que les autres en mangent, seulement devant toute cette barbaque, aussi palpitante et crue, aussi vivante et concrète, avec en prime ce boucher aux mains rouges, ce type environné de couteaux immenses, un tel commerce lui semblait d'un autre âge et l'écœurait. Les aboiements du chien de la nuit dernière lui revinrent en tête, ce chien qui s'était mis à courir après on ne sait quoi, ce chien qui, une fois de l'autre côté de la colline, avait hurlé à la mort, non pas une mort intemporelle et abstraite, mais la mort qu'il s'apprêtait à donner en crevant une des proies qu'il coursait. Toute la nuit ce molosse avait dû courir après des créatures encore plus cruelles que lui, encore plus affamées. Franck était convaincu que si le chien s'était rué sur ces bêtes, c'était à cause du petit claquement de langue qu'il avait fait pour l'aiguillonner, à vrai dire c'est lui qui l'avait déclenché, ce chien. Une fanfare stupide passa au milieu des allées, voilà pourquoi il n'arrivait pas à avancer ni à reculer. Le visage du boucher était semblable à la couleur de ses quartiers de bœuf, il n'y avait pas la moindre différence. Cette teinte rouge, il crut la percevoir chez tous les gens autour de lui, même sur ces mômes qui soufflaient dans leurs instruments à vent, une fanfare atroce, d'un coup il eut la sensation de visiter une autre peuplade, il se sentait immergé dans une tribu de chasseurs avides où les chiens étaient les alliés des hommes et où le reste, tout ce qui n'était pas eux, n'était que gibier... Peut-être que parmi tous ces gens qui l'environnaient il y avait le propriétaire du chien vagabond. À moins qu'il ne soit réellement sauvage.

Franck sentait que le boucher ne le quittait pas des yeux. Tout en découpant il continuait de le regarder. Il se dit que c'était peut-être lui le propriétaire de la maison, celui qui répondait aux mails depuis une plateforme à l'étranger pour ne pas payer d'impôts, peut-être qu'il l'avait reconnu, qu'il savait très bien qui il était. Dans un sursaut de paranoïa, Franck pensa que Liem et Travis avaient peut-être manigancé tout ça, qu'il se retrouve dans ce trou, avec la complicité de Lise, sans s'en rendre compte depuis le début il était le jouet d'une manipulation... Parfois, mentalement on s'égare, on se fait tout un film, on sent que la situation nous échappe et on se dit que ce sont les autres qui ont tout combiné pour que nous nous perdions, mais pourquoi, pourquoi Lise voudrait-elle qu'il se perde, au contraire, depuis toujours elle faisait tout pour le rassurer. En revanche, Liem et Travis, du haut de leur toute fraîche trentaine triomphante, eux ils étaient capables de tout.

Pour se donner une contenance, Franck sortit son téléphone et écouta son unique message, seulement il n'y avait rien, juste un silence fragmenté de bips lointains. Il garda l'appareil à l'oreille, faisant semblant de parler, il se faufila, mine de rien, sur la gauche. Vu de loin, le boucher dominait tout le monde sur son estrade, Franck sentait qu'il le suivait des yeux, il le regardait tout en désossant une épaule de bœuf, il le suivait du regard tout en fouillant dans la chair pour dégager le radius de la bête, avec des gestes assurés et mécaniques, sans même se pencher sur le cadavre, ce boucher le regardait partir, l'air de lui dire : « On se retrouvera tous les deux. On se retrouvera. »

Septembre 1914

Le vieux Lucien ne voulait rien raconter de ce qu'il avait vu là-haut, il leur dit juste que pour nourrir huit fauves aussi massifs et lourds, le dompteur avait sûrement besoin de quatre-vingts livres de chair fraîche par jour, autant dire le poids d'un gros chien, d'une brebis ou de deux enfants. Pourtant, il lui restait encore des chèvres et des brebis à l'Allemand, c'est donc qu'il les nourrissait d'autre chose... Du coup les femmes se mirent à craindre pour leurs enfants. On pensa aussi aux moutons qu'on cachait de l'autre côté des collines, tout ce grand troupeau secret que les commissions de réquisition n'avaient pas à connaître.

Aux beaux jours on laissait les moutons à l'estive. D'avril à octobre ils pâturaient les vallons en herbe, des terres livrées à la friche depuis la fin de la vigne. Le Simple les gardait là-haut avec trois chiens, le soir il les parquait dans les claies, et la journée il passait d'une clairière à l'autre en fonction de ce qu'il voulait leur mettre comme herbe sous la dent. Ces pâtures de coteaux étaient riches, des milliers d'hectares dont il n'y avait rien à faire, sinon s'y perdre. En un sens les moutons jardinaient, sans quoi les arbres auraient poussé partout, et les collines là-haut auraient été envahies de forêts. C'était sécurisant de savoir les bêtes dans ces pacages immenses et loin de tout, d'autant que le Simple n'avait pas peur des loups et qu'il planquait deux fusils sous sa couche. Seulement, depuis que les lions emplissaient l'écho des collines, d'instinct on replongeait dans la peur du prédateur, de ceux qui attaquent les hommes autant que le bétail.

Le Simple, c'était bien le seul sur terre à ne pas savoir qu'on était en guerre. Le tocsin du 1er août, lui, il l'avait pris pour l'alarme d'un grand feu, on ne l'avait pas détrompé, oui c'était bien un grand feu, un grand feu qui avait éclaté au loin, très loin d'ici. De même qu'on lui avait caché la présence des lions, de crainte qu'il ne panique, en plus, à l'est, sous vent dominant, il ne les entendait pas. Le Simple, c'était un enfant né trop tard comme on dit, avec la tête un peu partie et les idées claires cependant, lentes mais claires. Si bien qu'au village on en avait fait le berger, ce qui arrangeait tout le monde. Plus personne ici n'avait le goût de vivre six mois tout seul sur les plateaux, de passer les beaux jours à veiller le troupeau et à dormir dans les gariottes abandonnées, des cabanes de pierre sèche dressées sous le second Empire, aux portes qui ferment mal et sans aucun confort. Ces cabanes du temps de la vigne, elles servaient d'abris pour ranger les outils, certainement pas de dortoirs.

Deux fois par mois on lui apportait du pain au Simple, pour ça il y avait trois heures de marche, mais le vieux Lucien déclara qu'à compter de maintenant il serait sage d'y aller plus souvent, que ce serait bien de recompter les bêtes une fois la semaine. Pour le reste on lui faisait confiance au Simple, c'était un berger habile et endurant, il savait deviner les moutons et dormait près d'eux sur le banc en pierre ou à même l'herbe, il y avait pourtant une cabane mais le bougre aimait dormir à la belle étoile, et même s'il ne dormait pas trop, au moins ses insomnies étaient la garantie de sa vigilance. Par sécurité, Fernand le maire monta lui-même le voir entre deux ravitaillements, pour être sûr que tout allait bien, et aussi pour se changer les idées. Au village le moral était en berne, les femmes étaient à bout, non seulement les journées de travail n'en finissaient pas, mais en plus les jours raccourcissaient, et plus le temps passait, plus on sentait que tout ça se terminerait mal.

Si le moral était au plus bas, c'est aussi que les femmes ne recevaient toujours pas de courrier, pas la moindre lettre du mari, du père ou du fils. Ici, au fin fond des collines, c'était impossible de se représenter ce qui se vivait réellement sur le front, à près de mille kilomètres de là, d'autant que Couderc le maître avait la conviction que les journaux ne disaient pas le vrai, ils masquaient la vérité à cause du souvenir malheureux de 1870 et de ces informations précieuses que la presse avait fournies sans s'en rendre compte aux Prussiens. Comme on n'arrivait pas trop à démêler le vrai du faux, le bruit courut depuis l'Angleterre que l'armée française avait subi une véritable déroute, un pur carnage, mais qu'on le taisait pour ne pas démoraliser l'arrière. Couderc recevait du courrier d'un peu partout, en particulier de son ami à Exeter. Les journaux là-bas étaient plus bavards que ceux de Limogne, des journaux français rectifiés de colonnes blanches, ces articles entiers que la censure avait effacés. À ce qu'en disait son ami du Devon, des dizaines et des dizaines de milliers de soldats français seraient morts en une seule bataille vers la fin août, l'équivalent de dix villes comme Cahors en une nuit, était-ce seulement possible...

Au village on pensait que Couderc le maître n'aurait jamais dû dire ça, d'ailleurs on ne voulait pas le croire, et cependant quelque chose dans le silence obstiné des soldats laissait penser que c'était peut-être vrai. Si ça se trouvait, tous étaient morts ou murés dans la peur. Depuis la lettre de l'Anglais on ne croyait plus à l'optimisme distillé par la presse française, on se disait que là-haut ça tournait mal, et chaque fois qu'on entendait rugir les fauves ça avait valeur de symbole, on tremblait pour les hommes aussi bien que pour ces brebis craintives de l'autre côté des collines. Dans une allégorie funeste, ces hurlements et ces cris descendus du mont éveillaient l'image des hommes apeurés s'enfonçant dans la forêt des Ardennes, des hommes qui sans le savoir s'offraient à la gueule des canons allemands, comme les brebis à celle des fauves.

Désormais, deux fois par semaine, on irait rendre visite aux brebis. Si on ne pouvait rien pour les hommes, il fallait au moins que les brebis soient sauves. Un matin Fernand le maire attela son vieux cabriolet mal suspendu et monta sur les plateaux avec le vieux Lucien, il voulait lui-même recompter les bêtes avec des lunettes propres. Le père Maurice y sera allé lui aussi, par deux fois, mais à pied, ne serait-ce que pour leur prouver à tous qu'à près de quatre-vingts ans il n'était pas fini, qu'il pouvait encore marcher toute une journée sous le soleil comme les soldats sous les nuages de l'Est. N'empêche, personne n'aimait grimper du côté des pâtures, Maurice encore moins que les autres, il avait eu des vignes là-haut, en foulant ces terres il revoyait le royaume d'abondance que c'était avant, un trésor dégorgeant des hectolitres de nectar odorant, des coteaux couverts de vignes opulentes. De cet âge d'or il ne restait rien, sinon des cabanes et des alignements lithiques, dérisoires vestiges de l'eldorado évanoui. De tous les hommes demeurés au village, seul la Bûche refusa de monter, à près de soixante ans il était gaillard pourtant, de tous ici c'était bien le plus solide, mais il ne voulait pas entendre parler de tout ça, visiblement ce dompteur le gênait. On aurait pu croire à une ancienne rancœur ou à une lointaine histoire, mais comme ce n'était pas le genre à parler, on ne lui en demanda pas plus, on ne souhaitait pas le contrarier.

Toutefois, la peur gagnait. Depuis qu'on savait qu'en une nuit des Français pouvaient mourir par régiments entiers, des monceaux de cadavres équivalant à dix grosses villes, on avait l'image d'une mort qui envahissait tout. Les mères surprenaient sur le visage des enfants ces ombres qui les faisaient ressembler à leur père, et pour ne pas les inquiéter elles n'avaient pas d'autre choix que de ne pas flancher, se montrer fortes, se montrer douces de toute façon elles ne le pouvaient plus, la terre avait rendu leurs mains calleuses et épaisses, des mains dures ayant perdu la teinte des gestes tendres et des caresses.

L'école reprit fin septembre, Couderc le maître, bien que depuis peu à la retraite, remplaça l'instituteur mobilisé. Il leur faisait faire les dictées décidées en haut lieu. Selon les termes du recteur il convenait d'enseigner aux écoliers combien les Allemands étaient des barbares, des monstres sanguinaires, des diables, alors même qu'ils en avaient un juste là, au-dessus de la tête, un hercule entouré de grands lions. En revanche Couderc n'alla pas jusqu'à leur faire chanter les chants patriotiques demandés par le ministre de l'Instruction publique, il refusait que l'école serve à fabriquer de futurs soldats. Il se méfiait de ces nouvelles consignes émises par Paris qui sous-entendaient que cette guerre ne se terminerait jamais, et qu'après celle-là il faudrait déjà se préparer à d'autres, à croire que l'Europe n'en finirait pas de s'embraser. D'ailleurs tous les journaux glorifiaient le mythe de l'enfant-héros, rapportant des centaines d'épisodes où des gamins avaient pris les armes pour aller sur le front, montrant des gamines de douze ans versant de l'eau dans la bouche des soldats blessés. Au village on tremblait à l'idée que les mômes se prennent à ce genre de jeu, qu'ils se mettent en tête d'aller crever le Boche pour de vrai et se frottent à ses lions.

Quand les femmes allaient aux champs, à cause des lions elles ne voulaient plus que les enfants restent seuls, et encore moins qu'ils aillent jouer du côté de la rivière comme ils l'avaient toujours fait. Elles craignaient qu'ils montent, qu'ils s'offrent naïvement comme des proies à ces fauves, parce qu'ils mouraient d'envie de les voir, de les approcher... Pour les en dissuader on ressortit les vieux stratagèmes, une fois le soleil couché, le vieux Jean et Maurice se planquaient à l'orée du bois ou du côté de la rivière, et là, cachés par la nuit, ils poussaient des hurlements terribles, ils modulaient des vocalises tellement réalistes que les lions eux-mêmes devaient les croire vraies. Et si les mômes n'avaient pas peur des lions, en revanche ils avaient peur des loups. En fin de compte de ces loups on en avait besoin, ne serait-ce que pour entretenir la peur, et ça c'était bien le signe que ça n'en serait jamais fini des loups, et si par chance un jour il n'y avait plus de guerre, en supposant de faire cet énorme effort d'imagination, des loups il en faudrait toujours, quitte à en réinventer ou à les faire revenir, car l'homme porte en lui le besoin de se savoir des ennemis et d'identifier ses peurs, ne serait-ce que pour fédérer les troupes.

Août 2017

En terrasse les clients s'agglutinaient aux tables exposées au soleil. Franck pour sa part s'était retranché tout au fond du café. Les présences bavardes et bariolées du marché l'avaient chamboulé, il avait bien senti qu'il n'avait rien à faire là. Il n'arrivait pas à s'enlever ce boucher de la tête, car ce type l'avait vraiment repéré, sans qu'il sache trop pourquoi.

Le serveur allait et venait, il s'activait mais ne s'avançait jamais dans la salle, entièrement réquisitionné par toutes les tables dehors. Franck dut se manifester pour qu'il le remarque, il demanda un double express en même temps que le mot de passe du Wi-Fi. Depuis des années, sans même qu'il s'en rende compte, aller sur Internet relevait du réflexe. Il en avait autant besoin que de café. Il enchaîna deux doubles express tout en surfant sur ses comptes Facebook et Twitter pour renouer avec le réel, à distance il supposa les états d'âme de tel ou tel qui était en vacances, et de tel autre qui montrait des photos de tournage ou publiait une bande-annonce. Ensuite il alla sur des sites professionnels voir le nombre d'entrées des films sortis en salle. Au jour le jour il suivait le box-office en France et un peu partout dans le monde. Pourtant ces chiffres ne le concernaient pas, en ce moment il n'avait pas de film à l'affiche, mais il avait besoin de sentir le marché, de savoir ce qui intéressait le public, d'évaluer quantitativement le succès des autres, ou leurs échecs, comme s'il y avait des conclusions à en tirer. La sortie d'un film est quelque chose de violent, il savait que certains avaient dû se réjouir de le voir se planter deux fois de suite, d'autant qu'aujourd'hui tout se sait, tout se compte, tout se chiffre jour par jour, heure par heure, et un film qui ne marche pas, c'est un film qui libère de la place pour ses concurrents, un film qui ne marche pas, c'est un film qui dégage des écrans et laisse le champ libre à ses rivaux, c'est d'une cruauté totale, comparable en tout point à une meute de carnassiers qu'on lâcherait sur le même territoire, sachant que le nombre de proies est limité, sachant que ces prédateurs devront d'abord se neutraliser entre eux, s'éliminer pour dire clairement les choses. La distribution d'un film, c'est un domaine où la compassion n'a pas sa place, la seule loi qui vaille, c'est celle de la jungle.

En parcourant tous ces sites qui s'ouvraient plus ou moins facilement sur son smartphone, en retrouvant toutes ces données, Franck avait le sentiment de revivre, de renouer avec sa vraie personnalité. De nouveau il était dans son élément. Ce smartphone qu'il gardait toujours à portée de main, il en avait un besoin vital. Même si la connexion était moyenne, il surfa avidement pendant plus d'une demi-heure, le temps fila sans qu'il s'en rende compte. Il se sentait comme un fumeur privé de cigarettes pendant quarante-huit heures et qui se jette sur le premier paquet trouvé. Il n'y avait rien de franchement intéressant comme nouveautés, comme toujours en août les mêmes blockbusters américains dominaient le marché, des succès annoncés sous forme de sequels, prequels, ou spin-off, une armada de films dont la seule vocation est d'écraser les autres, au point que sortir un film en été équivaut à une sorte de déclassement. Sur ses timelines il se laissait appâter par des titres accrocheurs, des titres qui renvoyaient à une information, puis à un article ou une vidéo qui dans le fond ne le passionnait pas vraiment. En revanche, dans sa boîte mail il n'y avait pas grand-chose. Il était soulagé de ne pas voir les noms de Liem ou de Travis s'afficher, ils avaient pourtant dû caler le rendez-vous avec les gars de Netflix, à moins qu'ils n'aient fait leur réunion sur Skype. Jamais il ne ferait une réunion sur Skype, et certainement pas pour une prise de contact. Pour le reste, plus personne ne lui reparlait du film qu'il essayait de monter depuis trois ans, ce scénario autour d'une femme dans le canton d'Argovie qui avait célébré des messes en remplacement du prêtre malade, une laïque qui pendant plusieurs années aura même célébré des mariages, ramenant les fidèles dans la petite église. Appartenant à une religion où les femmes n'ont même pas le droit d'être enfant de chœur, l'évêque de Bâle était devenu fou de rage, d'autant que cette théologienne prônait le respect, y compris pour les choix sexuels. Le plus beau, c'est que les paroissiens étaient comblés et qu'elle éveillait des vocations. Une histoire d'autant plus intéressante que toute documentation disparaissait mystérieusement sur Internet, les deux scénaristes avaient donc un mal fou à travailler dessus. Il y a des sujets, des êtres comme ça, qui s'effacent inexplicablement de la Toile. Le problème aussi, c'était que ce projet n'intéressait pas ses partenaires habituels, les banques pas plus que les chaînes de télé. On lui avait même fait le reproche de vouloir produire ce film uniquement pour que Lise y tienne le rôle principal. Lise avait l'âge de cette femme, Rita. Ceux qui pensaient ça n'avaient pas tort. Franck souffrait du fait que Lise ne tourne plus, qu'on ne lui propose plus de rôle. De son côté elle se disait soulagée de ne plus avoir à plaire, à convaincre, d'autant qu'à partir de cinquante ans une comédienne ne joue plus que des femmes trompées ou quittées, abîmées d'une façon ou d'une autre. Mais qu'elle ne travaille plus créait un déséquilibre, avec ce risque dans un couple qui n'a pas d'enfants, de considérer celui qui est désœuvré comme l'élément vulnérable, fragile, l'être à protéger. Lise était sa femme, elle était un peu son enfant en même temps, son enfant qui n'avait pas eu la carrière qu'elle voulait au départ, son enfant qui avait de moins en moins de chances de réussir, même si rien d'autre ne lui plaisait plus que de méditer, faire du yoga et enfin mettre à profit les quatre années qu'elle avait passées à l'École des beaux-arts pour renouer avec sa passion première, la peinture. Pourtant Franck aurait tout fait pour qu'elle tourne de nouveau, quitte à bousculer ses partenaires et inventer l'argent qu'il n'avait pas, et même si Lise prétendait n'avoir plus d'ambition, il était sûr qu'en réalité, sans se l'avouer, elle souffrait de ne pas tourner. Les comédiens sont fragiles parce qu'ils sont tributaires du désir des autres, si on ne les désire plus, ils ne travaillent plus, s'ils ne travaillent plus, on ne les désire plus. C'est un métier à rendre fou.

Entre ses mains son téléphone se mit alors à sonner. C'était Liem ou Travis, en tout cas c'était la ligne du bureau. Bon sang il n'était pas prêt. Seul au fond de ce café, il n'était pas préparé à répondre et à avoir une conversation professionnelle. Il coupa la sonnerie et ne répondit pas. Il préférait qu'ils lui laissent un message. Il posa dangereusement le téléphone sur la table. Il redoutait presque d'y toucher. Après un petit moment il le reprit et écouta le message. Il l'écouta deux fois pour être sûr de ne rien en manquer. Il voulait s'imprégner de cette voix, de ce ton. Liem et Travis étaient ses partenaires depuis huit mois, huit mois seulement, mais déjà ils prenaient des airs de supériorité parfaitement dérangeants. Depuis qu'ils lui avaient balancé la petite phrase, quelque chose s'était cassé, dans l'esprit de Franck au moins, en fait il n'attendait plus qu'une chose, les prendre en défaut, les coincer.

Liem lui reparlait de ce fameux rendez-vous à Paris. Finalement les gens de Netflix avaient décidé de faire une tournée en Europe en vue de trouver des partenaires, comme par hasard ils étaient basés à Amsterdam et à Dublin pour des raisons fiscales, mais ils consentaient à faire un aller-retour à Paris et n'avaient que deux dates à proposer. Franck savait pertinemment que Liem et Travis s'étaient mis en tête de leur céder le catalogue, *son* catalogue, cette cinquantaine de films qu'il avait produits en vingt-cinq ans, son trésor de guerre en quelque sorte, une exigence sur laquelle il ne transigerait jamais. Ne serait-ce qu'en lui proposant de caler un rendez-vous, Liem et Travis lui signifiaient que, contrairement à lui, eux n'étaient pas en vacances. Mine de rien, ils lui faisaient comprendre que le mois d'août ne les empêchait pas de prendre des rendez-vous décisifs. Ils lui faisaient bien sentir qu'à vingt-huit et trente et un ans ils ne se souciaient guère du sacro-saint rite des vacances, ce mois d'août nécessairement balnéaire. D'ailleurs ils ne s'étaient pas privés de le lui dire, aux États-Unis dans le milieu de la production on ne prend pas de vacances au mois d'août, à moins d'être un plouc.

Liem et Travis étaient de ces jeunes loups qui ne doutaient pas de régénérer la production française à l'aune d'une solide expérience dans le numérique et les jeux vidéo. Ils avaient effectivement fait une partie de leurs études aux États-Unis, Travis y était né et tous deux y avaient décroché leur premier emploi dans le numérique, avant de se lancer dans le développement et l'édition de jeux vidéo. Ils ne comprenaient pas que Franck puisse partir trois semaines, selon eux le métier de producteur supposait d'être toujours sur la brèche. Alors il les rappela, et d'emblée ils lui tombèrent dessus avec une nouvelle idée, une fois de plus une idée en or, mais d'entrée il les freina.

— Pas questions de faire ça, les gars. Ou alors sans moi.

— Mais Franck, y a même pas à réfléchir, elle est géniale cette idée...

— C'est d'une cruauté totale, votre truc !

— Mais non, il s'agit juste de mettre la main sur tous les bons réalisateurs dont le dernier film s'est planté et de leur proposer de tourner une série ! Pour eux c'est l'assurance de tourner pendant des mois et de se refaire une santé financière, Netflix leur offre des moyens illimités, cent vingt millions d'abonnés, tu piges... Mais pour ça, Franck, on a besoin de ton carnet d'adresses, tu les connais tous !

Cette idée de charognard lui semblait dégueulasse, mais après tout il fallait voir, il devait bien laisser une marge de manœuvre à ses associés.

— Alors OK ? Mardi 12... ?

— Oui, Liem, mardi 12 je serai là.

— À neuf heures c'est bon ?

— Pas de problème.

— Et dans quel café ?

— Liem, ce serait mieux qu'ils viennent dans nos bureaux, qu'ils voient un peu où on travaille, en plus ça nous donnerait un genre d'ascendant.

— Non, Franck, on les voit au Starbucks, on perdra moins de temps.

— Non, certainement pas au Starbucks.

— Où ça alors, au Flore, aux Deux-Magots, au Marly ?

— N'importe où mais pas un Starbucks.

Il savait que son implantation dans le milieu de la production les intéressait, son expérience et ses contacts bien plus que sa vision du cinéma. Mais là tout de même ils y allaient fort. Pour eux tout ce qui comptait, c'était de produire du *contenu* comme ils disaient, de diversifier l'offre en produisant des séries, quitte à ne faire que ça, *du contenu*, et à la rigueur un long-métrage de temps en temps, un vrai film, si possible une comédie. Au début, Franck s'était dit que ça lui ferait du bien de bosser avec deux jeunes qui ont un regard neuf, d'autant qu'ils arrivaient avec de l'argent frais pour augmenter le capital, mais de jour en jour il mesurait tout ce qui les séparait, des différences qui risquaient de tourner à des différends. Il n'y connaissait rien aux jeux vidéo, ça ne l'intéressait pas, et dans tout ce que Liem et Travis lui en avaient montré, il n'avait vu que violence et combats de guerre, la production et le design étaient parfaits, mais le seul objectif de ces jeux était de tirer sur un maximum d'adversaires, de buter des soldats ennemis ou des animaux fantastiques, de tuer à longueur de journée.

Par acquit de conscience il fit le numéro de Lise. Il se doutait d'avance du résultat. Évidemment aucune sonnerie, il tomba tout de suite sur le répondeur et ne laissa pas de message. L'imaginer seule dans cette maison en haut de la colline perdue le renvoya à sa vulnérabilité, celle de Lise, mais aussi la sienne, tous deux rattrapés par l'époque. Il la supposait toujours endormie, toujours enfouie sous le drap blanc, Lise dans une maison vide aux portes ouvertes, Lise abandonnée au milieu des collines reculées, larguée dans un monde qui ne veut plus d'elle. Ça revenait sans cesse en lui parce qu'une actrice qui ne tourne pas, c'est comme un peintre à qui l'on interdit de peindre, un écrivain à qui l'on vole toute page blanche. L'image lui vint de Lise piégée dans cette maison perdue, cernée par des tas de bêtes remontées de la colline d'en face, assaillie par toute la faune qui cette nuit s'était déchaînée, par une meute de carnassiers affamés ou par ce grand chien bizarre, ce chien prêt à tout bouffer pour peu qu'on le provoque d'un simple claquement de langue.

Septembre 1914

Chaque fois que les hommes partent à la guerre, les nuisibles abondent dans les campagnes. Tous ces animaux dont on ne veut pas autour des fermes, les plus féroces et les plus sauvages, les loups aussi bien que les renards, les chiens enragés comme les bêtes ensauvagées, tous ces animaux diaboliques réapparaissent.

À la fin de l'été, les peurs n'en finissaient pas de monter. En plus de l'angoisse d'être sans nouvelles des hommes, de la fatigue, en plus des restrictions et des grêles qui tombaient en cataractes, il y avait ces rugissements sans cesse plus obsédants, des vociférations épaisses qui faisaient tourner le lait dans le pis des vaches et affolaient les chiens. « La mort n'a pas à nous côtoyer comme cela », disaient les mères.

Couderc le maître essayait de se montrer rassurant, mais ne pouvant l'être au sujet de la guerre, il le fut au moins à propos des lions. Aux yeux de tous, l'ancien maître était un sage, un être éclairé, après tout un ancien professeur est sans doute plus savant qu'un maire ou qu'un préfet. Couderc, il avait appris à lire et à écrire à trois générations, tous ici lui devaient de savoir additionner les parcelles et les bêtes, tout comme de pouvoir lire le journal ou le courrier. Mais surtout on lui devait d'avoir su écrire ces lettres dont on attendait toujours la réponse. Sans le maître, personne ici n'aurait pu communiquer avec un être absent. Et rien qu'à voir la somptuosité du bâtiment de l'école normale de Cahors, on se disait qu'un homme qui était sorti de là devait bien être dix fois plus instruit qu'un curé, mille fois plus au courant des choses que n'importe qui.

Ce soir-là Couderc le maître et Fernand le maire organisèrent une assemblée sur le seuil de la mairie, ils réunirent toutes les femmes pendant que les vieillards gardaient les mômes, et ils leur répétèrent que depuis que l'Allemand était là-haut, les orages n'étaient pas plus violents qu'avant, le Boche n'avait rien à voir avec ces pluies fortes et ces bourrasques soudaines, pas plus que c'était lui qui avait déclaré la guerre à la France, au contraire, c'était bien le seul Allemand sur terre dont il n'y avait rien à craindre... Car non seulement cet homme avait tourné le dos à sa patrie, mais en plus il leur ressemblait, puisqu'il était exclusivement préoccupé par ses bêtes. Sa priorité à lui aussi, c'étaient ses animaux. Dès lors, pourquoi se méfier d'un homme qui a fait le choix de s'éloigner des hommes pour s'occuper de ses bêtes ? Renseignement pris, cela faisait des années qu'il vivait avec ses lions et ses tigres, depuis vingt ans il passait de cirque en cirque, de spectacle en spectacle à travers l'Europe, et même en Amérique, d'après Fernand, et même à Monaco, voilà des années qu'il vendait du rêve en émerveillant les enfants. C'était bien le signe qu'il était un enchanteur, un artiste, et il n'y a rien à craindre des artistes, « Les gens de cirque ne sont rien d'autre que des bienfaiteurs, des magiciens... » Mais au lieu d'apaiser le chœur des femmes, Fernand le maire et Couderc le maître déclenchèrent une salve d'objections sans retenue.

— On dirait que vous l'aimez bien, vous autres, mais tout de même, vous savez que c'est pas avec une poignée de brebis ou de chèvres qu'il nourrit ses monstres, voilà deux mois qu'il ne nous en achète plus !

Couderc le maître ne répondit pas, d'ailleurs on ne lui en laissa pas le temps.

— Paraîtrait qu'il serait allé à Limogne demander des carcasses au boucher, lança Angèle. Mais le boucher n'a rien voulu savoir, déjà qu'on parle de rationner la viande pour les gens, alors c'est pas pour ravitailler des fauves...

— Mardi il était au marché de Limogne, ajouta la fille Bergualle. Il aurait commandé du goudron au droguiste, deux bidons de goudron et des blocs de sel, qu'est-ce qu'il va en faire ?

— C'est vrai, je l'ai vu sur la route, qui revenait du marché, renchérit Geneviève. Et du goudron y en avait pas que deux bidons dans sa carriole, mais dix !

— Du goudron, c'est quand même pas avec ça qu'il va nourrir ses lions ?

— Bien sûr que non, c'est pour faire des flambeaux !

— Comment ça ?

— Il va tous nous faire flamber, je vous dis !

— Oui, il va tous nous faire griller avant de nous bouffer, mais avant ça il va bouffer nos chèvres et nos moutons, nos gosses, c'est sûr...

— Arrêtez de voir le mal partout, tempéra Couderc.

— Mais, monsieur l'instituteur, le mal il est partout. C'est vous qui ne voulez pas le voir, tout maître que vous êtes, y a trop de bonté dans vos livres, vous voyez donc pas que le monde est déréglé ? Vous ne voyez donc pas que la folie a gagné ? Faut être un saint pour croire qu'il est sage de dormir avec des tigres au-dessus du village, faut être un saint ou bien un fou...

Couderc le maître reprit la parole et invita l'unique témoin à s'exprimer, le seul qui soit vraiment monté là-haut.

— Dis-nous, Lucien, toi qui es allé lui parler, avec quoi il les nourrit, ses bêtes ?

— J'en sais rien.

— Mais n'aie pas peur, tu m'as bien dit qu'il avait toujours des moutons.

— Oui, y a toujours des moutons.

— Et combien ?

— Je ne les ai pas comptés. Mais y en avait bien une dizaine...

— Donc, vous voyez bien, tempêta Jeanne, nos moutons il les a toujours tous, avec quoi il nourrit ses fauves alors ?

— Peut-être qu'il fait avec les moutons comme Jésus avec les pains ?

Là-dessus celles qui croyaient se signèrent. Cependant, si elles voulaient bien croire aux miracles, elles n'avaleraient pas celui-là, un mouton une fois mangé ne revient pas le lendemain dans le pré, hélas. Fernand le maire et Couderc le maître ne savaient plus comment les calmer, sinon en disant aux plus remontées d'aller le voir et de lui demander de vive voix ce qu'il fourrait dans la gueule de ses fauves...

— J'irai, moi... J'irai lui demander.

En temps normal Joséphine ne prenait jamais la parole, et même elle ne participait jamais aux assemblées. Joséphine, c'était de la poésie enveloppée dans du réel, mais depuis le départ de son mari, non seulement il n'y avait plus de médecin dans tout le canton, mais en plus on la savait seule et infiniment inoccupée. Cette femme on aurait dû l'envier, ne serait-ce que d'avoir tout son temps à elle, ainsi qu'un grand mas un peu en dehors du village. Et pourtant on la plaignait. On la plaignait parce qu'elle n'avait pas d'enfants, avec son mari ils n'avaient pas pu en faire, et ces enfants qu'ils n'avaient pas eus, à ce jour ils étaient sans doute définitivement morts avec leur géniteur, lors de cette fameuse bataille des Frontières, cette boucherie ténébreuse du 22 août cachée, puisque le médecin était parti de Rodez avec le 16e corps d'armée et qu'il avait dû se retrouver dans l'enfer de Morhange. Contrairement aux autres, Joséphine au mois d'août avait reçu cinq lettres, mais depuis début septembre, plus rien.

— Vous ne me croyez pas ? Mais je vous jure que j'irai.

En un sens Joséphine n'avait plus rien à perdre. Monter là-haut, en plus d'être rude, c'était comme jeter un œil aux enfers. En dehors de Joséphine, aucune autre femme ne se serait risquée à y aller, toutes avaient bien trop peur que ça leur porte malheur. Le danger en allant là-bas, c'était de tomber sur les fantômes de tous ces êtres aimés, et pas uniquement les vignerons suicidés, mais également tous ces hommes dont on n'avait plus de nouvelles depuis deux mois, redoutant qu'eux aussi ne soient tombés dans la damnation et que leurs fantômes ne traînent sur le mont maudit. Et puis, pour quiconque travaillait la terre, cette terre d'en haut on ne voulait plus la voir. On la disait bleue à force de traitements, ou rouge selon les versions, une terre morte en tout cas, cramée par les produits. Du reste, le mont ce n'était plus vraiment la terre, ça n'était pas encore la lune non plus, mais un genre d'entre-deux, un ailleurs où les femmes n'iraient pas. Depuis que les ceps et les vignerons étaient morts, avec maintenant ces carnassiers hurlants, ce n'était plus une terre là-haut, mais le repaire du démon. Les femmes entourèrent Joséphine en lui déconseillant d'y grimper, ce mont d'Orcières il n'y avait qu'une chose à faire, le fuir, le fuir ou alors y mettre le feu. Mais même si on y mettait le feu, pas dit que les flammes monteraient jusque là-haut, peut-être même que tous les flambeaux incendiaires retomberaient sur le village, mettre le feu au mont, ce serait prendre le risque d'enflammer toutes les collines et de brûler aussi... Depuis des générations le mont d'Orcières ne réussissait à personne, sinon à ceux qui s'en tenaient à l'écart. Et pourtant Joséphine leur redit calmement, qu'elle y monterait, dès demain elle y monterait.

Soit, qu'elle y monte.

Pour elles toutes, Joséphine était une fille à part, une fille de Bergerac qui n'avait jamais travaillé la terre, si bien qu'elles virent dans son geste un mouvement de l'âme, un genre de noblesse ou de sacrifice.

En revanche, dans l'assemblée, il en était un, un être aussi médisant que jaloux, qui pour sa part voyait là un geste bien moins altruiste qu'intéressé, et absolument pas chaste. L'ancien forgeron, celui qui faisait aussi maréchal-ferrant, si on l'appelait la Bûche c'était bien sûr à cause de sa nuque de taureau, mais également de son caractère aussi carré que ses épaules, parce que son prénom c'était Jules. Et la Bûche se doutait que cette femme inutilement belle et quasi veuve, si elle voulait grimper là-haut ce n'était pas pour surveiller les fauves, mais plutôt à cause de l'appel irrépressible des sens. Cette femme, ce n'étaient pas les fauves qui lui donnaient le goût de monter, mais le dompteur, parce que Jules savait parfaitement qu'elle ne couchait plus avec le docteur depuis longtemps. Pour avoir fabriqué leur balustrade en fer forgé et s'être occupé de leurs chevaux, il avait bien vu que quand le médecin rentrait, il déposait à peine une bise sur le front de femme, et qu'il lui disait vous. Alors il en était certain, depuis cinq ans que le docteur avait repris le cabinet de son père, il touchait le corps de tout le monde dans le canton, mais certainement plus celui de sa femme... La médisance, c'est ce renard toujours là à rôder autour des maisons, toujours à traîner du côté des hommes, sûr de trouver quelque chose à se mettre sous la dent.

Août 2017

Dans ce milieu plus que dans tout autre, on existe en fonction du parfum qu'on dégage. Tant que c'est celui de la réussite, les sollicitations pleuvent et les invitations aussi. En revanche quand on commence à sentir celui de la déveine, quand vos films se plantent et que vos projets sont enterrés, alors là le téléphone ne sonne plus. Dans le monde du cinéma, plus encore que dans tout autre business, on vous aime tant qu'on a besoin de vous, on vous aime parce que vous pouvez servir. Franck savait bien que ce qui était valable pour lui en tant que producteur l'était aussi pour Lise en tant qu'actrice. La bizarrerie en l'occurrence, c'était qu'il en souffrait plus qu'elle. Il était bien placé pour savoir qu'un acteur qui ne tourne plus, c'est une bête lâchée par la meute, un chien ensauvagé. Face à ça il y a deux attitudes, la révolte ou le repli, avec le risque de ne plus voir en les autres que des ennemis.

Un peu hagard, Franck se dirigeait vers la rue en contrebas. Il suivait les instructions que le serveur du bistrot lui avait données pour trouver le magasin bio. Dans la boutique de La Vie claire, contrairement au marché, l'ambiance était monacale, pour tout dire recueillie. En un sens ça le rassurait de retrouver ce silence et ces packagings connus, les briques blanches de lait de soja, les paquets de pâtes et les raviolis frais. Ici les légumes étaient plus petits que sur le marché, et un peu plus défraîchis, plus fatigués peut-être. Ou tristes, c'est la sensation qui lui vint en faisant le tri entre les aubergines molles, les carottes aux fanes éteintes, les fenouils et les tomates pas trop calibrées. Il savait que Lise aimait ce genre de salades multicolores composées d'un peu de tout. Selon elle, beaux ou pas, les légumes devaient être bio avant tout. Il prit aussi de l'huile, du sel, du pain, du beurre, toute la liste qu'elle lui avait préparée, le fonds de roulement d'une maison dans laquelle il n'y avait absolument rien. Tous les placards étaient vides, il n'y avait même pas de savon ni de papier toilette. Il avait du mal à croire que cette maison ait été louée à d'autres gens avant eux, ce devait être une première. Ou alors les propriétaires faisaient le vide à chaque fois, ils récupéraient tout, ne laissaient aucune trace des locataires précédents. Il se dit que c'était peut-être la mère Dauclercq qui en douce, après le départ de chaque vacancier, venait piquer tout ce qui traînait dans les placards. De toute façon cette femme n'avait pas l'air franche, elle semblait étrangement embarrassée par cette location, un business qui n'était pas le sien.

Il s'engagea dans la file d'attente. Il n'y avait qu'une seule caisse et la balance électronique ne marchait pas, les six malheureuses personnes qui étaient dans le magasin à son arrivée se trouvaient maintenant toutes à la queue leu leu devant lui, ça promettait d'être interminable.

Dans cette ambiance climatisée, une intuition le traversa soudain, peut-être que la mère Dauclercq louait cette maison sans même que les propriétaires soient au courant, qu'elle se faisait de l'argent dans leur dos, ce qui ferait de cette location ni plus ni moins qu'une embrouille... Non, ce n'était pas possible. Il y avait eu le numéro de téléphone à Singapour, le versement de banque à banque sur un compte qui n'était pas au nom de Dauclercq, et surtout les mails auxquels, même avec trois jours de retard, on leur avait toujours répondu. Il voyait mal cette vieille femme répondre à des mails, il n'imaginait même pas qu'elle puisse avoir Internet. L'embrouille devait être ailleurs. Ou alors il n'y en avait aucune. Ou bien c'était une sorte de gîte maudit, une maison que plus personne dans le coin ne voulait habiter, un terrain que, pour une raison ou une autre, personne n'aurait jamais l'idée d'acheter, le genre d'endroit où il s'est passé des choses. Franck se méfiait de son imagination. Le tort serait de croire que les producteurs n'en ont pas, que parmi la troupe de rêveurs concrets qu'il faut pour réaliser un film, les producteurs sont les seuls à avoir les pieds sur terre, et uniquement sur terre. Franck savait que c'était faux. Les producteurs sont les rêveurs en chef, des fabulateurs qui ont le devoir de tout rendre concret. C'est pourquoi il se persuada que tous ces gens avec leur grand cabas avaient fait exprès de passer devant lui... En ressortant du magasin, il n'y avait plus personne derrière lui, plus le moindre client à l'intérieur du magasin.

Il contourna la place pour éviter de s'enfoncer de nouveau dans le marché, il ne voulait surtout pas recroiser le regard du boucher. Il l'aperçut de loin, même à distance ce bonhomme le fascinait, une sorte de grand bouddha martial, une divinité sanguinaire trônant derrière son étal d'offrandes, à croire que cette boucherie était au centre de tout, du marché, du village, de la région. La toile pourpre de son grand bazar à viande brillait dans une trouée à travers la foule. Franck repensa au regard que le type lui avait lancé. Finalement tout le monde ici le regardait avec cette même étrangeté froide, cette même distance, à croire que personne n'ignorait que c'était lui qui louait la maison en haut de la colline, à croire que tous ces gens savaient que c'était lui le fameux locataire des lieux, qu'il avait pactisé cette nuit avec une bête damnée, un molosse qui sous son impulsion avait dispersé les animaux sauvages de tout le canton. À leurs yeux il était peut-être une espèce de diable ou de dieu fou, un être livré, sans le savoir, à une sorte d'épreuve expérimentale... Non, il sentait bien qu'il délirait, chez lui l'anxiété prenait souvent la forme de délires paranoïaques qu'il colmatait à coups de cachets sécables, de ceux qu'il avait toujours au fond de sa poche, dans son petit

174

pilulier vert. Pourtant ce chien ou ce loup, il l'avait bien vu la nuit dernière, de même que la horde de bêtes excitées, il l'avait bien entendue. Là pour le coup il n'était pas fou.

En retournant au mont d'Orcières, Franck jeta sans cesse un œil à son portable. Entre deux virages il suivait l'évolution du nombre de barres. Depuis qu'il avait quitté Limogne, il avait l'impression de plonger de manière inexorable dans un territoire perdu. Barre après barre il quittait le réseau, comme s'il se détachait d'une ligne de vie, il perdait tous ses repères pour s'enfoncer dans un monde autre où les téléphones ne bornent plus, où plus rien n'est répertorié. Le long de la départementale par endroits ça captait de nouveau, soudain une barre ou deux s'affichaient, jamais plus, puis disparaissaient, puis revenaient, avant de s'effacer cent mètres plus loin. Après un virage un E apparut, brièvement, pour la dernière fois. Au bout de dix kilomètres il quitta la départementale pour s'engager sur la petite route qui mène à l'ancien village d'Orcières, et là son portable ne donna plus le moindre signe de vie.

À l'entrée du chemin conduisant au gîte, il s'arrêta au bord de la route, sortit de la voiture et observa cette côte totalement défoncée. Elle était incroyablement raide, en s'accroupissant elle devenait encore plus impressionnante, l'angle frôlait les 40 %, une inclinaison de tremplin de ski. Il n'en revenait pas de l'avoir grimpée jusqu'au sommet hier et d'en être descendu ce matin. Sans 4 × 4 il n'y avait aucune chance de monter ce chemin-là, à moins d'y aller en tracteur. Il ne comprenait pas qu'on ait eu l'idée de concevoir un accès aussi pentu, sans doute qu'à l'époque on n'accédait qu'à pied à cette maison, ou bien avec des carrioles tirées par des mules, ou alors ceux qui habitaient là-haut vivaient en parfaite autarcie, ils devaient disposer d'une autonomie suffisante pour ne pas avoir à se rendre au village.

De l'autre côté de la route, une fine rivière coulait en contrebas. Par-delà ce cours d'eau, enfouies sous les lierres et les arbres, on devinait les ruines rases de maisons, les traces de l'ancien village abandonné ou détruit. Mais par quoi ? Le temps, les flammes peut-être, ou l'ennui mortel, ou bien encore par ces mêmes hordes de bêtes sauvages qui fouaillaient la nuit dernière dans les bois. Ici, tout était à envisager comme un péril. Y compris le soleil qui tapait follement maintenant, à midi passé. Franck se retourna. Il aperçut le mont qui se dressait au-dessus de lui, à cause du soleil il ne pouvait le regarder en face, il ne distinguait qu'une montagne de maquis et de calcaire qui dominait la vallée, haute de plus de cent mètres, ça faisait comme la proue d'un paquebot géant s'avançant au-dessus de la route. Le gîte était posé là-haut comme sur une île, coupé de son environnement. Une courte série d'aboiements monta de derrière la colline. Franck repensa au chien de cette nuit, se demandant si ce ne serait pas celui de la grande niche de la mère Dauclercq, ça ne pouvait être que lui. Il ne voyait pas d'autres explications pour qu'un chien se balade par ici, à moins qu'il ne soit sans maître, sauvage pour de vrai. Pour en avoir le cœur net, il remonta dans la voiture et reprit la route plutôt que de monter le chemin. Dans son rétroviseur le mont d'Orcières s'éloigna, sur la ligne d'horizon il s'éleva comme un récif, jusqu'à apparaître en entier, avant de s'évanouir au premier virage, remplacé par d'autres collines, plus douces, moins hostiles, celles-là.

Septembre 1914

Puisqu'elle voulait tenter le diable, qu'elle le tente. De toute façon, quand bien même le Boche lui donnerait des explications sur sa façon de trouver de la viande pour nourrir ses fauves, ce n'est pas pour ça qu'il dirait vrai.

Joséphine, au village, on ne voulait pas la contredire ni la brusquer, parce que depuis deux jours elle était presque veuve. Le docteur Manouvrier avait été officiellement déclaré *disparu*, mais même si on ne le trouvait plus, aucun témoin ne l'avait vu mort. Selon la procédure, deux témoins étaient nécessaires pour attester du décès. C'est pourquoi sur le papier reçu par le maire il était bien inscrit « Décédé », mais dans la case « Date et lieu du décès » il n'y avait rien d'autre qu'un atroce point d'interrogation. En l'absence de constat, et tant que le maire ne recevrait pas de certificat dûment signé du procureur de la République, le docteur Manouvrier ne serait donc pas totalement mort, tout du moins il ne serait pas *mort pour la France*. Mais en tant que militaire, n'être pas mort ne signifie pas être vivant...

Depuis qu'elle avait vu ce papier, Joséphine savait que son mari n'était sûrement plus en vie, mais peut-être pas mort pour autant. La nuit, cette vertigineuse ambiguïté l'affolait. Ce mari qui se baladait entre vie et trépas, entre le ciel et les limbes, entre la mémoire qu'elle en avait et cette place vide juste là à côté d'elle dans le lit, c'était proprement effrayant. En fin de compte il n'était nulle part ce corps, et pourtant il occupait tout l'espace.

En revanche, ce papier que le maire avait reçu au sujet du docteur relativisait l'angoisse de toutes celles dont le mari, le père ou le fils ne donnaient pas de nouvelles. Celles-là au moins pouvaient se dire que ne pas avoir de nouvelles de son mari, de son père ou de son fils était la garantie qu'il était bien encore vivant, *pas de nouvelles bonnes nouvelles*. Le pire dans tout ça, c'est que Joséphine ne priait pas, elle n'invoquait jamais Dieu pour raffermir son âme, elle n'allait jamais à la messe et ne cherchait pas d'autre secours que la pensée froide de ses livres profanes. C'est dire qu'elle était seule jusqu'au fond d'elle-même. Joséphine avait beau être une belle femme aux longues mains blanches, à la grande maison à portail, depuis deux jours il n'y avait plus personne pour l'envier, loin de là. On s'en détournait presque.

Joséphine n'y connaissait sans doute rien aux lions, mais tout le monde attendait qu'elle monte là-haut pour dire quelles sortes de chairs l'Allemand trouvait à leur offrir, à ses fauves, d'autant qu'en bas on risquait bientôt de manquer de tout. On attendait qu'elle honore sa promesse, ce qu'elle fit dès le lendemain de l'assemblée sans rien dire à personne. Au beau milieu de l'après-midi, elle sella son cheval, un entier que tous craignaient tant il était nerveux, mais qui entre ses mains devenait doux comme un agneau. D'aucuns la virent passer par le chemin escarpé et gravir cette pente impossible qui contourne le mont jusqu'à son sommet. Quelle idée de partir à cette heure quand le soleil tape encore si fort. Les femmes étaient aux champs, d'en bas elles la repérèrent qui montait entre les arbres, par moments on percevait sa silhouette gracile qui s'élevait au fil des lacets, elles se redressèrent pour mieux la distinguer, se consultant toutes du regard, mais sans un mot. Plus elle montait et plus on la voyait de loin, jusqu'à ce qu'elle soit entièrement cachée par les arbres. Et là les femmes se sentirent un peu honteuses, rattrapées par le scrupule de laisser la veuve se sacrifier.

Pour Joséphine ce dompteur n'était pas totalement un étranger depuis qu'elle l'avait vu au cirque avec son mari, elle l'avait observé tout au long de son numéro, pour autant ça ne créait pas de lien particulier, sinon qu'elle avait tremblé pour cet inconnu, jugeant inutile et fou de se frotter d'aussi près à ces bêtes, de poser sa tête dans la gueule des lions, de livrer son corps à leurs crocs, à leurs griffes. Ce qu'elle avait vu, justement, c'était ce corps offert, chahuté par des lions gigantesques, ce corps quasi nu d'homme musculeux et tonique, elle avait tremblé au point de planter ses ongles dans la paume de son mari. Finalement elle était bien la seule à s'être inquiétée pour cet homme, lorsqu'en bas toutes s'en méfiaient. Elle ne savait pas de quelle façon elle s'y prendrait pour lui demander des comptes, pourtant il faudrait lui dire que sa présence gênait, qu'au village elles étaient toutes angoissées à cause des lions. Joséphine n'en finissait pas de retourner ces arguments dans sa tête, quand au dernier virage, avant d'arriver au sommet, elle tomba nez à nez sur lui au détour du chemin. Il était là près des arbres, à ausculter les baies, fouillant dans les buissons à l'aide d'un long bâton. Elle fut surprise, lui pas.

Joséphine arrêta le cheval et s'appliqua à ne pas afficher la moindre émotion. Elle avait chaud, l'été lançait ses derniers feux. En découvrant cet homme, elle retrouva le Spartacus de la grande cage du cirque, ce héros magnifié par les lumières de la piste, cet homme pour lequel elle avait tremblé, c'était bien à cause de lui qu'elle avait serré si fort la main de son mari, c'était bien ce visage qu'elle avait vu plonger dans la gueule béante d'un lion gigantesque et grognant, jamais elle n'avait serré si urgemment la main de son mari, jamais elle ne l'avait étreinte aussi longtemps, et cette étreinte était le fait de cet homme qui se tenait là devant elle, impressionnant en dehors de tout ce qu'elle en savait. Ses yeux ne trahirent rien des pensées qui la remuaient. Il vint vers elle et sans un mot il caressa le cheval. Le cheval étonnamment calme, le chanfrein aimanté par la main lourde et mate qui le cajolait. N'osant ni descendre ni bouger, Joséphine risqua deux ou trois banalités sur ces baies rouges dans lesquelles il fourrageait un instant plus tôt, il ne fallait pas les manger, ni aucune autre sur le mont, tout ici était poison. La sauvagerie de cet homme le dispensait sans doute de répondre. À croire qu'il ne s'intéressait qu'au cheval, à ce bel entier que Joséphine maîtrisait parfaitement parce qu'elle l'avait dressé au fil des années, dans ses mains il semblait doux, alors que tous les gens au village en avaient peur de ce grand Phébus, en temps normal il mordait dès qu'on l'approchait. Pour une fois il se faisait sage, doux comme un agneau.

— Vous ne devriez pas monter ce cheval. C'est dangereux.

Joséphine ne voulut pas lui répondre. Il n'avait pas la même voix que l'autre fois au milieu de la piste quand il intimait des ordres secs à ses animaux ardents, avec en plus le roulement des tambours qui faisait froid dans le dos. Ce jour-là elle avait frémi, comme on frémit pour tout homme que l'on voit jouer avec la mort, sans même qu'il soit besoin de tenir à lui.

— Si vous allez ravitailler le berger, c'est pas par là que vous le trouverez, vous devez redescendre un peu et repartir sur la gauche.

— Non, c'est vous que je viens voir.

Elle ne sut pas quoi dire de plus, lui de son côté ne posa pas de question. Ils restèrent un long moment sans se parler. Il cajolait toujours le cheval. Joséphine sentait les caresses du vent doux sur ses mollets, elle savait que le peu qu'elle offrait de sa physionomie suffisait à échauffer le regard d'un homme, elle s'en voulait d'être là, face à cet être compromis. Il demeurait en dessous d'elle, à la même hauteur que le cheval, un homme pareil à ce cheval qu'elle sentait chaud entre ses jambes et qui se dandinait, flatté par les caresses de l'autre. Elle ressentit le lent frisson qui passait de la main de l'homme au cheval, et du cheval à ses reins. Par égarement elle eut l'image de son mari, une pensée qu'instantanément elle réprima et qui pourtant revenait déjà, elle revit le long corps efflanqué du médecin, un corps instruit mais sans relief, un corps devinant les autres, les enveloppant de sa science plus que de ses gestes, un corps qui réparait les corps, mais un corps sans générosité, un corps sans force vraiment, un corps sans corps. Du corps de son mari il ne lui restait aucune marque ni empreinte, pas même un enfant, rien, sinon la sensation aride de s'être couchée auprès de lui pendant des années. Elle entendait le dompteur sans l'écouter. Il lui faisait deux trois recommandations au sujet du cheval parce que, de toute évidence, on devait le frotter trop fort, là, vers l'encolure, il avait une irritation sur les zones sensibles, quand on le lavait il ne fallait pas lui mettre trop de savon, et surtout pas sur le sexe. Elle dut rougir en entendant cela. C'est vrai qu'elle le lavait souvent. Elle s'en voulut de penser à tout le temps qu'elle passait à le soigner, à le lustrer, ce cheval, surtout maintenant que plus personne ne venait voir le médecin, en fin de compte elle ne servait plus à rien en ce monde, elle était inutile et vaine...

À cause de ce courant d'air réveillé par l'altitude, Joséphine avait la très juste sensation de flotter au-dessus du village. D'ici on apercevait quelques toits entre les arbres, tout en bas, bien loin de là, dans un autre monde. L'homme continuait de parler d'un cheval, du sien à présent, il avait un fort accent, mais son vocabulaire était celui d'un homme qui devait pratiquer le français depuis longtemps. C'est alors qu'elle se souvint qu'il était allemand, comme celui ou ceux qui avaient tué son homme. Ce qui l'étonnait le plus, c'est le mal fou qu'elle avait à le regarder dans les yeux. Bien sûr, il y avait toutes ces horreurs qu'elle avait entendues sur lui, mais il y avait surtout cette sauvagerie, ce regard fauve qui l'enrobait quand, par malheur, leurs yeux se croisaient, le regard de cet homme était sans émotion particulière, mais il la clouait, la traversait, et elle en ressentait toute la charge. Pourtant elle chercha un peu à l'attraper, mais à peine l'homme le rivait-il sur elle qu'elle baissait les paupières, tout encombrée de cette force qui, sans rien brusquer, la renversait. C'était un des tout derniers jours de l'été, la chaleur plaquait la chemise sur le torse du dompteur, les cigales semblaient plus hystériques, striant l'air d'un impossible mouvement, précises et raides comme de l'acier. Ce bruit-là se dressait autour de Joséphine comme les barreaux d'une cage, une cage où elle se sentait prise éperdument, après tout qui le saurait, qui en parlerait un jour, et surtout qui oserait croire ça. Elle s'éventa en décollant son corsage de sa poitrine, toujours bien droite sur son cheval. Cette obstination qu'il avait à ne pas la dévisager l'émoustillait davantage, elle était excitée par cette façon qu'il avait de ne pas la regarder, c'était une découverte pour elle, comme si ses charmes, son parfum, ses apprêts, tout lui revenait en bloc, comme une claque. Du coup elle n'était même plus très sûre d'être belle, elle n'avait plus l'audace de l'éprouver, dans l'indifférence que lui infligeait cet homme elle sentait poindre une défiance, comme si c'était elle qui se devait de le dompter. En tant que veuve elle n'avait pas le droit de s'autoriser à penser cela, mais c'était doux de s'interdire de le désirer, cet homme.

Pour tous ici Joséphine était une splendeur, la plus belle sans doute de tout le canton, même à Figeac les femmes étaient moins belles, et cet homme ne la regardait même pas. Cette sueur qu'elle aperçut dans son cou, ce fut comme une vague qui venait la chercher, une vague qui abordait la longue plage de sa monotonie, une plage qu'elle serait prête à lui offrir, là, pour abolir tout chagrin, pour se noyer dans le sentiment de la faute. Au moins avec la culpabilité on peut négocier. Un péché on peut le commettre et le laisser là. Alors que la mort d'un époux, ça ne vous quitte pas... En bas, au village, les autres avaient dû allumer un feu pour brûler les mauvaises herbes, on en voyait le panache, le maire devait passer d'une préoccupation à l'autre, les enfants s'efforçaient sans doute d'être sages en limitant leurs jeux à la cour de l'école bien fermée, c'était la vie en bas, l'empire du temps qui ne sait faire que passer, sans folie ni éclat, encadré par les peurs et les morts à venir, alors que là, à mi-hauteur de ce mont maudit, de ce mont royaume, le temps marquait une pause, Joséphine découvrait enfin la trêve d'un monde qui ne se soucie ni de la guerre, ni de l'heure qu'il est, ni de la mort d'un médecin, ici c'était un monde sauvage dont émanait par relents l'odeur chaude des fauves mêlée au parfum de cet homme, tout aussi exotique et troublant. Elle se serait bien vue faire une escale dans ce monde-là, y venir le plus souvent possible, et chaque fois monter plus haut, un cran au-dessus, jusqu'à se perdre un jour dans l'harmonie des cimes, à se laisser prendre par cet homme-là comme sous l'emprise d'un fauve...

La tête d'abord lui tourna, puis le corps perdit l'assise, le cheval s'en tourmenta. L'homme ne fit rien d'autre que la retenir juste avant qu'elle tombe. Elle était légère, il la sentait à peine. Quelque chose d'animal se jouait là, il n'était plus seulement un homme, elle n'était plus seulement une femme, ils étaient deux êtres aimantés par l'instinct. Il n'avait pas tenu une femme entre ses bras depuis bien longtemps. Ses souvenirs d'étreintes les plus récents remontaient à ses derniers numéros de cirque, quand les lions un à un s'allongeaient sur lui en l'écrasant de tout leur poids et qu'il sentait leurs corps lourds et chauds peser sur lui, incandescents sur sa peau. Deux ans auparavant, il y avait bien eu cette femme, dans un cirque à Coblence, une cavalière déjà. Mais depuis, ses seules étreintes étaient celles qui faisaient la valeur de ses numéros, avec ses fauves, les prenant à bras-le-corps, les portant, les serrant, les soulevant, en particulier dans ce numéro où il tenait Léa à pleins bras pendant que Théo leur sautait par-dessus, au point que parfois il sentait sa lourde patte s'accrocher dans ses cheveux, comme si le mâle le faisait exprès, par défi peut-être.

Ça le gênait de tenir si fort une femme, de la respirer. Tout de suite il pensa à Léa et Théo, aux autres lionnes et à la tigresse. D'avance il devina ce que ses animaux supposeraient de cette odeur, s'il approchait de trop près une femme parfumée comme une brassée de jasmin, les fauves deviendraient jaloux. Une fois, en Provence, une femme beaucoup trop parfumée lui avait déposé une bise juste avant que la piste s'illumine, et tout au long du numéro ce parfum avait perturbé la cage. À l'époque il avait vingt fauves avec lui, et ce jour-là les lions ne comprirent pas pourquoi cet homme qui avait tous les droits sur eux, ce maître qui les dirigeait durement, ils ne comprirent pas pourquoi il dégageait les fragrances jasminées d'une biche, comme si c'était une biche qui leur donnait des ordres, une biche qui leur disait de s'asseoir, de monter, de se dresser sur les pattes arrière et de grogner. Ce jour-là il avait dû interrompre le numéro. Prisonnier lui aussi de cette odeur qui faisait que ses fauves ne le respectaient plus. Il avait dû sortir sous les regards d'incompréhension du public et les mines rieuses des enfants. Le dompteur avait regagné les coulisses avant les fauves, et il n'avait pas salué, tout cela à cause d'une odeur toute pareille à celle-là, à celle de cette femme qu'il sentait fondre entre ses bras. Une femme c'est un tout autre monde, et tenir une femme contre soi c'est être littéralement dépaysé, adouci, en paix. Il y avait si longtemps qu'il n'avait pas tenu une femme, pensa-t-il sans colère ni malaise, vaguement incrédule. Il avait ses deux petits seins sous les yeux, et ce qui lui vint d'instinct, sans réfléchir, sans même y penser, ce fut d'y poser la tête, rien qu'une fois, comme pour soutirer à la chair sa saveur essentielle, avant de mordre plus profond, en se contenant, tout en rêvant d'y planter les crocs.

Août 2017

Franck rentra directement dans la cour des Dauclercq, surpris par le nuage de poussière qu'il souleva en déboulant sur la terre sèche. Là, devant le hangar, étaient garés une 4L bleue et un tracteur, signe que le mari était là. Vu l'heure, pas de doute qu'ils étaient déjà à table. Ce genre de vieux paysans d'un autre âge devait déjeuner à midi pile. En coupant le moteur il eut le scrupule de les déranger, qu'importe, il descendit de la voiture en claquant la portière. Non seulement ça marquerait sa présence, mais ça réveillerait peut-être le toutou planqué dans cette grande niche toujours curieusement muette. Le claquement ne produisit aucun effet, personne ne sortit de la maison, aucun chien ne se manifesta. Plutôt que de se diriger vers la ferme, Franck s'approcha de la niche pour voir quel molosse s'y cachait, persuadé que le chien de la nuit dernière y serait couché, récupérant de sa virée mouvementée. Il se pencha, mais à cause du contraste entre le soleil et l'ombre on n'y voyait rien là-dedans, alors il se mit à quatre pattes pour inspecter la cavité obscure, où il ne trouva rien, sinon un vieux coussin sale, tassé vers le fond.

— Vous cherchez ?

Franck se releva en s'époussetant.

— Rien. Non, rien. J'avais juste promis que je passerais voir votre femme pour lui acheter des légumes.

— Ah bon.

Le père Dauclercq sortait de la grange et marcha d'un pas lent vers Franck. Il devait avoir plus de soixante-quinze ans, peut-être même quatre-vingts, il était en débardeur, la peau tannée par le soleil, affûté et sec comme un athlète. Il portait une casquette, sa nuque semblait en cuir, un épais cuir craquelé. Il tendit une main bien ferme à Franck, qui se crut obligé en retour de la lui serrer aussi fort. Ce bonhomme lui avait presque fait mal.

— Vous n'avez pas de chien ?

— Si j'ai un chien, pourquoi ?

— Parce que je ne le vois pas, il n'est jamais dans sa niche ?

— Fait trop chaud. Il est à l'ombre, dans la grange.

— Je comprends.

Franck faillit lui demander s'il pouvait le voir, ce chien, pour savoir si c'était le même que celui de cette nuit, en un sens ça le rassurerait que ce soit le cas. À moins que ça ne l'inquiète davantage. Il ne savait plus bien. Tout de même, il se dit que si ce chien-là était planqué dans la grange en ce moment même, ça voulait dire qu'il était vraiment ingrat, parce qu'il avait dû le sentir, même de loin, même assoupi, rien qu'à l'odeur ce chien aurait dû le reconnaître, c'était obligé qu'il le reconnaisse, alors qu'il vienne au moins le saluer.

— Qu'est-ce que vous voulez comme légumes ?

— Écoutez, on verra plus tard, je ne voudrais pas vous déranger en plein déjeuner.

— Ben, maintenant que c'est fait, rentrez donc, vous verrez ça avec ma femme.

Franck se retrouva dans un long couloir obscur où il faisait frais. Mme Daùclercq émergea d'une autre pièce et lui serra la main, sans plus d'amabilité que ça, puis elle lui désigna une cagette par terre.

— Tenez, c'est vos haricots. Et vos douze œufs.

Franck eut l'air surpris.

— C'est bien des haricots et des œufs que votre dame m'a demandés, hier ?

— Oui, c'est ça. C'est parfait.

Franck régla ce qu'il devait, il n'avait pas le temps de faire le calcul, ni de se rendre compte si c'était réellement moins cher qu'au marché, un billet de vingt euros quand même, sur lequel elle ne lui rendit que deux pièces. Déjà il ressortait avec sa cagette et ses œufs enveloppés deux par deux dans du papier journal. On ne lui avait pas proposé de s'asseoir, ni même de boire un verre, et finalement c'était mieux ainsi. Il n'avait pas envie de passer un moment avec eux. Il posa la cagette de haricots dans le coffre, se sentant presque coupable devant tous ces sacs de La Vie claire qui s'y amoncelaient, coupable d'avoir acheté tant de légumes chez les concurrents. Franck sentit le regard du bonhomme dans son dos, il était resté sur le pas de la porte, de loin il l'observait. Avant de monter dans la voiture Franck marqua un temps d'arrêt, il se retourna et fit un salut de la main, « Bon ben, merci. »

Le bonhomme ne répondit pas mais s'avança vers Franck en se grattant la tête. Il contemplait la voiture, il l'examinait comme si c'était un véhicule extraordinaire. D'une certaine façon ça l'était. Puis il pointa du doigt les griffures et les impacts récents sur la carrosserie...

— Dites, c'est pas trop large pour monter là-haut ?

— Si, y a des endroits où ça passe juste, mais en même temps y a trois cents chevaux sous le capot.

Franck pensait que ce serait l'amorce d'une conversation, que le bonhomme allait enchaîner avec une autre question, trois cents chevaux ça aurait dû l'impressionner, mais non, il se contenta de faire le tour de la voiture, visiblement dubitatif, et posa la main sur la carrosserie comme sur un bestiau qu'il évaluerait. Franck se sentit obligé de dire quelque chose.

— Le village au pied du mont, il est abandonné depuis quand ?

— Depuis la guerre.

— La guerre, quelle guerre ?

— La première pardi.

— Ne me dites pas qu'en 14 la guerre est venue jusque dans la région... !

— Dans la région, non. Mais à Orcières, oui.

À ce moment-là, la mère Dauclercq sortit de la maison avec un torchon à la main et un couteau. Son mari la regarda. Elle prit un temps avant de lui lancer, sans colère :

— Paul. Viens manger.

Le père Dauclercq ne répondit pas à sa femme, il détacha son regard de la voiture et le planta bien droit dans les yeux de Franck.

— Un carnage, je vous dis, un carnage.

— Ah bon, mais qu'est-ce qui s'est passé ?

— Vous savez que là-haut c'est le territoire des bêtes, c'est pas fait pour les hommes, vous le savez ça ?

— Qu'est-ce que vous entendez par là ?

— Moi je vous dis ça, c'est pour vous. Contentez-vous de la maison, mais n'allez pas trop tourner ailleurs dans les collines, tout ça, vaudrait mieux pas.

— Mais pourquoi ?

— Y a des bêtes... Dites-vous juste qu'y a des bêtes.

Franck enregistra la réponse sans discuter. Peut-être que c'était de l'humour, il ne savait pas. Il jeta un dernier coup d'œil à la grange d'où ce chien ne sortait toujours pas, mais il ne poserait pas d'autres questions, il s'en tiendrait là. Il sentait bien que ce vieux prenait un malin plaisir à se jouer de lui en éludant ses questions ou en dramatisant, en faisant tout pour l'inquiéter. Il ne voulait pas lui en fournir davantage l'occasion. Il mit le contact et poussa un puissant coup d'accélérateur, moteur débrayé, pour faire rugir les trois cents chevaux. Il savait que le bonhomme en serait impressionné. En manœuvrant le 4 × 4 dans la cour, Franck ne put s'empêcher de lancer par la vitre ouverte :

— Tout de même, elle est grande cette niche.

— Faut ça !

Alors qu'il sortait de la cour, dans le rétroviseur il vit que les Dauclercq n'avaient pas bougé et continuaient à l'observer, un peu comme dans le plan panoramique à la fin des westerns qui s'arrête sur les autochtones, les indigènes regardant partir le cavalier tonitruant, l'étranger annonciateur de grands désordres à venir. Il se fit l'effet d'un cow-boy provoquant des Indiens sur leurs terres, sachant qu'en fait c'était lui qui avait tout à en redouter, de ces indigènes, aussi bien leurs sortilèges que leurs alliés, ceux dont les âmes s'étaient peut-être réincarnées dans toutes sortes d'animaux sauvages.

En remontant le chemin, Franck se focalisa sur les ronces qui griffaient la carrosserie, physiquement atteint par ces longs crissements. Depuis ce matin il n'avait pas mis de musique dans la voiture, depuis qu'il était ici il n'avait plus touché à l'autoradio. Lui pourtant drogué d'informations, lui qui avait l'impérieux besoin d'écouter plusieurs flashs d'infos par jour, depuis ce matin il n'avait même pas eu la présence d'esprit de l'allumer. Ce silence lui allait parfaitement. Tout comme les bruits qu'il produisait. Par endroits les roues ripaient sur les cailloux et en soulevaient de violentes giclées, à l'intérieur il était secoué en tous sens comme il l'aurait été dans un module spatial traversant l'atmosphère, dans un kayak dévalant des rapides... Finalement cet exercice l'amusait. Il fallait être bien concentré toutefois, pour éviter les gros trous dans le sol et rester pile dans l'axe de la piste, avec l'à-pic juste là du côté gauche, une paroi bordée d'arbres mais surplombant le vide, s'il dérapait ou donnait un coup de volant à gauche il se jetterait dans les chênes et les buis en contrebas qui ne résisteraient pas au poids de l'Audi. Par moments il n'y avait carrément plus d'arbres, au moindre écart ce serait la dégringolade assurée.

Quand il atteignit la maison, tout était tel qu'il l'avait laissé. Les portes, les volets, les fenêtres, tout était resté ouvert, à l'étage les rideaux étaient toujours fermés. La bâtisse ressemblait à un vaisseau fantôme, toutes voiles baissées, avançant seul sur l'océan, sans vie à bord. Franck descendit de la voiture avec l'orgueil de ceux qui ont chevauché le territoire pour trouver des vivres, il se reconnectait à la fierté du chasseur qui rentre, des gibiers plein le havresac. Il appela Lise, deux fois. Elle ne répondit pas. Il ouvrit le coffre, les marchandises avaient eu chaud, il fallait tout sortir et vite, il appela de nouveau.

— Lise, viens voir tout ce que je rapporte !

Lise ne répondait toujours pas. Ce n'était pas pensable qu'elle dorme encore, qu'à plus de midi elle soit encore enfouie sous son drap. Franck abandonna là tous les sacs pour rentrer dans la maison, ne la voyant pas il monta à l'étage. Elle n'était plus dans le lit. Le drap était placé comme ce matin, le couvre-lit rejeté à terre, mais elle n'était plus dans le lit. Il avait peur de l'appeler, de hurler son prénom par la fenêtre, de le faire résonner au milieu de ces collines. Il avait peur qu'en criant *Lise* ça n'éveille quelqu'un ou quelque chose, un quelconque ennemi qui serait là, tapi en plein cœur de ces collines et de ces arbres, à l'observer. Le téléphone de Lise était sur la table de nuit. Éteint. Il n'aimait pas voir un téléphone désactivé, ça lui semblait mortifère, sans qu'il y puisse rien il bascula dans l'irrationnel, non pas en repensant aux bêtes sauvages auxquelles il ne voulait pas croire, celles qu'il avait pourtant bel et bien entendues cette nuit, mais en se demandant si Lise ne serait pas tout bonnement partie, affolée de se réveiller seule dans cette grande maison ouverte, peut-être qu'en s'apercevant que la voiture n'était plus là elle aura paniqué et se sera enfuie, affolée ou déçue, ou poursuivie par ce chien... Une fois encore il fut traversé par cette terrassante angoisse, se disant que si un jour il perdait sa femme, ou bien si elle le perdait lui, bref, si l'un des deux disparaissait, il n'y aurait rien pour témoigner de la réalité de toutes ces années de vie commune, pas la moindre descendance, d'eux deux il ne resterait rien d'autre que l'absence, un silence exactement pareil à celui qui régnait tout autour de lui. Les enfants servent à cela, à combler le silence, le vide, les humains ne font pas des enfants pour peupler le monde mais pour se prouver qu'ils existent... S'il perdait Lise il perdrait tout, et là il ne la retrouvait pas.

Octobre 1914

La peur est mauvaise conseillère, mais bien souvent la première à se présenter. Ce dimanche à la sortie de la messe, Couderc le maître eut du mal à masquer son inquiétude. Derrière son air assuré il réprimait mal l'effroi d'une arrière-pensée. Plutôt que de calmer toutes les mères, plutôt que de désamorcer leurs intuitions de malheur, il demeura perplexe face à la place vide, sans plus le moindre enfant. La place devant l'église, d'habitude si vivante et sonore du fait des parties de cache-cache, était assiégée d'un silence atroce, on n'entendait pas un seul rire, pas le plus petit cri, ce matin les gamins avaient disparu.

Depuis le début de la guerre tous s'étaient remis à croire, ou du moins à retourner à la messe, le dimanche les femmes accompagnaient les anciens, ils s'agglutinaient tous dans les premiers rangs de la petite église, excepté Fernand le maire et Couderc le maître qui eux s'installaient au fond. Dans l'esprit de toutes les femmes, si Dieu avait quelque chose à voir avec la mort, il avait donc à voir avec la guerre, peut-être même qu'il en était l'instigateur, ou celui qui les en libérerait, dans les deux cas il était responsable. Alors on négociait avec lui. Depuis que les hommes n'étaient plus là, on venait lui parler d'eux, on faisait bénir des petites croix en carton pour les leur envoyer, chacun plaidait sa petite remise de peine, à voix basse, on négociait avec une instance dont on escomptait qu'elle existe. Depuis le début du conflit le curé lui-même était galvanisé, au point que maintenant il apportait son grand calice d'or et son encensoir venus de Rome, faisait l'effort de monter jusqu'au village alors qu'il n'avait plus de voiture ni de cheval, depuis deux mois il faisait le trajet à pied, exalté par cette Jeanne fraîchement béatifiée, cette Jeanne d'Arc qui électrisait chacun de ses sermons en parlant d'armée de libération, il le disait de manière claire et nette : « Dieu est de notre côté, pas de celui des Allemands, ces salauds de protestants, ces hérétiques qui profanent la Vierge et meurent sans purgatoire... » Personne n'aurait pris le risque de le contredire. Là-dessus il lançait les chants, des chants qui attestent pour le moins d'un miracle, car si seul on chante faux, dès lors qu'on s'y met à plusieurs une forme d'harmonie survient. Après tout, peut-être que Dieu était le bon interlocuteur, cette idée-là exaltait les cœurs, pendant une bonne heure, au point d'en oublier les enfants restés dehors à jouer.

À l'extérieur de l'église on entendait les successions de prières et de lectures, l'écho des vieilles pierres donnait du relief à la parole de Dieu, mais une fois la messe finie tout ce qu'on entendait, c'était le piano à l'autre bout du village, des notes qui ruisselaient de la maison du docteur Manouvrier. Depuis qu'elle savait son mari perdu, Joséphine ne s'intéressait pas davantage à Dieu, elle refusait l'espoir facile des encensoirs, au point que durant l'office elle jouait plus que jamais de son piano. Les harmonies peuplaient la résonance des grandes pièces, elles se répandaient en ordre parfait vers le dehors, la mélodie qui en découlait filait comme une anguille entre des joncs humides. Le piano de Joséphine, c'était bien la seule musique qui se puisse entendre par ici. Hormis l'harmonium souffreteux des prières et de la liturgie, ici il n'y avait jamais de musique, sinon quand l'une ou l'autre se mettait à chanter en travaillant, du temps où elles avaient encore le cœur à chanter. Au village on disait que Joséphine faisait exprès de jouer le dimanche matin. Toujours cette atavique tendance à prêter des mauvaises intentions à ceux qui ne font pas comme les autres. Peut-être qu'elle jouait pile à ce moment-là, précisément parce qu'elle se savait seule. Elle profitait que tous soient pelotonnés dans les bras du Christ, espérant de lui une prouesse ou un pardon, c'était peut-être une délicatesse de sa part.

C'est donc avec ce récital en bruit de fond que tous sortirent de la petite église froide, surpris par la douceur d'octobre. Les platanes étaient caressés par le soleil qui finissait d'enjamber le mont, un soleil de onze heures qui ramenait le village à la vie comme le rose revient aux joues. Mais quand les femmes virent que dehors les gosses n'y étaient pas, leurs joues pâlirent d'un coup. D'habitude dès la fin de la messe ils leur tombaient dessus comme une nuée d'impatients. Mais ce dimanche-là devant l'église il n'y avait pas le moindre signe de vie. Là-haut le mont d'Orcières achevait de leur restituer le soleil, les toisant comme jamais. Ce matin-là le soleil semblait posé à son sommet, il les visait comme un miroir reflétant un éclat gigantesque. Pour le regarder il fallait mettre la main au-dessus des yeux, mais l'éblouissement s'ajoutant à l'abrupte sensation d'être dominé par ce relief, on n'y voyait rien. Même avec la paume en visière, ce matin-là le flambeau jaune dévorait les yeux, et chose étrange les lions étaient calmes. Exceptionnellement on ne les entendait pas. Seul le piano habitait lointainement l'espace. Fernand le maire devina tout de suite la foudroyante intuition des mères. Une fois de plus il se fit l'avocat du dompteur, au nom d'une moindre humanité il se devait de le défendre. Les femmes, au sujet des gosses, avaient très vite les nerfs au-delà du sang, vu la façon dont le mont les écrasait ce jour-là, recrachant le soleil comme si c'était l'obole d'une infâme divinité, leur vint à toutes le pressentiment d'un sacrifice, d'emblée elles se dirent que les lions leur avaient volé la chair de leur chair.

Face à l'irrationnel il faut très vite trouver des réponses. Tous sondaient la réaction du maire et de Couderc le maître, pour une fois ils se taisaient. Quant au curé Magnard, ce vieux prélat qui raccompagnait ses ouailles jusqu'au portail comme on remet des esquifs à la mer, il ne put contenir son effroi face à cette place vide. Pire. Il leur rappela que selon la Bible le lion est un animal impur, au même titre que tous les quadrupèdes sans sabots, d'ailleurs Noé lui-même n'en avait pas recueilli dans son arche, parce que les lions, en plus d'être carnassiers et de manger des charognes, ne détestent pas croquer les hommes, et à ce propos il évoqua la mémoire de plusieurs missionnaires, des pères blancs qui avaient fini dans les gueules avides de ces monstres-là, et si on n'avait jamais pu évangéliser les terres les plus sauvages, c'était bien à cause des lions, « Les lions sont ennemis de Dieu, ce sont eux qui auront privé toute une partie des colonies de la meilleure des religions... »

Le curé savait qu'il ne devait jamais se couper des préoccupations de ses paroissiennes, quitte à en épouser les frayeurs, qu'importe, il fallait que ses ouailles aient le sentiment d'être comprises. Un prêtre est un homme qui sait profondément ne pas être Dieu, mais qui doit sans cesse avérer de sa toute-puissance.

Le piano continuait d'égoutter ses notes dans une inconvenance glaçante. Ce qu'il demeurait d'hommes, autant dire les réformés et les vieux, convinrent de la marche à suivre, cette fois il faudrait bien y monter sur ce mont, et sans perdre une seconde.

La Bûche se rendit jusqu'au lavoir en bas, des fois que les mômes se soient mis en tête d'aller jouer au bord de la rivière, même si aucun ne savait nager. Mais il en revint sans le moindre gamin, sur les rives il n'avait pas vu de traces de pas, signe qu'ils n'étaient pas descendus là-bas ce matin. Quant à savoir s'ils jouaient dans les champs, ce n'était pas possible, d'ici on les aurait vus, sous la lumière tamisée des noyers ou ailleurs. De toute façon ça ne se pouvait pas, on les entendrait, une bande d'enfants exaltés par les jeux du dimanche matin, où qu'ils soient, où qu'ils se cachent, on aurait dû les entendre. Restait à les appeler, oui, les appeler, seulement c'était bien trop pétrifiant de se mettre à hurler le nom de son môme, surtout là, comme ça, en sortant de la messe et en marchant vers la sortie du village, ce serait bien trop affolant de crier leur prénom tout en regardant dans les fossés, comme un tocsin aux notes acides, Joseph, Ange, Marie, Jeanne, Louis, André, Madeleine, Lucienne, Aimée, Reine, Léone... Pour une mère, crier le nom de sa fille ou de son fils, le crier fort de par les champs, c'est aussi déchirant que de le perdre, mais en plus de ça c'est faire l'aveu qu'elle a commis une faute, qu'elle n'a pas su veiller sur son enfant. Et pourtant elles se mirent en marche, elles crièrent en direction du mont, elles s'éloignèrent du village en remontant l'ombre du mont, vers l'est, égrainant les prénoms, la gorge nouée, de moins en moins fort.

Août 2017

Il était sur le point de se plaquer les mains devant le visage, de les joindre en porte-voix et de hurler... Mais l'idée de crier « Lise », de le répéter plusieurs fois, de répercuter le prénom de sa femme dans l'écho des collines, ça semblait démesuré et angoissant. Pour la première fois il n'avait aucun moyen de la joindre, pas d'autre façon de l'atteindre qu'en gueulant. Seulement, crier ce prénom, le lancer le plus fort possible pour le propager dans cet espace, il n'y arrivait pas. Surtout qu'avec l'écho démesuré des collines, ce serait parfaitement alarmant. Alors il remonta dans la voiture, il tourna la clé et klaxonna plusieurs fois de suite, une séquence de coups rapprochés. C'est fou ce que ça résonnait. Sans s'en rendre compte il affola les geais, les pies et les chardonnerets, dans les bois il fit se tendre tous les chevreuils, les sangliers et les lièvres planqués, il effraya les renards, les mulots et tous ces êtres en fuite, c'est de la peur qu'il répandait dans cet infini périmètre où il était audible, déclenchant des vagues de réactions inquiètes. En cédant à la peur il affolait toute la nature environnante. En revanche dès qu'il s'arrêta, ça se traduisit par un silence bien plus total, il ressortit de la voiture terrifié par l'impuissance à laquelle ces bois le renvoyaient.

C'était devenu si courant de trouver l'autre dès qu'on le cherche, de l'atteindre immédiatement par un coup de fil ou un texto, tandis que là face à ces collines infinies, il ne pouvait rien. Alors il se reprit, il fit comme si elle était là, près de lui, à lui dire de se calmer. Il se dit qu'elle devait être partie en balade, qu'elle avait commencé sa première randonnée, oui c'est ça, si elle avait voulu venir ici c'était pour marcher, profiter pleinement de ce coin paumé. À moins qu'elle n'ait eu peur en se réveillant toute seule dans le grand lit, peur d'ouvrir les rideaux et de tomber sur ce vide sidéral tout en verdure. Il s'adossa à la voiture, vaincu par ce décor. Soudain, comme une vague qui montait du sol, une donnée supplémentaire qui aiguisait tout l'environnement, il y eut ces stridences. Ça démarra par une cigale, puis une autre là-bas, et encore plein d'autres, cette sonorité enveloppait tout de son hystérie répétitive, des chants entrecroisés qui jaillissaient de partout... Le fait de klaxonner les avait peut-être réveillées, toujours est-il qu'elles s'unirent toutes dans un même tintamarre. Ce matin en partant il n'avait pas noté ces stridulations folles électrisant le panorama, le matin les cigales ne bronchent pas. Alors que là en plein soleil, c'était comme un gaz de plus dans l'atmosphère, des séquences aux ondes tellement aiguës qu'elles lui rentraient dans les oreilles comme une coulée d'eau, lui ceinturant le cerveau. Possible que sur le coup de midi leurs chants se décuplent, qu'elles se calent sur le zénith, mais ce n'était peut-être que sa propre peur qui l'assaillait comme une migraine. Il fit l'effort de prendre sur lui. Il se répéta ces mots que Lise lui aurait dit si elle avait été là : « Franck, décontracte-toi, ne t'inquiète pas, sors toutes ces affaires du coffre et range-les à l'ombre ou dans le frigo, j'arrive... »

Si elle était là elle lui dirait de se calmer. Seulement il n'y arrivait pas. À cause de cette image qui le poursuivait, la nuit dernière à ce même endroit il y avait eu ce chien, ce molosse aux yeux luisants qui se tenait là, aux aguets comme lui du raffut horrifique venu d'en bas, les grognements de bêtes planquées au fond de la combe, dans le clair-obscur au bas de la descente. Même là, à midi, le fond de la combe était encore à l'ombre, ça faisait une plissure de relief humide et sombre en aplomb de laquelle la colline remontait en face, elle s'érigeait sous la forme d'un versant boisé et dense, jusqu'à cette crête devant lui, point culminant d'un relief qui à son tour devait basculer de l'autre côté, vers une zone d'ombre pareille à celle-là, une combe au pied de laquelle une autre colline s'élevait, et ainsi de suite jusqu'au Massif central, voire jusqu'à l'Oural. Dans ce relief, chaque colline boisée était ceinte d'une ravine ombragée et énigmatique, une dépression de terrain que le soleil n'atteignait pas. C'est de là que les bruits, cette nuit, étaient montés, de ce ravin ténébreux et humide, et c'est de cette même ombre que Lise apparut, elle sortit du sous-bois oublié par le soleil, elle émergea des ténèbres humides en marchant tranquillement, droite et lente. Il n'en revenait pas, paniqua presque, craignant qu'elle ne soit régurgitée par un quelconque prédateur, alors qu'elle cheminait, sereine, avec son large chapeau et un tapis de mousse roulé sous son bras, comme si elle sortait d'un cours de yoga ou d'une séance de méditation. Il retrouva la silhouette tant aimée, cette façon d'être, fluide et paisible, en toutes circonstances, contraire-ment à lui qui était en nage. Lise, depuis tout ce temps, il l'aimait aussi pour cette grâce, une élégance qu'elle mettait dans le moindre geste, comme là, en marchant dans les herbes hautes du val, plutôt que de traîner les pieds, elle levait haut les genoux et en devenait gracile, comme en apesanteur. Cette vision le renvoya à une séquence intemporelle, à ce jour où ils s'étaient rencontrés en vrai alors que jusque-là il ne l'avait jamais vue qu'à l'écran, d'une certaine façon elle était toujours la même que ce jour-là, tandis que lui avait le sentiment d'avoir beaucoup changé et de s'être alourdi en bien des aspects.

D'en bas elle lui fit un signe léger, un petit salut solaire et heureux auquel il répondit en levant le bras, ne l'oscillant qu'à peine. Il était fâché d'avoir eu peur, mais soulagé de la savoir là. Lise marqua une pause au pied de la colline avant d'escalader la longue prairie qui s'étirait jusqu'à la maison, elle se retourna comme si elle attendait quelqu'un, et là, du sous-bois, jaillit le chien, ce fameux chien-loup sorti d'on ne sait quelle nuit, qui se mit à courir autour d'elle comme s'il était fou de joie que cette inconnue lui donne la permission de l'accompagner. Franck ne comprenait rien, visiblement l'animal avait dû la suivre depuis le matin, ou alors elle l'avait trouvé en bas. En tout cas c'était bien le même chien qui, cette nuit, s'était lancé dans sa folle chevauchée à travers le triangle noir. Franck était ému de le revoir, ému tout autant qu'inquiet. En le voyant aux côtés de Lise, on percevait mieux à quel point il était énorme, très haut sur pattes. Cette nuit il n'avait pas noté s'il avait un collier, c'était pourtant la première chose à vérifier quand on rencontre un chien en pleine nature, voir s'il y a un moyen de l'identifier, seul un collier permettrait de savoir à quel humain cette bête était reliée. Lise et le chien étaient encore à cinq cents mètres. À son tour, Lise mesurait combien la pente était raide, d'autant qu'elle était chaussée de simples tongs. Franck ressentit une pointe d'agacement en relevant ce détail, ce n'était pas prudent de se balader dans ces hautes herbes et de s'enfoncer dans les sous-bois avec rien de plus que des tongs. En même temps il était ému de cette liberté qu'elle avait en toute occasion, cette facilité d'être, une sorte d'insouciance qui ne la quittait pas et la rendait légère, jamais inquiète. Le chien jouait autour d'elle comme s'ils se connaissaient depuis toujours. Puis il se plaça devant elle, se dressa et posa ses pattes sur les épaules de Lise, comme s'il voulait lui lécher le visage. Il manqua de la faire tomber. Elle trébucha, et de loin on l'entendit rire. Ce rire qui se frayait un chemin dans la stridence affolée des insectes, il détonnait comme une bouffée d'espoir. Tout de même, il était lourd ce chien, et nerveux, pendant que Lise montait il ne cessait de s'agiter autour d'elle, s'écartant et revenant sans fin, d'un mouvement brusque il aurait très bien pu la renverser, sans même le faire exprès. Il venait contre elle et elle le repoussait. L'animal prenait ça pour un jeu. Il faisait déjà très chaud. À midi on suffoquait. Franck descendit la rejoindre, elle l'attendit en reprenant son souffle, à mi-côte.

— Tu m'as fait peur bon sang, tu m'as fait peur !

— Mais pourquoi ? Je méditais. À l'ombre. Tu sais, c'est formidable en bas, c'est comme une jungle, on entend des tas de bruits, c'est parfait pour se reconnecter.

— Te reconnecter... ?

Par moments elle l'exaspérait. S'il enviait sa simplicité d'âme, son inclination naturelle à tout prendre du bon côté, parfois elle le révoltait, tant lui-même s'en savait loin.

— T'as vu, j'ai trouvé un chien.

Le chien dut comprendre qu'on parlait de lui, il regarda Franck droit dans les yeux, comme si soudain tout devenait grave. Il ne bougeait plus, sévère d'un coup. Franck sentit que cet animal attendait quelque chose de lui. À tout le moins, il escomptait un ordre, une instruction, savoir s'il pouvait jouer encore ou s'il fallait, comme la nuit dernière, se lancer à la poursuite de nouveaux gibiers, attaquer de nouvelles proies. Faute de se faire comprendre, Franck lui cria juste un ordre, comme s'il voulait le dompter :

— Va chercher... Allez, va chercher la bête... !

Le chien se dressa haut sur ses pattes, attentif mais totalement perplexe, et se mit à aboyer rudement en fixant Franck, comme s'il lui demandait d'en dire plus, d'être plus précis.

— Mais Franck, qu'est-ce que tu fais ? Laisse-le tranquille, ce chien.

— Non, Lise, tu vois bien qu'il attend quelque chose de moi.

— Enfin, qu'est-ce que tu racontes ? Allez viens, on remonte, j'ai soif. Et faim. T'as pris de l'eau...

— Mince. J'ai tout pris sauf l'eau...

Lise avait recommencé à monter vers la maison, d'un pas de nouveau décidé.

— Eh bien puisqu'il attend un ordre de toi, ce chien, demande-lui donc d'aller en chercher, de l'eau...

— Attends, Lise, tu ne crois pas si bien dire. Faut que je te raconte ce qui s'est passé cette nuit.

Lise lui répondit sans se retourner :

— Qu'est-ce que tu vas encore me raconter ? Que t'as vu des loups ? Des ours ? À ce qu'il paraît il y a des lynx par ici, je l'ai lu sur Internet mais je ne t'en ai pas parlé, sans quoi t'en aurais fait toute une histoire...

Franck revint à sa hauteur.

— Mais c'est peut-être ça, Lise, des lynx... Cette nuit c'était peut-être ça. Y avait des bruits bizarres en bas, tu peux pas savoir, des bruits incroyables, c'était atroce...

— Tu sais, c'est pas producteur que t'aurais dû être, c'est scénariste.

— Non, mais Lise, attends, arrête-toi... Je te jure que cette nuit il y avait des bêtes en bas, plein de bêtes qui faisaient des bruits de dingue, ça foutait les jetons, crois-moi, et par réflexe j'ai dit au chien : « Va chercher », et il y est allé, il s'est mis à foncer sur ces bestioles et il a dû les courser jusqu'à l'aube, je l'entendais qui hurlait au loin, il aboyait de l'autre côté des collines, et puis après plus rien.

— Ah bon, parce qu'il était déjà là cette nuit ?

— Oui, il m'a tenu compagnie.

— T'en parles comme d'un être humain !

— Non, c'est juste que dans la nuit noire, ça faisait une présence.

— Eh bien, tu vois, toi qui désespérais de ne pas te faire de nouveaux amis !

Franck passa sa main sur le dos du chien, lui flattant prudemment l'encolure. Son poil était dur, profond. Le chien regardait ailleurs, comme s'il ne la sentait pas cette main, qu'il se moquait pas mal des cajoleries. Franck lui caressa un peu le haut de la tête, sans trop oser tout de même.

— Lise, t'as vu...

— Quoi ?

— Il n'a pas de collier !

— Et alors ?

— Ça veut dire qu'il n'est à personne...

Octobre 1914

Être maître d'un animal c'est devenir Dieu
pour lui. Mais avant tout c'est lui assurer sa
subsistance, sans quoi il ne redeviendrait rien
d'autre que sauvage, ou mourrait. La nourriture, tout part de là, c'est la concession faite à
la liberté. Seulement, les lions ne s'alimentent
que de chairs vives au rouge violent, des chairs
fraîchement arrachées à la vie. Comme tous les
grands fauves, les lions et les tigres puisent la
permanence de leur être dans la viande d'autres
mammifères, pas nécessairement moins rapides,
mais moins forts, ou isolés. Ces proies ils les
tuent avec une pure violence, des antilopes ou
des buffles dont ils déchirent les flancs, une
chair qu'ils dévorent à même le corps de leur
victime, décidant mieux que Dieu de qui doit
vivre, ou pas. Dans la nature libre et émancipée
cette loi-là ne pose aucun problème, mais pour
le dompteur, nourrir huit fauves chaque jour, au
rythme de cinq kilos par bête, voilà qui relevait
de la gageure. C'est pourquoi il avait institué
que le dimanche serait un jour de faim. Depuis

toujours il avait défini un jour de jeûne, le mercredi, mais depuis la guerre il en avait ajouté un de plus. Les lions devaient ressentir les tourments de la non-satiété. En faisant cela, il s'épargnait la charge de trouver quotidiennement de la viande fraîche, mais surtout il ne déshabituait pas ses fauves de la faim, du manque, condition sine qua non pour réaffirmer son ascendant sur eux et en rester le maître. Cette idée devait se ficher en eux mieux qu'un instinct : sans cet homme ils ne mangeraient pas. Leur vie reposait sur lui, au point qu'il était plus qu'un père pour eux, presque un dieu.

Sans rien savoir du calendrier grégorien, les lions en avaient au moins repéré le dimanche et le mercredi. Ces jours-là ils tournaient en rond dans leur cage encore plus que d'habitude. Qu'ils soient chacun dans leur box ou rassemblés sous la grande cage rotonde, le mercredi et le dimanche ils étaient pris de raideurs nerveuses, aiguillonnés par l'envie. Pour peu qu'ils aperçoivent une buse dessinant des cercles dans le ciel, ou une chèvre, ou un chat courant au loin, pour peu qu'à cause du vent ils sentent les effluves du troupeau paissant dans les prés, alors ils perdaient leur regard dans le vague, obnubilés par le fantôme de ces proies qui ne s'offraient pas, et d'un rugissement, d'une rage hurlée ils les bouffaient mentalement ces proies, d'un coup de gueule ils les assassinaient, en rêve ils engloutissaient cette chèvre, ce chat ou cette buse qui continuaient à vivre devant eux. Après quoi ils s'allongeaient sur le sol frais, froidement résignés à se soumettre, s'en remettant à ces grilles, à cet homme qui parlait plus fort que la rage qui montait en eux, une rage lourde d'instincts et obsédée par le sang.

Si les lions ne pensent qu'à manger, pour autant ils ne songent pas à manger l'homme, hormis ces lions trop vieux pour chasser de vraies proies. De toute chair qui se sauve, l'homme est bien celle qui court le moins vite, c'est une conquête si peu noble que seuls des fauves diminués ou blessés s'abaissent à l'attaquer. Quant à dévorer des enfants, dans un accès de sauvagerie peut-être, ou alors au comble d'une faim intenable, ou bien pour se venger de ces années passées à être nargués par des mômes sur les gradins des cirques, des gosses aux insupportables regards affolés ou rieurs, des gosses qui pour certains leur jetaient des cailloux. Dans ces cas-là les lions s'en tenaient à la sagesse, ils feignaient de ne pas les voir, regardant par-delà les grilles. Pour eux, donc, il n'y a aucune raison de manger un enfant, sinon pour faire payer à quelques-uns les pitreries de tous les autres. Sans quoi les lions n'ont pas le moindre attrait pour ces peaux trop neuves, ces sueurs sans sel et ces parfums informulés. Bouffer un gosse, ce serait mordre dans des muscles étroits et gober un sang pompé à vide par un cœur galopant, tout le contraire de ces chairs épaisses au goût de conquêtes, de ces buffles à la saveur décuplée par la lutte. Pour un lion, un enfant n'a rien d'un repas.

Pour un piano non plus. Et pourtant ils étaient tous là, accroupis et sages, à écouter jouer la jeune femme. Certains même, les garçons bien sûr, devinaient entre les pattes lourdes de l'instrument les chevilles fines de Joséphine qui s'agitaient sous la dentelle, ils suivaient le ballet de ses pieds qui appuyaient sur les pédales en modulant les graves et les aigus. Quant aux filles, en plus de la musique, elles découvraient de près la peau de faïence et le sourire doucereux de la pianiste, un environnement délicat, bien plus enchanteur que la boue des fermes et la fange des étables.

Jamais on ne les avait vus aussi sages. Joséphine referma l'instrument et se leva, grande et svelte comme ses longs doigts à musique, en se retournant elle fit face à la horde de mères inquiètes dans l'encadrement de la fenêtre, cette petite foule qui n'osait pas lui en vouloir, qui en oublia même de se sentir soulagée.

Joséphine, on n'aurait jamais osé lui faire de reproche. Sans l'avouer, tous voyaient en elle la première des veuves, elle incarnait le drame que toutes fuyaient, son malheur avait valeur d'offrande. Un peu comme un paratonnerre, son sacrifice préserverait les autres, Joséphine à ce titre était sacrée. Depuis la disparition de son mari, on ne savait pas où elle en était du chagrin, on ne voulait pas la brusquer. Il y a aussi qu'elle était l'alliée de la médecine et, que son mari soit mort ou pas, elle représentait toujours un peu cette science dont on souhaitait s'attirer les bonnes grâces. Du temps où le médecin travaillait, c'était elle qui vous recueillait quand ce dernier n'était pas rentré de sa tournée, elle vous faisait asseoir et savait trouver les mots pour se montrer rassurante. Un réconfort pareil, c'est déjà de la médecine. De même qu'elle avait su rassurer le village en montant chez le dompteur et en leur jurant que là-haut les fauves étaient fermement maîtrisés et dûment enfermés, qu'il n'y avait rien à craindre, on pouvait lui faire confiance. À ce qu'elle en avait dit, il restait encore deux chèvres au dompteur, et quatre moutons, elle avait aussi parlé de cet ossuaire à côté de la réserve d'eau, un amas d'os et de carcasses jetés en vrac, signe que le dompteur devait piocher dans un cheptel tout autre, visiblement des bêtes aux corps épais et aux vertèbres larges, des côtes deux fois plus longues que celles des moutons. L'essentiel était de savoir que l'autre avait de quoi s'approvisionner, que les lions avaient largement de quoi se nourrir, aucun risque qu'ils s'en prennent aux humains.

L'élégance et le malheur de cette jeune femme l'immunisaient contre toute médisance, pourtant certains avaient noté que depuis le jour où Joséphine était allée là-haut, parfois on la voyait partir à cheval le soir, en direction du mont, sous-entendant qu'elle serait peut-être liée à l'odieux seigneur d'en haut, qu'elle avait pactisé avec le diable. Sans jamais dire qu'ils couchaient ensemble, on leur prêtait de ces alliances surnaturelles que nouent les êtres supérieurs, des pactes dont il vaut mieux se tenir à l'écart.

En rentrant chez elles avec leur progéniture, les mères se déprirent de leur angoisse, mais au long de la journée elles en gardèrent une sale humeur, une sorte de boue en tête, c'était la lie de toutes ces atrocités qui leur avaient traversé à l'esprit. En ce dimanche elles voulaient que dure la joie, jusqu'à ce soir au moins, avant qu'une nouvelle frousse ne dérègle tout. Parce que chaque nuit au moment de se coucher, immanquablement la peur les rattrapait, la peur de ne jamais revoir l'époux ou le frère, le fiancé ou le fils, la peur que la terre s'embrase et régurgite jusqu'ici une lave faite de poudre incandescente et de terre des Ardennes, maintenant que cette guerre était mondiale, jusque dans les coins reculés il fallait craindre que cette lave les rattrape. Ce dimanche soir-là elles bordèrent leur progéniture comme jamais, fermèrent les portes et les fenêtres. Les enfants c'est une raison d'être, on les fait afin de se prévoir des amis pour plus tard, des alliés. Il faisait doux pour un mois d'octobre, trop chaud pour tout fermer, seulement dehors il y avait des bruits. On avait beau vouloir faire confiance à Joséphine, on n'y parvenait pas, elle semblait trop liée à ce malfaisant, elle ne pouvait être impartiale, d'autant que depuis l'automne les sangliers et les renards se rapprochaient des maisons, avec l'hiver les loups feraient pareil. Sans plus d'hommes pour les chasser et sans plus de garde champêtre, pas de doute que les prédateurs retrouvaient la plénitude de leur territoire. Certains disaient même avoir entendu des lynx la nuit, après tout on entendait bien des lions. Du temps où les hommes étaient là, il n'y avait pas ce vacarme, ou alors on n'y faisait pas attention. Mais avec la peur, tout bruit était cause d'angoisse. Les chuintements de la chouette effraie s'ajoutaient aux cris de la hulotte, les hurlements des chats qui se battaient se mélangeaient au barouf des renards. Après les chevreuils du mois d'août, aux premières nuits d'automne on entendit les haros terrorisants des cerfs qui se ruaient les uns sur les autres, qui combattaient en gueulant à la mort, chaque nuit la peur pesait un peu plus sur le monde, comme une cloche, un bourdon continental qui englobait tout. Là-dessous tout résonnait, même les couinements atroces des chauves-souris et les pépiements d'oiseaux, tous ceux qui dans l'obscurité se détournaient du sommeil. Plusieurs fois dans la nuit on se relevait pour jeter un œil dehors, plus d'une fois on crut distinguer une silhouette là-bas devant, dans l'ombre épaisse du bois on vit réapparaître le pèlerin de ce minuit d'avant-guerre, le moine avec sa mule qui s'était fait chasser de Saint-Jacques et qui rebroussait chemin, ce porte-malheur de la première nuit, le pèlerin à l'origine de cette trouille qui avait tout déclenché.

Août 2017

Pour le déjeuner Franck prépara une salade comme ils aimaient en composer l'été. Des tomates, du basilic, de la roquette, des courgettes émincées avec beaucoup d'huile d'olive et des lamelles de mozzarella. Pendant ce temps Lise prenait une longue douche. Il l'entendait qui chantonnait dans la petite salle de bains au fond, une pièce sommaire qui résonnait. La tuyauterie, les passages d'eau dans le cumulus faisaient un bruit épouvantable, il ne savait même pas si Lise tirait vraiment de l'eau chaude, si elle en avait besoin, vu la température extérieure, la froide devait suffire. Le chien restait dehors, campé sur ses hautes pattes, à deux bons mètres de la maison, toujours à distance. La porte était pourtant grande ouverte, il aurait parfaitement pu rentrer dans la maison, à l'ombre, au frais, mais ne le faisait pas. Franck sentait qu'il ne le quittait pas des yeux, de loin il suivait ses moindres gestes, comme s'il cherchait à savoir ce qu'il faisait, ce qu'il cuisinait, pas de doute qu'il serait déçu en tant que carnivore, car dans cette salade rien ne l'intéresserait. Par jeu Franck lui montra le saladier plein, le chien se mit à humer l'air et à fouetter la queue en signe de reconnaissance, mais sans bouger de là où il était.

Quelqu'un avait dû lui apprendre à ne pas rentrer dans les maisons, ou alors d'instinct il ne se sentait pas de le faire. Franck ne savait pas. Plusieurs fois de suite il lui fit signe d'entrer en tapant sa main sur sa cuisse et en lui tendant un bout de pain, pour toute réponse le chien dodelinait curieusement de la tête, il dressait ses oreilles en gémissant un peu, mais n'approchait pas. Mieux, il n'avait pas changé de place depuis le début, alors qu'il était en plein soleil. Mais s'il se déplaçait vers la droite à l'ombre, il ne pourrait plus voir ce qui se passait à l'intérieur de la maison. Par moments on entendait juste claquer sa mâchoire, c'est qu'il gobait une des guêpes qui lui tournaient autour. Cela produisait un bruit sec et profond où se mêlaient le choc des dents qui claquent et le clappement de sa langue épaisse. D'ici, Franck ne voyait pas bien s'il les attrapait pour de bon, ces guêpes, s'il les avalait vraiment. En revanche, ce qu'il avait noté, c'est que le chien dressait les oreilles chaque fois qu'il saisissait le couteau pour couper les tomates, la mozzarella, le pain. Franck fit même l'expérience de poser et de reprendre le grand couteau plusieurs fois de suite, celui qu'il avait laissé dehors la nuit dernière, et en fonction de son geste, le chien réagissait. Il se raidissait et marquait l'arrêt quand Franck saisissait le couteau, ne bougeant plus au point de ne même plus haleter, mais dès que Franck le reposait, le chien se détendait et reprenait sa respiration saccadée.

— T'as chaud, le chien, viens donc à l'ombre, viens là, allez viens...

Le chien tendit l'oreille, sans plus. Franck remplit un grand saladier d'eau du robinet et le posa dehors, le chien en flaira la surface mais ne but pas, regardant de nouveau Franck comme s'il en attendait quelque chose, visiblement pas de l'eau.

— Tu veux quoi, toutou, hein ? Et d'abord c'est quoi, ton nom, hein, et pourquoi t'as pas de collier... ?

Le chien fixait Franck comme si ses paroles lui étaient intelligibles et qu'il ne savait pas comment y répondre, affichant un air désappointé touchant.

Lise revint vêtue d'un simple paréo, se peignant les cheveux sans même les avoir essuyés.

— Tu parles avec les chiens maintenant ?

— Non, j'essaie de comprendre ce qu'il attend de moi...

— Il doit être déçu.

— Pourquoi tu dis ça ?

— Depuis tout à l'heure il te voit couper des tomates, des légumes, du basilic... Pour lui ça doit manquer de viande.

Franck regarda de nouveau ce chien qui ne le quittait toujours pas des yeux. Peut-être que c'était ça qu'il attendait, de la viande. Franck roula une boule de pain bien compacte dans sa main, et fit mine de la lancer. Le chien se mit en alerte, mais quand la boule atterrit près de lui, il lui jeta un regard et ne la renifla même pas. Possible que tout ce qui l'intéressait, c'était de s'élancer à la poursuite de vraies proies, comme cette nuit, de chasser pour de bon, au moins pour honorer le chasseur, puisque les chiens s'enorgueillissent d'obéir, signe qu'il ne devait pas être si sauvage que cela, ce chien-là. Si c'était celui des Dauclercq en bas, peut-être qu'ils ne s'en occupaient pas vraiment, ou alors ils comptaient sur cette bête pour qu'elle monte la garde. Oui c'est ça, si ça se trouve ce chien était un mouchard, il était là pour les surveiller, ces Dauclercq étaient tellement bizarres qu'ils étaient parfaitement capables de leur envoyer leur chien pour les espionner, pour contrôler que tout se passait bien, ce qui serait intolérable, d'être ainsi inspectés par un chien. Mais s'il était à eux il devrait avoir un collier, ne serait-ce que pour être attaché à la chaîne qui traînait toujours devant la niche.

Lise commença à dresser la table dehors. Là encore le chien la suivit du regard, et toujours sans bouger. En fait, il était peut-être tout simplement ravi qu'il y ait autant d'activité, peut-être que tout bonnement il s'ennuyait.

— Lise, tu crois que c'est un chien perdu ?

— Non, parce qu'il aurait peur.

— Un chien sauvage alors ?

— Non, s'il était sauvage, il se sauverait.

Franck la regarda, stupéfait de la placide assurance avec laquelle elle avait réponse à tout. Il se mit à préparer davantage de salade tout en formulant des hypothèses. Ce pouvait être un chien de chasse qui se serait échappé il y a longtemps d'une battue, ou le chien d'un voisin éloigné qui ne s'inquiéterait pas de voir son animal partir loin, ou bien encore un réel chien-loup, un hybride né de l'union d'une louve et d'un chien, d'autant que dans cette région les humains délaissaient les campagnes, les agriculteurs lâchaient les fermes, il n'y avait plus de gare, les voies ferrées n'étaient plus que des tranchées envahies par les ronces et les acacias, et les petits villages étaient un à un abandonnés, et si par ici les zones habitées redevenaient sauvages, celles qui l'étaient déjà le devenaient plus encore. C'était bien ce qui se passait par endroits, la nature redevenait sauvage, les animaux y régnaient en maître, ils y faisaient ce qu'ils voulaient, se croisaient entre eux, cochons et sangliers, chiens et loups, c'était inéluctable…

— Mon Dieu, Franck, mais qu'est-ce que tu fais, on ne va jamais manger tout ça !

Pris par le jeu d'exciter le chien en jouant du couteau, Franck avait découpé six grosses tomates et deux sachets de mozzarella, puis émincé trois courgettes avant de tout assaisonner.

Pour le déjeuner, Lise voulut déplacer la table vers l'ombre du grand noyer à gauche. Franck lui rappela qu'il ne fallait pas se mettre sous un noyer, sa grand-mère disait que ça portait malheur, les feuilles exhalaient un gaz méphitique. Avec la même assurance paysanne Lise lui rétorqua que c'étaient des balivernes, des légendes répandues par les patrons de ferme afin que les employés ne restent pas à siester sous les noyers, car elle était parfaite cette ombre, dense et fraîche, bienfaisante en tout point. Tous deux se reconnectaient, l'espace d'un instant, à leurs lointains antécédents, ces grands-parents nés en milieu rural et qui par chance pour eux l'avaient quitté pour engendrer des lignées de citadins. Sans plus de tergiversations ils s'installèrent sous l'arbre, et le chien les rejoignit en restant un peu en retrait. C'est vrai qu'il faisait bon ici, ils y étaient bien. Tous les trois.

Ils mangèrent à peine la moitié de ce que Franck avait préparé. Après le déjeuner Lise étendit une natte à l'ombre pour faire la sieste. Franck s'allongea sur l'herbe. Même sous l'arbre la chaleur montait. Le fond de l'air semblait soufflé d'un fourneau. Par intermittence il y avait un peu de vent, à peine, le bruit des cigales était maintenant assimilé, il faisait partie du décor et ne dérangeait plus, et le léger frémissement des feuilles donnait la sensation d'un brumisateur. Le moment était parfait. Franck ôta son T-shirt et le compacta sous sa tête en oreiller. Encore une fois Lise s'assoupit tout de suite, son beau visage gagné par le sommeil avait quelque chose d'angélique, elle dormait pour de vrai. Pour Franck ce n'était pas pareil, en plus de l'herbe urticante il y avait les mouches qui le gênaient, les mouches et les guêpes qui de toute évidence ne venaient que sur lui. Le chien s'était allongé lui aussi, tout près, à moins d'un mètre de Franck, le ventre plaqué au sol pour trouver ce qu'il pouvait de fraîcheur. Franck se demanda si le chien faisait tout comme lui, s'il l'imitait, ou si c'était l'inverse. Pendant le repas il était allé boire dans le saladier d'eau fraîche, il y avait même bu plusieurs fois, mais il continuait de tirer la langue quand même, depuis tout à l'heure il haletait alors qu'il n'avait pas couru, sa respiration produisait un bruit préoccupant. Franck observait cet improbable visiteur. Dès qu'une guêpe ou une mouche passait près d'eux, le chien tentait de la gober d'un coup de mâchoire, de fait il la chassait. Veillait-il à ce que Franck ne soit pas importuné par les insectes, cela par pure bienveillance ou par réflexe ? En tout cas il ne le quittait pas des yeux, mieux que s'il lui avait ordonné de rester à ses côtés. Ce qu'il avait retenu des dresseurs avec lesquels il avait travaillé sur plusieurs films, c'est que les chiens ne supportent pas l'isolement, il faut toujours qu'ils sentent quelqu'un près d'eux, c'est un besoin. Franck ne pouvait que constater ce rapprochement, cette probable subordination, pour autant il n'aurait su obtenir quoi que ce soit de ce chien, ni le commander, ni lui donner la moindre instruction. Il se demanda si d'aventure on pourrait lui reprocher de le retenir, ce chien, ou de l'avoir volé ? Sans doute pas. De toute façon personne ne viendrait jamais jusqu'ici.

Franck réussit enfin à fermer les yeux. Un fin courant d'air se faufilait au ras du sol, comme il était en short et torse nu, ça lui parcourait le corps comme un filet d'eau fraîche, un bienfait tout simple. À un moment, le chien posa sa tête sur son mollet. Il n'arrivait pas y croire. De la part de l'animal ce devait être un signe de complicité. Franck rouvrit les yeux, leva un peu la tête, le plus délicatement possible, et surprit le chien qui là encore le fixait. Peut-être qu'il voulait tout bonnement sympathiser, mais sans jamais se départir de son regard aigu et dur, d'une intensité assez inquiétante quand on le croisait.

Il faisait chaud, vraiment trop chaud, mais Franck voulait tenter une expérience, jouer pour de bon avec lui, c'était peut-être juste ça ce que cette bête attendait, jouer. Alors il se mit debout, marcha un peu devant la maison, puis choisit d'aller vers le grand bassin bien planqué à l'ombre de sa verdure. Sans même qu'il lui dise un mot, le chien s'était relevé et l'avait suivi, le chien de nouveau en alerte et aux aguets, les oreilles dressées, ne souffrant plus de la chaleur. Dans les hauts cyprès qu'il y avait là, Franck repéra des pommes de pin, des grosses pignes, des boules compactes et denses qui tenaient bien en main. Il en détacha une et la soupesa, la faisant sauter dans sa paume tout en guettant la réaction du chien. Plus que jamais, l'animal le fixait droit dans les yeux, avec une ardeur émouvante, et là sans prévenir Franck arma son tir et lança le projectile le plus fort et le plus loin possible en direction de la pente, il le lança si fort qu'il en eut mal à l'épaule, la pigne fusa loin et roula sans fin, comme une balle de tennis prise par l'élan qui n'en finissait plus de dévaler. Après une seconde de réflexion, le chien jeta un coup d'œil à Franck, puis vers la pente, et soudain il détala malgré le soleil, il s'élança follement dans la descente pour rattraper cette balle providentielle, il courait si puissamment qu'il en soulevait un nuage de poussière, se prenant au jeu avec une avidité étonnante. La balle continuait de rouler, elle avait parcouru plus de cent mètres, le chien dans son emportement la percuta du bout de la truffe en arrivant à sa hauteur, ce qui la projeta en avant de quelques mètres. D'un coup sec il la chopa alors qu'elle rebondissait encore une fois, et là il la ferra fermement entre ses mâchoires. Loin là-bas il s'arrêta net et se retourna vers Franck, sans plus bouger.

— Allez... Allez... Rapporte !

À croire qu'il attendait l'instruction. Instantanément le chien revint vers lui avec la pigne dans la gueule, il devait s'épuiser à cavaler dans cette montée par cette chaleur, mais il la lui rapporta en courant, seulement, une fois à ses pieds, il ne voulait pas la lâcher. Cette pigne, il ne voulait pas la rendre. Franck tenta de la lui prendre d'autorité en la lui arrachant de la gueule, mais le chien tout en grognant eut un mouvement brusque, il se dégagea de la prise d'un mouvement de tête si violent que Franck manqua d'en perdre l'équilibre.

— Oh là, tout doux. Tout doux... Allez, donne. Donne-moi la baballe !

À partir de là ils ne se comprirent plus. Le chien se braqua, le regard sévère, les babines relevées, les crocs refermés sur la balle. Franck ne le déchiffrait pas. Sans doute que la part de chien dans cet animal voulait jouer, alors que la part de loup ne le voulait pas. La part de loup attendait tout autre chose que de rapporter une balle, Franck le lisait dans ses yeux quand il grognait, des yeux fendus à l'oblique, bien espacés, et d'un jaune fauve, électrisés par deux pupilles noires, deux pointes acérées qui remontaient sous la paupière supérieure quand il grondait, lui donnant soudain un air parfaitement menaçant. Toujours face à Franck le chien se mit à serrer les mâchoires, il forçait frénétiquement pour exploser cette noix, à croire qu'il voulait la réduire à néant, ce qui neutraliserait le jeu. Déformée par l'effort sa gueule lui dessinait un sourire étrange, moins joueur que terrorisant, d'autant que pris par l'excitation du jeu il se mit à grogner tout en laissant tomber des fragments de la noix. C'est de la peur, alors, que ressentit Franck, une peur qui ne s'épanouissait pas uniquement dans sa tête, mais semblait monter tout autour de lui, elle flottait dans cette chaleur assommante, dans ces flaques d'air qui ondulaient au-dessus du sol, la peur elle était aussi dans les stridulations d'insectes qui retentissaient de plus en plus fort, et dans les grognements du chien-loup qui maintenant aboyait, regardant toujours Franck droit dans les yeux, le mettant comme au défi de ramasser cette baballe bien éclatée mais qu'il gardait toujours dans la gueule, qu'il ne lâchait pas. Un chien-loup qui s'avance en grognant, surtout quand il est haut sur pattes et fort, un chien-loup dont on ne perçoit pas les arrière-pensées et qui se met à vous fixer, le front têtu et la croupe basse, c'est profondément effrayant. Franck ramassa ce qu'il restait de la balle déchiquetée, le chien l'observa avec une incompréhension qu'on pouvait prendre pour du mépris, puis il se remit à aboyer plus fort, une gueulante si intense que Franck la sentit cogner à son tympan, c'est près de cent décibels de rage ou d'avertissement que l'animal lui balançait au visage, le regardant bien en face et s'approchant de lui par moments. Franck rejeta les résidus de la balle au sol mais ça n'y changea rien, ce chien se faisait de plus en plus menaçant, ça devait s'entendre à des kilomètres de là. Lise, réveillée par le raffut, accourut, mais elle eut le réflexe de se tenir à distance. Pour qu'il arrête d'aboyer il suffisait de ne plus le regarder, de détourner les yeux. Franck le comprit et se dirigea vers Lise sans plus un regard au chien, tout en sachant que celui-ci ne le quittait pas des yeux.

— Lise, j'ai l'impression qu'il cherche à nous dire quelque chose.

— Qu'est-ce que tu lui as fait ?

— Rien, c'est lui, je suis sûr qu'il nous demande de ne pas rester là. De partir. Il veut nous alerter. C'est ça, il veut nous faire comprendre que quelque chose ici ne veut pas de nous.

— Franck, c'est tout ce que t'as trouvé comme prétexte pour rentrer à Paris... ?

— Mais non, Lise, je suis sérieux.

Octobre 1914

Depuis que cette guerre avait commencé, les matins inquiétaient davantage que les nuits. Avant que les hommes partent au combat, le monde se réveillait paisiblement, le soleil relevait doucement les feuilles, le jour déployait tout ce qu'il pouvait de piaillements et de lumière, soulevant le chant des rouges-gorges et des merles, les oiseaux promettaient l'azur, mais maintenant que des fauves électrisaient l'aube, les matins semblaient aussi sombres que les nuits. Chaque chant d'oiseau est un chant de survie. Si les oiseaux chantent c'est pour affirmer quelque chose d'eux-mêmes, marquer un territoire, tout comme le font les lions, sinon qu'eux répandent des grognements rauques qui tonnent comme des fracas de rochers. Pour peu que ces bruits-là vous aient réveillés, vous les gardiez en tête toute la journée, jusqu'au soir ils vous hantaient, comme une peur de se faire dévorer.

En trois mois l'habitude était prise, au village c'en était même devenu un adage : « Si un lion te réveille au matin, la peur te tiendra jusqu'au lendemain », du fait de cette profonde disposition de l'homme à créer des dictons et à les élever au rang de principes. Contrairement aux autres, Couderc le maître se disait enchanté par ces rugissements. Sur ce point il était comme les gosses. Les mômes quand ils étaient encore au lit et qu'ils les entendaient, ils priaient pour que ça dure. Ces cris de lions, pour eux c'était l'appel venu d'un territoire promis, celui des histoires qu'à l'école on leur faisait lire, des contes et des fables dont la magie animalière se mettait à exister pour de vrai. Entendre ces fauves, c'était pour eux le signe d'un cirque grandeur nature qui les attendait, une sorte d'ailleurs tentant. Heureusement que la côte était trop longue et dissuasive, sans quoi on aurait vraiment craint de les retrouver un jour au pied des cages. Pour le reste, les enfants comme leurs mères étaient trop épuisés pour avoir l'envie de fuguer. Depuis août ils avaient travaillé dur pour rentrer les récoltes et les foins, et très vite il avait fallu enchaîner avec les labours et semer de nouveau, tout faire sans les hommes lors même qu'il n'y avait plus d'engrais, plus de bœufs, plus de force. L'école avait repris, mais après les cours les enfants ne retournaient pas chez eux faire leurs devoirs, aussi longtemps que le soleil durait ils aidaient aux champs. Après les pommes de terre il y avait eu les noix, puis il y aurait les châtaignes, les champignons, tout ce qui supposait de se baisser, ce que les vieux ne pouvaient plus. Tant que l'automne avancerait il y aurait encore mille choses à assurer, et vu que les chevaux étaient partis secourir la patrie, pour les dix fermes il ne restait que trois bœufs, trois bêtes usées et boiteuses que la commission n'avait pas voulues. Au fil des tâches on se les prêtait, seulement les femmes n'avaient encore jamais conduit ces bestiaux-là, c'était pire qu'une épreuve, les bœufs quand on ne sait pas y faire c'est impossible à manœuvrer. Là aussi les mômes aidaient leurs mères, parce que soulever le joug, le sangler aux cornes de ces mastodontes, c'était déjà éprouvant. Les femmes y passaient des heures, à les harnacher, s'épuisant rien qu'à ça. C'est un pur travail de dompteur que de maîtriser des vieux bœufs de huit cents kilos, une fois qu'on les avait attelés c'était près d'une tonne qu'il fallait contenir, une tonne de muscles qui vous rabrouait quand elle ne vous mettait pas carrément à terre. D'autant qu'il fallait les conduire au plus serré, et même au centimètre près quand il s'agissait de labourer entre les arbres et de tourner au bout du sillon, il fallait sans cesse donner du muscle et de la voix. Après des journées si intenses, les femmes dormaient aussi profondément que les gosses, et cette fatigue était une aubaine, parce qu'elle empêchait de trop penser, elle asséchait le suc même de l'angoisse. Si bien qu'au matin, quand les hurlements des fauves les tiraient du lit, les mères se levaient avec en tête déjà mille choses à faire, tandis que les enfants traînaient sous les draps, à peine sortis de leurs rêves ils s'imaginaient dans on ne sait quel pays d'Afrique, environnés par des félins aimants, pas malfaisants pour un sou. Contrairement à leurs mères, ils songeaient à l'exotisme des joncs au bord de la rivière, ils s'inventaient des marigots luxuriants, la rivière devenait un fleuve dépaysant, un fleuve immense et chaud, alors que celle d'en bas se traversait en trois enjambées et n'était qu'un ruisseau à pourpiers.

Puis un jour l'irrationnel l'emporta. À la mi-octobre le soleil baissa d'un coup comme c'est le cas tous les automnes, mais les anciens se mirent à décréter que cette ombre qui durait jusqu'à midi, cette fois c'était la faute de l'Allemand. Couderc le maître leur répéta que cette ombre projetée par le rocher existait depuis le jurassique, depuis toujours le mont d'Orcières plongeait un pan de la vallée dans l'ombre matinale. Seulement, comme à tout malheur il faut un coupable, on rejeta tout sur le Boche, voilà qu'il était devenu un voleur de matins, il gardait le soleil pour lui, et plus on irait vers l'hiver, pire ce serait. Jusqu'en avril il retiendrait le soleil pour réchauffer la fourrure de ses bêtes, il se le réserverait toute la matinée et ne le restituerait que passé midi comme un arrosoir à moitié vidé.

Couderc le maître avait suffisamment voyagé dans les livres pour ne pas accorder trop de crédit aux croyances, et si l'on dit des voyages qu'ils forment la jeunesse, les lectures font bien plus, elles apprennent à envisager le monde depuis mille points de vue dispersés. Et s'il comprenait la peur que suscitaient ces fauves là-haut, il s'évertuait à colmater les croyances et les superstitions. Couderc le maître on l'avait toujours écouté, cependant depuis qu'il ne savait pas dire si cette guerre finirait bientôt ou si elle durerait, on se rendait compte que toute sa science n'avait aucun pouvoir sur les choses. Alors autant se fier aux intuitions, ces évidences soufflées de bien plus haut que les hommes.

Ce mont était damné longtemps avant que le dompteur s'y installe, mais justement, si ce faux Noé était venu vivre là, ce n'était pas par hasard, c'était bien la preuve qu'il était damné lui aussi. Et le fait est que depuis que l'Allemand habitait là-haut, tout se déréglait. Tout manquait. La nourriture, les bêtes, et surtout les voix de ces hommes absents. Depuis que l'Allemand était là, la fatigue ajoutait aux privations, tout s'envenimait. Et même s'il aurait été injuste de l'en tenir pour responsable, il fallait un coupable. Dès lors que les maux s'additionnent et qu'on ne peut rien contre eux, il faut un bouc émissaire pour expier cette impuissance. Pour de vrai on en voulait au dompteur de projeter cette ombre jusqu'à midi, cette ombre qui les punissait pire qu'une damnation. Et si on levait le poing ce n'était pas vraiment vers le ciel, mais vers ce sale sommet pour maudire le Boche. Qu'il ait choisi cet endroit, ça disait bien qu'il était le relais de la malédiction lancée de l'Est, et toute guerre étant un brasier, ce Boche et ses lions en étaient un retour de flammes, lui et ses fauves n'étaient pas venus là par hasard, mais pour propager l'enfer.

Août 2017

Au bout du deuxième jour, le rituel était installé. Franck se réveilla à sept heures du matin comme la veille, il se leva pour fermer les persiennes et empêcher que le jour éclatant inonde la pièce. La chambre baignait maintenant dans une lumière douce, le soleil glissait entre les lames des vieux volets de bois, recréant l'ambiance d'un beau matin d'été apaisant et frais. Il se recoucha sans se rendormir vraiment et comme la veille il se leva avant neuf heures.

Il descendit au rez-de-chaussée et se sentit rétrospectivement effaré à l'idée d'avoir dormi une fois de plus dans une maison ouverte à tous les vents, sans alarme ni protection. En ville, jamais ne lui serait venu à l'esprit de dormir sans même verrouiller la porte. Pas sûr pour autant que chez lui il y ait plus à craindre qu'ici, au milieu des collines.

Dehors tout était calme. Les cigales ne chantaient pas encore, quelques ritournelles d'oiseaux pétillaient dans un air propre. Au milieu de ce concert il ne reconnut que les deux notes caractéristiques du coucou. Les autres, il ne les identifiait pas, cette partition lui était parfaitement mystérieuse, malgré cela l'espace était d'une paix surprenante, sans le moindre indice de civilisation.

Hier soir, avec Lise, ils s'étaient couchés tard. Passé minuit la douceur de l'air les avait incités à rester dehors, à goûter la fraîcheur qui tombait enfin, l'air devenait un baume apaisant qui soulageait de la chaleur. Après une de ces tisanes odorantes dont Lise avait le secret, Franck était demeuré assis sur la chaise, les pieds posés sur la table et les bras ballants, il avait traîné longtemps dans cette position-là, comme en apesanteur, étourdi par le sentiment de bien-être qui montait du sol. Le chien n'était plus revenu depuis l'après-midi. Franck avait dû s'en tenir à ce constat, ce n'était pas possible de jouer avec lui, pourtant il avait fait un deuxième essai, il lui avait lancé un bâton bien épais, qu'il avait envoyé loin dans la pente, cette fois aussi. Comme avec la pomme de pin le chien s'était mis à cavaler pour récupérer le bout de bois et l'avait ramené en la serrant fermement entre ses mâchoires, mais là encore il n'avait pas voulu le rendre, ce bâton il le gardait pour lui, se mettant même à le bouffer comme s'il voulait le réduire en miettes. Franck avait bien essayé de le lui reprendre mais le chien s'était mis à grogner en le regardant méchamment, d'un coup devenu méconnaissable, comme enragé. Il massacrait obstinément ce bout de bois, bizarrement buté, au point que Franck s'était détourné de lui et l'avait planté là pour lui faire sentir sa désapprobation. Un peu par peur aussi, parce que le chien grognait salement dès qu'on approchait la main. À un mouvement brusque, Franck avait même cru que le molosse allait le mordre. C'est pourquoi il l'avait abandonné là, près de la réserve d'eau. De son côté le chien boudait, il continua à mastiquer ce bout de bois, à l'éclater sans relâche, jusqu'à le détruire totalement, après quoi il ne bougea plus, vexé d'être délaissé. Une heure plus tard, Franck le surprit qui repartait, il redescendait lentement la côte, la queue basse, visiblement déçu, il avait traversé toute la prairie avant d'entrer dans les bois en bas, sans doute pour repartir de l'autre côté de la colline, pourtant par là il n'y avait pas de chemin, encore moins de route, et à coup sûr pas de maisons. Étrange tout de même que ce chien s'en soit allé chaque fois dans cette direction, la plus sauvage de toutes. Avec Lise ils ne l'avaient pas revu de la soirée. Franck repensa à la tache lumineuse qu'ils avaient repérée sur Google Earth, le jour où elle lui avait montré l'annonce, ce grand reflet, de mémoire ce devait être à l'est, par là, de l'autre côté des collines, au-delà de ce parfait maquis qui ondulait, chaque fois c'était vers cette zone que le chien repartait.

La seule certitude, c'était que ce molosse ne savait pas jouer calmement. On ne lui avait jamais appris à aller chercher une balle pour la rapporter. Franck n'avait jamais eu de chien, en un sens il n'y connaissait rien aux chiens, il n'en avait jamais fréquenté si ce n'est lors de deux tournages où il en avait côtoyé et rémunéré grassement plusieurs, à vrai dire leurs dresseurs plus qu'eux-mêmes. Pour lui ça avait été l'occasion de découvrir le besoin qu'ont les animaux de s'en remettre à une autorité, et de se rendre compte qu'on pouvait tout obtenir d'un animal dressé. Ce qu'il avait découvert aussi c'est à quel point les acteurs n'aimaient pas jouer une scène avec un animal, parce que à chaque fin de prise il n'y en avait que pour lui, les compliments allaient toujours à l'animal plutôt qu'aux comédiens.

Loin d'avoir tout cerné du comportement des chiens, Franck avait au moins saisi quelque chose de celui-là, il était singulièrement buté ou égoïste, certes il ramenait toujours l'objet qu'on lui lançait mais il s'en tenait à ça. La balle, il la gardait pour lui et la détruisait. Comme s'il ne comprenait pas que c'était un jeu, qu'il puisse y avoir un plaisir à envoyer de nouveau cette balle, pour qu'il aille de nouveau la chercher, et ainsi de suite. De toute évidence ce chien n'avait pas envie de jouer, il voulait autre chose. Voilà pourquoi Franck était convaincu qu'il s'agissait d'un chien-loup, tout jeu lui paraissait dérisoire, propre à satisfaire l'homme plus que l'animal, parce que cette balle il allait la chercher avec la même gravité qu'on rapporte un gibier, sachant que le gibier une fois qu'on l'a rapporté à son maître, il n'est pas question de le relancer pour aller le chercher encore, au contraire, il faut s'assurer de l'avoir bien tué. Ce chien n'était pas domestiqué, probablement pas trop habitué à l'homme, pour lui toute course devait être utile, toute chasse avait un but, la nourriture, pas le jeu.

Avant que la nuit tombe, Franck était retourné du côté de la réserve d'eau, puis un peu au-delà. Il avait appelé le chien en essayant toutes sortes de syllabes, Oh-oh, Oh-là, Eh-ho, puis il s'en était tenu à Ohé. Pour appeler un chien dans cette immensité il fallait deux syllabes qui claquent, pas des syllabes molles. Cet appel-là, il n'avait pas craint de le lancer fort, de donner de la voix pour le hurler le plus puissamment possible, Ohé, Ohé, mais le chien ne s'était pas manifesté. Vers minuit, Franck avait de nouveau fait le tour de la maison, dans le noir complet, il était même allé jusqu'en bas de la colline pour jeter un œil dans la combe, voir si le chien ne se planquait pas à l'orée du bois, boudeur ou à l'affût, les espionnant comme il l'avait fait le premier soir. Mais il ne le trouva pas. Il se jura de demander une fois pour toutes aux Dauclercq à qui était ce chien, s'ils savaient d'où il sortait. Là-dessus il repensa encore à cette gigantesque chose brillante trahie par l'image satellite, ce reflet dans l'océan de verdure, une vision où la science-fiction se mêlait à la fantasy, peut-être que c'était vers ça que le chien rentrait chaque fois, une sorte d'igue, un genre d'antre où se rassemblaient les animaux sauvages, à moins qu'ils ne s'y soient accumulés, piégés par le vide soudain de la fosse calcaire, une basse-fosse peut-être même remplie d'eau, un lac profond vers lequel toute cette faune confluait. Ces bêtes qui la nuit bruissaient dans les parages et qui le jour se repliaient vers ce monde secret, ce chien en était peut-être le maître.

Octobre 1914

Nourrir des fauves convoque la barbarie. Pour que ses lions vivent il devait tuer. Chaque jour il s'adonnait à la cruauté la plus totale, sans s'en défendre ni le revendiquer. Toutefois, cette barbarie elle venait d'eux, c'étaient leurs gueules avides qui le contraignaient au crime. « Tuer pour vivre », l'imparable commandement qui règle le règne des animaux sauvages, c'était à Wolfgang qu'il revenait sans fin de l'honorer, devenant encore plus animal qu'eux, encore plus sauvage.

Le monde animal est fondé sur cette cruauté, même les herbivores les plus désengagés de la chaîne du crime finissent dans la gueule des carnassiers, en tant que proies ils participent du carnage. Les fauves du dompteur étaient délestés de l'angoisse existentielle de chasser, tout autant qu'ils éprouvaient de l'amertume à ne pouvoir le faire. Toujours est-il que ses lions et ses tigres l'assignaient à la mise à mort quotidienne, au risque de le vivre comme une obsession. Tous les matins il renouait avec l'instinct du carnassier, enrôlé d'office dans le grand cycle du vivant, officiant de la ronde mortifère. Il ne voyait rien de noble à ce rituel, rien de beau, c'était sauvage, et uniquement sauvage.

Pour se déculpabiliser de cette barbarie il se remettait en tête toutes les cruautés dont la nature elle-même est l'officiante, cette nature capable d'ensevelir toutes les chèvres de l'Himalaya en une nuit, d'asphyxier des milliers de moutons sous des bourrasques de neige, cette nature qui carbonise toute vie dans la furie des feux de savane et fracasse les poissons dans des crues soudaines, cette nature qui pétrifie chevaux, chamois et veaux dans ses débordements de lave en fusion... La nature est meurtrière, et ces bêtes qu'il tuait de ses mains pour nourrir ses fauves relevaient de la vie bien plus que de la mort.

Sans avoir la solennité des sacrifices incas ni la noblesse de l'offrande, ces meurtres n'en revêtaient pas moins un caractère rituel. Depuis l'arrêt du cirque, il veillait à ne pas trop nourrir les fauves, mais le vieux Théo dépassait les deux quintaux, les autres étaient tous adultes maintenant, et c'était pas moins de cinquante kilos de chair fraîche qu'il devait prélever chaque jour dans le monde du vivant. Jamais les prises de rivière ou les menus gibiers n'auraient suffi, pas plus que cette poignée de chèvres et de brebis, il lui fallait braconner des proies bien plus charnues. Au pire, quand une nuit il n'avait rien ferré dans les pièges, il se rabattait sur une des brebis ou des chèvres, dans ce cas c'était fort simple, il amenait la brebis ou la chèvre de l'autre côté de la maison pour ne pas être vu depuis les cages. Les lions bien sûr sentaient l'office, ils entendaient les couinements de la pauvre bête, des braillements qui ne faisaient que les exciter. Pendant dix secondes la paix infinie du causse s'électrisait du râle médiocre du petit animal, puis le calme revenait. Pour un lion, l'agonie d'une brebis relève du miaulement, rien à voir avec les beuglements du buffle ou de l'éléphanteau qui tombent sous leurs griffes, rien à voir avec la lutte enfiévrée de ces proies qui se défendent jusqu'à la mort, rien à voir avec l'antilope qui danse sa reddition ou la course terreuse du phacochère pliant sous les canines.

Chaque fois que le dompteur tuait pour ses lions et ses tigres, il repensait aux spectateurs face à eux, ces parents disant à leurs enfants que ces fauves n'étaient qu'amour, leur prêtant l'angélisme de grosses peluches, alors que dans leur regard il fallait bien plutôt lire la furie avec laquelle ils rêvaient de les dévorer tous. Pour éteindre les sourires sur les joues roses des enfants, Wolfgang leur racontait que dans la savane les mâles dévorent les bébés lionceaux, ils les tuent pour féconder la nouvelle lionne de leur propre semence. C'était même pour ça qu'à l'époque le grand Théo était à l'isolement, histoire qu'il ne brise pas la nuque des jeunes lions impurs qui n'étaient pas nés de lui et qui à présent étaient assez grands pour se défendre.

Tous les jours il partait dans les collines, c'est là que se trouvait l'aubaine miraculeuse, cette chasse sauvage inlassablement réalimentée.

Ce n'était pas des grands chasseurs d'Afrique qu'il avait appris à harponner les sangliers comme les cerfs et tout le gros gibier sauvage, mais de ses ancêtres bûcherons de la forêt de Bavière. Les sangliers étaient la prise maîtresse, la plus copieuse, quant à savoir comment il les attrapait, nul ici n'avait à le savoir, car à la violence qu'il faut pour tuer ces proies sans le moindre coup de fusil se serait ajoutée la sauvagerie de devoir défendre ses pièges contre les villageois d'en bas.

Tandis que le monde sombrait dans l'épidémie de la mort, par ici les chevreuils et les sangliers étaient dispensés de tout tir, au point de proliférer. Sans plus de chasseurs, le gibier était libre, débarrassé des prédateurs, les sangliers colonisaient les collines comme s'ils abordaient des terres nouvelles. Selon l'antique astuce, le dompteur avait aménagé une zone d'agrainage au fond d'une igue planquée au fond des bois. Son piège, c'était une cage rotonde qu'il avait dressée là, une haute cage dans laquelle il avait creusé deux bauges artificielles. En plus d'y enfouir des graines, il enduisait la base des arbres, autour de la cage, de goudron de Norvège, cette résine de pin qui dans les pays du Nord sert à étanchéifier les maisons. C'est de cet usage que les hommes auront observé que cette poix attirait les cochons sauvages, dès qu'une surface en était enduite les sangliers s'y précipitaient pour s'y frotter les flancs. Si au matin un sanglier était piégé dans la cage, que le sas s'était bien rabattu, le dompteur n'avait plus qu'à lui planter l'épieu. Il n'usait pas de fusil pour tuer ses proies, déjà parce qu'il n'en avait pas, et parce qu'en plus le bruit n'aurait pas manqué d'alerter. En revanche, s'ils étaient plusieurs, c'était au chien qu'il revenait de contenir les bêtes. D'instinct celui-ci choisissait d'abord le plus gros, non pas pour satisfaire le dompteur mais pour neutraliser le plus dangereux. C'est là la grande perversité de la nature, les animaux de fuite ont toujours moins de ruse que ceux de chasse.

Une fois les sangliers tués, le dompteur devait encore ramener ses prises en les traînant, attachées à la bricole du cheval. Ensuite, pour découper les carcasses encore chaudes, il lui fallait bien plus que de la force, il devait devenir tout aussi fauve que ses fauves. Quand les huit félins à la gueule béante le voyaient arriver avec les quartiers de viande sanguinolente, ils salivaient depuis des heures. Alors il commençait par servir Théo, à titre de chef, puis les autres, il leur lançait des pans entiers d'animaux, de la chair coriace et des os pour qu'ils retrouvent un peu de cette barbarie qui est le sel de leur vie. Les fauves plongeaient leur gueule dans les parts écarlates, ils mordaient là-dedans comme s'ils dévoraient le soleil du soir qu'ils n'avaient jamais pu attraper, un soleil rouge à la saveur de mort, en fouillant dans les chairs ils se mettaient du sang plein les pattes et les babines, enivrés par l'odeur de cadavre qu'ils y reniflaient.

Pendant tout ce temps le dompteur restait près d'eux. Un lion qui mange ne ronronne pas, de même qu'un tigre, il enfonce la gueule dans sa pitance avec une avidité totale, donnant une image assez saisissante du plaisir, le genre d'avidité charnelle que lui-même avait connue et qui l'aiguillonnait encore, pour peu qu'il croise cette femme, celle-là plus que toute autre. Au-delà de l'attirance propre à la chair, il n'arrêtait pas de penser à cette femme, tout en se l'interdisant. Seulement, depuis qu'il l'avait tenue dans ses bras, ce jour où un vertige l'avait fait tomber de cheval, depuis qu'il avait senti ce corps si léger et détonnant de douceur, mille fois il l'avait de nouveau serrée contre lui, mille fois il s'était vu la serrer dans ses bras, sans plus rien retenir de son désir inexpiable. Parfois il la voyait passer à cheval dans les chemins en bas, comme si elle cherchait à se perdre ou à le retrouver. Cette femme, chaque fois qu'il la voyait, c'était bien plus que du désir qu'il ressentait, presque de la faim. Cependant, si elle revenait par ici, s'ils se rapprochaient tous les deux au point de s'étreindre, voire même de s'attacher, il serait imprégné de son parfum, de son odeur, et ça les lions ne le supporteraient pas. À partir de là, c'est sûr, il perdrait sur eux toute autorité, à partir de là les fauves ne le respecteraient plus.

Août 2017

La veille, Franck avait oublié d'acheter du café, ça lui fournissait un prétexte pour retourner en ville, replonger dans la civilisation. Il devrait aussi télécharger la trentaine de scénarios qu'il s'était promis de lire pendant les vacances, il voulait les imprimer, si jamais il trouvait un cybercafé ou une boutique dans le genre. En descendant la colline cette fois, il avait un peu plus d'assurance. Par endroits la pente était si forte qu'il surplombait le tableau de bord, le poids du corps projeté sur le volant. À force il commençait à prendre ses repères, il avait repéré les passages un peu délicats, deux couloirs étroits entourés de buis d'un côté et de roches proéminentes de l'autre. De même qu'il avait repéré les pierres saillantes qui tapaient dans le bas de caisse, puis les branches trop longues qui mordaient sur le chemin, les buissons hirsutes qui agrippaient la voiture.

Une fois en bas sur la route goudronnée, d'un coup il se libéra de tout ce stress et roula à faible allure. Ce matin il n'avait toujours pas envie de mettre de la musique, encore moins d'écouter les informations, aucune envie de savoir où le monde en était. Au bout de deux jours il se sentait déjà curieusement déconnecté. En un sens Lise avait raison, jamais en croisière ou sur une plage il n'aurait ressenti cette forme d'éloignement. Ici, non seulement il avait l'impression d'être sorti de sa vie, mais quasiment de la civilisation. Il n'aurait jamais cru qu'en France il y ait des coins aussi paumés où éprouver cela, ça expliquait sans doute pourquoi une poignée d'êtres insolites avaient à un moment ou à un autre trouvé refuge dans ces causses-là, de Louis Malle à Romain Gary, d'André Breton à Nino Ferrer ou Léo Ferré, tous étaient venus ici, pour se perdre ou se dégager du monde.

Sur la route qui conduisait à la ville il ne croisa personne, pas plus qu'il ne vit de maisons aux alentours. Parfois, des chemins ouvraient une brèche dans le bas-côté, des sentes ou des allées en bitume gris qui s'embranchaient vers la droite, s'enfonçaient vers la gauche. En jetant un œil en passant on ne voyait rien, chaque fois le chemin plongeait dans la verdure ou derrière un virage. De la même façon, la route débouchait d'un coup dans la ville, après une haute falaise et un tournant serré on tombait sur le panneau Limogne, et très vite les premières maisons étaient là. Un faubourg assez dense menait directement au centre-ville, on passait instantanément de la route perdue de campagne aux petites rues de la ville.

La modestie de cet urbanisme lui faisait du bien. Il se gara, à l'ombre cette fois, et ralluma son portable. Dans sa main l'appareil se mit à trembler exagérément, il y avait toute une série de mails, de notifications, mais surtout d'appels, la plupart de Liem et de Travis, émis depuis leurs portables aussi bien que du bureau. D'emblée ça l'énerva, avant même de savoir s'il y avait réellement une urgence, s'il s'agissait d'une bonne nouvelle ou d'une contre-proposition, ça l'énerva. Ces deux-là s'étaient juré de lui coller la pression, leur intention étant sans doute de le culpabiliser, histoire de bien marquer qu'eux, contrairement à lui, étaient restés à Paris. Eux ils assuraient pendant que lui se tirait trois semaines en vacances. Liem et Travis étaient de la génération digitale, ils travaillaient selon les codes d'outre-Atlantique, le genre de jeunes loups qui ont faim et ne décrochent jamais du boulot. Franck l'avait tout de suite compris en s'associant à eux, ils avaient à peine trente ans mais ils avaient faim, et justement c'était ce côté *jeunes loups* qui lui avait plu. Mais là, après deux jours de recul, il était certain que ces deux-là relevaient du clan des charognards plus que des loups.

Dans un éclair de mauvais esprit, il les imagina profitant de son absence pour tenter de redéfinir les termes du contrat qui les liait tous les trois. En deux jours seulement, il avait la nette sensation d'y voir plus clair. Après plus de vingt-cinq ans passés dans le monde de la production, il n'était pas dupe, il se doutait bien que ce qui intéressait Liem et Travis, en plus de sa société et de ses équipements, c'était son expérience du long-métrage, ainsi que son palmarès et bien sûr ce fameux catalogue. Quarante-huit films à ce jour. Une collection de films dont il possédait les droits, dont une dizaine fortement cotés, ça représentait le fruit d'un quart de siècle de travail. Un catalogue pour un producteur, c'est comme un trésor, une assurance-vie, surtout quand certains films passent régulièrement à la télé ou un peu partout dans le monde. Dans le sien, il en avait deux de Chabrol et un de Resnais, un de Jarmusch et deux de Giannoli, ainsi qu'une bonne vingtaine d'autres dont il était fier et qui avaient été des succès. Ce trésor il ne voulait pas le partager et encore moins le céder. Même s'il avait besoin d'argent, il voulait en rester le maître. Si ça se trouve, Liem et Travis s'affichaient avec et s'en prétendaient codétenteurs, ils s'en prévalaient pour appâter les gens de Netflix, leur obsession étant bien de détenir du *contenu*, ils n'avaient que ce mot à la bouche, créer du *contenu*... Liem et Travis savaient bien que Netflix comme Amazon avaient besoin de contenu pour remplir leurs tuyaux, mais si Franck se méfiait de ces mastodontes, ses associés au contraire voulaient s'en rapprocher, leur stratégie c'était même de leur proposer des parts, de les faire rentrer au capital, ce qui reviendrait à faire rentrer le loup dans la bergerie avec l'illusion de s'en faire un allié. À un aucun moment ils ne prenaient en compte le risque qu'il y a de se faire bouffer quand on pactise avec beaucoup plus gros que soi.

Pour Franck, tout devint clair quand il pénétra à l'intérieur du café. Ce matin encore il s'installa tout au fond, les autres clients étaient assis en terrasse où il ne restait pas une table de libre. Il ouvrit son ordinateur portable qui, cette fois, se connecta automatiquement au Wi-Fi, et là dans les colonnes de mails qu'il recevait, il décela tout de suite ceux de Liem et de Travis, avec le petit symbole rouge qu'on affecte aux mails urgents. L'un comme l'autre avaient le même *objet* : « Avenants au contrat ». Ça avait le mérite d'être clair. Ces deux mails-là, ce n'était même pas la peine de les lire, Franck savait d'avance ce qu'ils contenaient. Il commanda un double express, se promit de ne pas oublier d'acheter du café et des bouteilles d'eau de cinq litres à la boutique bio, parce que la mère Dauclercq avait sans doute raison à propos de l'eau du robinet, Lise ne se sentait pas de la boire, pas même en la faisant bouillir.

Le vrai problème c'était que Liem et Travis ne travaillaient pas au même rythme que lui, pour eux il fallait que tout aille vite. Vu leur âge ils avaient grandi avec un smartphone dans les mains, puis ils s'étaient formés à l'économie numérique et aux jeux vidéo, travaillant dans plusieurs pays dont les États-Unis. Franck se prenait de plein fouet cette différence d'âge et de culture. Pour tout mettre à plat, le plus simple serait de leur téléphoner maintenant, de s'expliquer de vive voix. Mais il n'y arrivait pas. Même là, au fond de cette grande salle vide, bien que parfaitement tranquille et importuné par personne, il ne se sentait pas dans les meilleures conditions pour passer des coups de fil. Surtout pas pour parler de Netflix et du catalogue. Dans ce contexte il avait le sentiment d'être totalement à côté de la plaque, après une deuxième nuit passée dans cette maison, après seulement deux jours au milieu de ces collines paumées, il se sentait très loin de ses repères et de ses préoccupations habituelles, au point d'être même dépossédé du vocabulaire et de la présence d'esprit qu'il faut pour se mettre à parler business au téléphone.

Un gros 4 × 4 se gara en face du café, de l'autre côté de la rue. À l'arrière il y avait une grande cage en fer fixée sur le plateau du pick-up, partagée en plusieurs box. À l'intérieur, Franck distingua deux gros chiens, portant chacun un collier d'un orange vif et phosphorescent, qui luisait dans la petite nuit de leur prison grillagée. Sur le moment Franck crut se voir à leur place, c'est ce que Liem et Travis comptaient faire de lui, le coincer et le mettre en cage pour le mener où bon leur semble. Tout de même, il lut à la va-vite leurs mails, et aussitôt il comprit l'embrouille, cette fois ils voulaient effectivement qu'il leur cède les droits du catalogue et en attendant, ils demandaient à pouvoir s'en prévaloir afin d'être plus armés pour négocier avec Netflix et Amazon, puisque ces monstres ne les effrayaient pas et qu'ils y avaient des contacts, un ami de Liem s'occupait de la zone Europe, il venait de prendre ses fonctions aux Pays-Bas, aux Pays-Bas comme par hasard, non pas pour s'affranchir des règles mais pour les contourner. En contrepartie, Liem et Travis lui notifiaient noir sur blanc qu'ils accéderaient à sa « folie » selon leur terme, autrement dit ils lui laisseraient les mains libres pour produire le film qu'il avait en projet, sous-entendu ce film qu'il voulait faire pour que Lise y tienne un rôle ou, pourquoi pas, le réalise. Ça ressemblait à du donnant-donnant mais ce n'était pas clair, surtout qu'aucune de ces belles intentions ne figurait dans les avenants au contrat.

En somme ils le forçaient à pactiser avec l'ennemi, ce qui pour lui revenait à se livrer pieds et poings liés à ces ogres. Cette stratégie il la sentait poindre partout autour de lui, comme s'il suffisait de s'associer avec une plateforme américaine pour avoir l'assurance de bénéficier de leurs millions d'abonnés. Face à cela, sortir ses films en salles reviendrait à faire du cinéma à l'ancienne. Sachant que chaque fois il faut prier pour que les entrées soient importantes dès la première séance du mercredi matin, que la météo soit favorable ce jour-là, qu'il ne fasse pas trop beau mais ne pleuve pas non plus, tout ça pour quelques dizaines de milliers de spectateurs... Dans l'esprit de pas mal de producteurs de la nouvelle génération, ce schéma-là était dépassé, pour eux c'était le cinéma de papa, un processus ringard et trop risqué.

L'image que Franck se faisait d'Amazon et Netflix, c'était celle de deux prédateurs mille fois plus gros que tout le monde, avec un appétit sans limite, deux super-prédateurs qui comme les loups régulent l'écosystème en éliminant d'abord les proies les plus faibles, les plus petites, les plus vulnérables, avant de s'imposer comme les maîtres absolus du jeu... Liem et Travis ne se rendaient pas compte qu'à ce jeu tout le monde se ferait dévorer, les grosses plateformes du numérique feignant d'avoir besoin de l'expérience des producteurs français, alors que ce n'était qu'une astuce pour mieux les avaler.

Le vieux Land Rover restait garé, le moteur en marche, personne n'en sortait. On ne voyait pas le visage du conducteur, replié dans l'ombre. Finalement, la portière gauche s'ouvrit. Un homme d'une trentaine d'années descendit de ce 4 × 4 rugueux, il portait un pantalon treillis, un T-shirt militaire. À ce moment-là un autre homme le rejoignit à pied, beaucoup plus âgé, en pantalon treillis lui aussi. Ils se serrèrent la main et se tinrent là, fumant une clope et parlant, accoudés à la ridelle du véhicule, sans lancer un seul regard aux chiens. À l'intérieur des cages, ils semblaient calmes. Sans même le décider vraiment, plutôt que de continuer à lire ses mails et d'éplucher les avenants en pièce jointe, Franck referma son ordinateur, traversa la salle et sortit dehors, là il rejoignit les deux bonshommes sur le trottoir d'en face, et de but en blanc se mit à leur parler des chiens.

— Ils sont beaux !

L'adjectif parut les surprendre. Ou alors était-ce le fait qu'un inconnu, un touriste, leur adresse la parole. Toujours est-il qu'ils restèrent un temps sans répondre. Puis le conducteur se retourna vers les cages et enchaîna :

— Beaux ? Si on veut. Ils sont coriaces surtout...

— Ce sont des chiens de chasse ?

— Non, ça c'est un rhodésie et celui-là un rouge de Hanovre.

— Donc, c'est bien des chiens de chasse ?

— Non, des chiens de sang.

De toute évidence les deux types ne comprenaient pas ce que leur voulait ce vacancier, pas plus que Franck ne savait ce qu'étaient des chiens de sang. Le conducteur du 4 × 4 se montrait plutôt bienveillant et courtois, alors que le plus âgé se taisait, ne masquant rien de son agacement face à ce touriste, ce citadin qui venait peut-être leur chercher des histoires à propos de la chasse ou de quelque chose comme ça. Du moins c'est ce que Franck ressentit, tant le plus vieux le regardait d'un sale œil. Le conducteur, sans doute flatté qu'on lui parle de ses chiens, marcha vers eux, prêt à les décrire en détail avec la pédagogie d'un soigneur, tout en les inspectant au travers des barreaux pour voir si tout allait bien. Franck le relança innocemment.

— Et c'est quoi, des chiens de sang ?

— Vous n'êtes pas chasseur, vous...

— Non.

— C'est pour remonter le gibier touché. On lance les chiens sur les traces de sang, et comme

261

ça on remonte jusqu'à l'animal blessé. Mais attention, faut pas compter sur ces chiens-là pour se mettre au ferme, c'est pas des chiens d'arrêt.

— Ah bon. Et sinon, vous pensez qu'il y a des chiens sauvages dans le coin, je veux dire des chiens sans collier, des chiens qui se seraient sauvés ?

— Alors ça, j'en sais rien. Ça m'étonnerait. En battue c'est vrai qu'on perd toujours des chiens, mais en général on les retrouve, et ils ont toujours un collier.

Le vieux type semblait de plus en plus agacé. Sans doute parce que le mot chasse avait été prononcé, et celui de battue surtout, Franck l'avait bien senti. Il ne fallait pas parler de ça, du moins pas devant un étranger. Les gens d'ici, en tout cas ceux qui chassaient, n'avaient aucune envie qu'un citadin débarqué d'on ne sait où aborde avec eux ce sujet ô combien clivant. Franck se crut obligé d'ajouter, manière de les amadouer :

— La recherche au sang, ça doit être passionnant. Mais vous faites ça, comment dire... enfin c'est un métier ?

— Non, c'est juste qu'on aime les bêtes. Y a toujours des chasseurs qui blessent le gibier sans le tuer, soit parce qu'ils visent mal, soit parce qu'ils ont pas les bonnes balles, alors plutôt que de laisser les bêtes agoniser dans la nature, nous, on les remonte à la trace, c'est humain.

— Et vous en faites quoi de ces bêtes blessées ?

L'homme planta son regard dans celui de Franck, totalement décontenancé par sa naïveté, et c'est le vieux qui lâcha :

— On les tue.

Franck, un peu déstabilisé par cette réponse, leur répondit juste, avec une approbation feinte :

— Je comprends.

Il dut le dire avec trop peu de conviction. Toujours est-il que les deux hommes n'y crurent pas vraiment. Tout de même le propriétaire du véhicule, par pure politesse, lui lança qu'un jour il faudrait venir avec lui, comme ça il verrait ce que c'est.

— Pourquoi pas. La chasse est déjà ouverte ?

— Pour nous, oui. Mais attention, à la balle propre et au coucher du soleil seulement.

Le type ne cherchait même pas à mystifier Franck, sa réponse était neutre, supposant que Franck saurait ce que ça signifiait, alors qu'en fait il n'en avait aucune idée. Franck leur proposa de prendre un café, mais le plus jeune refusa, prétextant qu'il fallait y aller avant que la chaleur monte, de toute évidence les chiens avaient chaud. Quant au vieux il ne le regardait même plus. Les deux hommes montèrent dans le 4 × 4 et le gars au volant demanda à Franck :

— Vous êtes en vacances ?

— Oui.

— Dans quel coin ?

— Vers le mont d'Orcières.

Le jeune type parut surpris, presque choqué.

— En haut ?

Franck ne sut comment interpréter cette réaction, par prudence, il n'osa pas avouer où il était précisément, de toute façon, à cet instant, le moteur se mit en marche bruyamment.

— Non, en bas, pourquoi ?

— Pour rien. Mais faut pas trop traîner en haut, c'est plein de bestioles... !

Le plus vieux ne masquait plus du tout son énervement et pressa même le conducteur d'y aller en lui prenant le bras et en lui disant de laisser tomber. Le jeune type commença de manœuvrer, mais Franck insista en s'accrochant à la portière.

— Des bestioles, qu'est-ce que vous voulez dire par là ?

— Une fois sur le mont, ça part en ligne droite jusqu'au Massif central et aux Alpes... Plein est ! Alors y a de tout là-haut, des loups, des sangliers, des lynx, c'est la savane, et puis surtout y en a qui chassent bizarre, vous comprenez...

— Non.

Le plus âgé s'énerva pour de bon et lança au conducteur.

— Bon Dieu, Julien, on y va !

La voiture démarra.

— C'est le Far West là-haut, le vrai Far West !

Franck gardait les deux mains sur le montant de la portière, puis la Land Rover déboîta, le plantant là. Le pot largua un beau nuage noir et le 4 × 4 s'éloigna le long de la rue dans des pétarades enrouées, un bruit sale et rauque d'échappement. Les chiens se tenaient debout dans les box à l'arrière, dressés haut sur leurs pattes, tenant l'équilibre, avec leurs colliers fluo-rescents et des regards pas trop engageants.

Franck se retrouva aussi dépourvu qu'un per-sonnage dans un des films qu'il aurait pu pro-duire, le genre de vagabond naïf qui vient de se faire planter par deux cow-boys, deux autoch-tones lui en ayant trop dit, alors il se doit de les craindre désormais, ces deux cow-boys, craindre de retomber sur eux ou leurs alliés, de fait il se trouve sous le coup d'une menace.

Franck retourna vers le café. Le patron der-rière le comptoir, ce grand type avec un piercing dans le nez qui jusque-là ne lui avait pas dit un mot, l'accrocha du regard. Franck y décela une réprobation, comme s'il venait de parler à des criminels.

— Vous les connaissez ? demanda le patron.

— Depuis deux minutes… Et vous ?

— Moi, je parle pas aux viandards… Vous n'avez pas vu le menu ou quoi ?

Franck jeta un œil à l'ardoise posée sur le bar. Apparemment l'établissement était végétarien, en tout cas il n'y avait pas de viande à la carte, mais du brochet et de la truite quand même. Découvrir cela eut valeur de ralliement, Franck s'accouda au comptoir et dit qu'il prendrait un second café.

— Serré comme l'autre ?

— Oui, mais un double.

Le patron était un grand blond avec une coupe rasta, des dreadlocks ramenées en chignon. La veille, en se postant dans ce café, Franck s'était senti mal à l'aise face à ce jeune homme, d'autant qu'il l'avait accueilli d'un bonjour sans chaleur. Selon ses a priori il le voyait comme un trentenaire probablement altermondialiste, T-shirt court et bras tatoués. Si bien qu'hier comme ce matin, un peu gêné, Franck n'avait qu'à peine dit bonjour. De son côté, le gars devait le prendre pour un vacancier revêche, le client qui s'installe délibérément au fond pour refuser le contact avec les indigènes. Franck n'était pas si sauvage et si antipathique que ça, mais il se sentait déboussolé dans cette petite ville, totalement en dehors de sa zone de confort, voyant en tout un exotisme dépaysant. C'est la cruauté de la gêne, dès lors qu'on se sent mal à l'aise on a l'impression que tous les autres le voient, qu'ils ne voient que ça de vous, on se met même à leur en vouloir de nous déchiffrer à ce point. Cela dit, ce jeune patron s'avérait sympathique. Le type tira les cafés à la machine et les posa sur le bar, manière d'inviter Franck à la conversation.

— Dites, j'aurais besoin d'imprimer quelques pages, à votre avis où est-ce que je pourrais faire ça ?

— Ça dépend, combien y en a ?

— Disons, une trentaine de fois cent pages.

— Sérieux ?

Pour lire des scénarios Franck avait besoin de les imprimer, à l'ancienne, et de prendre des notes dessus. Dans un petit réduit derrière le bar, Rémy n'avait qu'une vieille imprimante à jet d'encre, et surtout qu'un demi-paquet de feuilles. Alors il lui parla de Sören, un illustrateur qui vivait dans une ancienne ferme paumée à dix kilomètres de Limogne, pas de doute que ce Sören serait prêt à lui imprimer tout ce qu'il voulait, pour peu qu'il le dédommage. Franck comprit qu'ici ce devait être le royaume de l'entraide, pour ne pas dire de la débrouille. En expliquant à Rémy qu'il travaillait dans le cinéma, qu'il était producteur, les yeux de l'autre s'allumèrent. Franck regretta cette confidence, d'autant qu'on le voyait rouler par ici avec une Audi Q7, non pas qu'il ait peur qu'on le repère, ou qu'on le prenne pour un riche plein de fric, mais parce qu'il craignait qu'on lui fasse passer des propositions, des demandes, qu'on lui parle de tel ou tel projet ou comédien en manque de rôle. En fait non. Rémy nota juste sur un Post-it le nom du lieu-dit où habitait Sören, en y joignant un petit dessin du parcours, car là aussi le coin était complexe. Il appela même l'illustrateur devant Franck pour savoir s'il pouvait imprimer les scénarios. C'était faisable. Trois euros l'un, signe que ces types-là ne cherchaient absolument pas à le pigeonner, juste à rendre service.

Franck régla ses consommations et au moment de partir il demanda à Rémy ce qu'il pensait du mont d'Orcières, si l'endroit avait une réputation particulière.

— Orcières, mais y a plus rien là-bas.

— Si, il y a un gîte.

— En haut, ils louent là-haut ? Ça, c'est une première.

— Vous ne le saviez pas ?

— Non. Personne n'y monte jamais, déjà à cause du chemin, et puis y a rien dans cette baraque... Je sais même pas si y a l'eau. Et comment vous avez trouvé ça ?

— Une annonce sur Internet.

— Sur Internet ? C'est dingue, la vieille doit avoir près d'un siècle...

— Vous la connaissez ?

— Non, elle vit en Espagne depuis des lustres, je l'ai jamais connue... De toute façon une fois là-haut y a rien, y a pas de rivière, et les chemins ne sont pas entretenus, mômes on pouvait même pas y faire de l'enduro... Non, ce coin-là c'est sauvage, à part des embrouilles de chasse y a rien, tout est abandonné.

En l'écoutant, Franck eut cette vision de Lise telle qu'il l'avait laissée ce matin, nue sous un simple drap, les fenêtres ouvertes aux quatre vents, isolée et sans défense en haut de ce mont dont tout portait à croire qu'il était fréquenté par une faune de braconniers et de chasseurs qui y réglaient leurs comptes. Se superposa l'image du chien errant, s'il lui prenait de devenir mauvais comme hier, de mordre, d'attaquer... Il claqua un billet de dix sur le comptoir et alla récupérer son ordinateur, son sac et ressortit en saluant le patron, tout étonné de le voir soudain si pressé.

— Eh ! N'oubliez pas le Post-it... Sinon vous ne trouverez jamais.

Une fois dehors, il ne souvenait plus où il avait garé la voiture. Tout en la cherchant il réalisa qu'il avait complètement oublié de rappeler

Liem et Travis, il n'avait aucune envie de penser à eux en ce moment, et surtout pas de leur parler. Les faire poireauter était peut-être la meilleure stratégie à leur opposer.

L'Audi était maintenant en plein soleil, absolument plus protégée par le vieux platane déplumé. Avec sa carrosserie bien noire, c'était un vrai four quand il monta dedans. D'un coup il fut en nage. Il mit la clim à fond. Il s'en méfiait de ces histoires de chasse, de ces animaux qui se baladaient ou pas, dès le départ il avait bien senti que cet endroit avait quelque chose de maléfique, rien que le nom, le mont d'Orcières, ça faisait ferreux, aiguisé, et surtout dès qu'il en parlait ici, ça déclenchait des sous-entendus et des méfiances. Déjà au moment de l'annonce, le fait de communiquer avec des gens qui restaient en retrait, étrangement distants, c'était suspect, et à présent, après l'accueil de la mère Dauclercq, et tout ce qu'on lui en disait, il semblait vraiment que quelque chose n'allait pas.

Il roula en laissant la clim à fond. Il était à peine midi et le thermomètre sur le tableau de bord annonçait 31 degrés. Là encore il ne croisa personne sur la route. Il arriva à l'entrée du chemin qui montait au gîte, mais finalement il continua jusqu'à la ferme, il voulait dire deux mots aux Dauclercq, il savait que ce chien était le leur, il voulait savoir pourquoi ils le leur envoyaient. Au moment où il s'apprêtait à s'engager dans la cour, il se ravisa, là, juste devant la niche, un grand chien se tenait debout, un grand chien marron, un peu las et sale, rien à voir avec l'autre. Le molosse en voyant la voiture se raidit au point de tendre la chaîne et se mit à aboyer, alors Franck recula. Non pas qu'il en eût peur, simplement il tenait la réponse à sa question, le chien-loup d'en haut n'appartenait pas aux Dauclercq. Cette niche n'était pas sa niche. Franck manœuvra pour faire demi-tour, mais le père Dauclercq s'avançait déjà vers lui. Il venait de la gauche, il devait sortir du hangar, à l'ombre duquel reposait un tracteur. Franck ne put faire autrement que de s'arrêter. Le père Dauclercq alla jusqu'à la voiture. Franck baissa sa vitre.

— Vous avez besoin de quelque chose ?

— Non, merci, c'est juste que j'ai raté le chemin, alors je fais demi-tour.

— Ah bon ? Pourtant il est loin le chemin...

— Quand on connaît pas, on se perd facilement.

Le chien avait une tête énorme, il était presque aussi haut que sa niche. Il les observait de loin. Le plus troublant, c'est qu'il avait une tête tellement large qu'elle paraissait humaine, une tête renvoyant une expression d'hostilité absolue...

— C'est quoi comme chien ?

— Un rhodésie, mais il est vieux.

— C'est pour la recherche au sang, c'est ça ?

— Ça pourrait, il a du flair, mais le rhodésie au départ, c'est pour chasser le lion.

Franck le regarda avec une expression de froide désapprobation, fâché d'être pris pour un con, d'ailleurs il faillit le lui dire, mais il se retint.

— Dites-vous qu'en Afrique, quand les chiens gardent le bétail, ils se frottent à des lions et à des guépards, c'est pas comme ici. Y a que les rhodésies pour faire reculer des fauves.

— Mais qu'est-ce que vous fabriquez avec un chien comme ça, en quoi vous en avez besoin, y a pas de lion par ici...

— Non, mais j'avais du bétail.

Le père Dauclercq affichait un air d'ironie tranquille, et en même temps implacable. Quoi qu'il dise, on pouvait croire qu'il s'agissait d'humour, alors qu'en réalité il s'en tenait toujours au plus banal premier degré. Face à cette gueule de chien monstrueuse, Franck fut repris de visions atroces, il se voyait arriver là-haut et tomber comme hier sur la maison vide, sans signe de vie, puis monter dans la chambre pour y constater que les volets étaient toujours fermés, et là dans la pénombre chaude entrevoir le corps de Lise déchiqueté dans le lit.

Octobre 1914

Partout les corps étaient malmenés. Déjà il y avait ceux des soldats offerts corps et âme à la patrie, des corps exposés au feu, des corps hébétés, épuisés, blessés, disloqués sous les bombes, et à des kilomètres il y avait les corps épuisés des femmes à l'arrière, des corps éreintés par l'angoisse et les restrictions, des corps harassés de paysannes et d'enfants qui remplaçaient les hommes en travaillant dans les usines ou dans les champs, des corps plus ou moins solides de femmes se harnachant pour tirer l'araire, prendre la place des bêtes de somme envoyées sur le front. Les corps ne s'appartenaient plus, à l'arrière comme au combat, son corps n'était plus à soi, son corps on en faisait don, à l'absence ou la patrie, la France était un royaume de corps absentés.

À l'automne, les femmes comprirent que malgré les nouvelles rassurantes et les prétendues victoires, les hommes ne seraient pas revenus pour les travaux d'hiver, ce serait donc à elles de couper le bois et de nettoyer les fossés, à elles de réparer les chemins ravinés par les pluies et de débourrer les gouttières. Les hommes il ne faudrait pas non plus les attendre pour curer les fosses et réparer les cours, sans quoi la fange et le fumier prendraient le dessus sur la terre, là encore les corps des femmes et même ceux des vieillards durent se hisser au-dessus de leurs forces pour pallier l'absence des hommes, des hommes robustes habitués à supporter les charges depuis la nuit des temps.

Dans cet univers de l'épuisement, seul le corps du dompteur semblait ne pas souffrir. Un corps puissant et droit. Joséphine l'apercevait quand il descendait au village chercher de la paille, le matin tôt. En plus de le voir, elle ne cessait de penser à lui. Plus que toute autre elle observait ce corps sculpté de belluaire, d'autant qu'elle avait en tête les contours du corps qu'elle avait vu au cirque à Villeneuve, le dompteur torse nu dans son numéro de dressage. Ce jour-là, assise au premier rang des gradins, elle l'avait juste devant elle ce corps magnifié par les lumières, elle l'avait suivi évoluant dans son environnement fauve, un corps pour lequel tout le public tremblait, un corps quasi nu au milieu des lions dont on redoutait à chaque seconde qu'ils ne le tuent. Par la suite ce corps elle l'avait vu aussi sur les affiches rouge et or, ces publicités où on le voyait habillé en Spartacus et qui étaient restées placardées un peu partout dans le canton. Ce corps qui depuis l'avait tenue. Si bien que quand elle le voyait passer au matin dans le village, Joséphine refusait de lui accorder un regard tout autant qu'elle le guettait. Car dans ce monde de corps solitaires et dédaignés, avec l'odieuse vision du corps sans vie de son mari quelque part, ça n'était pas possible de le regarder ce corps, ni même d'y songer. Pourtant il la hantait. Il la hantait ce dompteur dont elle était tout étonnée qu'il soit bien réel, il la hantait au point de prendre plus de place que le souvenir du corps qui pendant cinq ans avait dormi là, juste à côté d'elle. Le docteur Manouvrier à cette heure, elle ne savait même pas s'il existait sous la forme d'un corps entier ou s'il n'était plus que chairs disloquées mélangées à la terre, c'était impensable de se le représenter autrement qu'intact, lorsqu'il n'était sans doute que fragments dispersés par le souffle des bombes. Un corps qui durant des années se reposait à cette même place, dans ce même lit, depuis des années ils s'aimaient sans plus se toucher, mais il était là. Chaque fois que le dompteur passait devant sa fenêtre, elle enrageait à l'idée de cette guerre avide qui dépossédait de tout, vous privant même de ce que vous n'aviez plus, cette guerre vous prenait tout.

Ce n'est que huit semaines après la disparition déclarée du médecin que le maire reçut des informations précises. Un matin il les transmit à Joséphine sous le sceau du secret. Cette basse besogne lui était insupportable, il priait pour n'avoir jamais à la refaire, sans y croire. Joséphine en l'entendant frapper à la porte de si bonne heure avait compris, il s'était bien habillé en plus. Pendant qu'il cherchait ses mots elle lui avait fait un café. Dans le journal de marche des opérations, on avait rapporté que le docteur Manouvrier s'était montré héroïque. Selon les termes convenus, il avait eu l'occasion de « faire preuve de son courage ». Seulement, fin août, déjà fin août, il avait été capturé par les Allemands alors qu'il secourait des blessés sur le champ de bataille, des soldats tout juste tombés sous le feu de la mitraille à la bataille de Morhange. Malgré son brassard et celui de ses aides-majors, malgré les dix blessés qu'ils venaient de hisser sur une bétaillère réquisitionnée, malgré l'évidence de leur statut ils avaient tous été faits prisonniers et accompagnés sous bonne escorte jusqu'à un presbytère reconverti en hôpital de campagne par les Allemands. Si bien que les soignants comme les blessés étaient devenus de fait des prisonniers.

Dans cet hôpital précaire, les Allemands négligeaient les blessés français, ils gardaient la teinture d'iode et les pansements pour leurs blessés, de même que les pommes de terre et la viande. Aux Français ils ne laissaient que du lait et de l'eau, de la morphine tout de même, pour qu'ils ne hurlent pas et ne dérangent pas les autres. Cependant, les combats se rapprochaient. Sur le toit de l'hôpital improvisé avait beau flotter le drapeau de la convention de Genève, un obus de cent kilos était tombé dans la cour, puis un deuxième, puis d'autres dispersant une fumée jaune qui stoppa net l'onde de cris et de fracas, puis on n'entendit plus rien. Fini les râles des blessés, les cris et les verres qui éclatent. Ils avaient tous été éparpillés, leurs corps ne reposaient même pas au pied d'une croix, une de ces croix de bois sur lesquelles on écrivait le nom au crayon à mine, des noms illisibles au bout de deux pluies, effacés au bout de trois. Joséphine avait l'image de tous ces corps éparpillés, comme des bouts de carcasses, jetés dans des sépultures qui seront elles-mêmes soumises aux explosions et aux mouvements des troupes qui leur passeront dessus. À cette heure, il en restait quoi de son mari, rien sûrement, sinon sa chaînette de communiant qu'il lui avait laissée en partant et qu'elle portait.

Le maire lui donna toutes ces informations sur son mari mais il tut le reste, nul fauve ne serait capable d'une telle sauvagerie. Il ne lui dit rien de l'horreur dont il avait eu connaissance, il ne lui dit pas que dans cette guerre, en une seule journée, les corps tombaient par milliers et que par peur des épidémies on balançait les cadavres par fournées dans des fosses sommaires, on les recouvrait de chaux vive et on rebouchait à la va-vite ces tombes qui dès le lendemain étaient piétinées, bombardées, retournées au point que ces hommes se retrouvaient mélangés à la terre, délayés comme un engrais. Il ne lui dit pas que parfois les morts on ne les enterrait pas, on les gardait sur le haut des parapets pour se protéger des balles ennemies aussi efficacement que le faisaient des sacs de sable, et quand la position était perdue, la tranchée servait de fosse commune à l'armée d'en face qui flanquait là-dedans tous les cadavres de ses ennemis, des fosses sanctuaires, histoire d'oublier ça et de continuer la progression, d'aller tuer plus avant sans perdre de temps, signe qu'un corps ça ne valait plus rien.

Une fois que le maire fut ressorti de chez elle, Joséphine était délestée de tout espoir, accablée mais soulagée de connaître enfin la vérité. De ne pas savoir ajoutait une cruauté de plus à l'absence. Elle était réconfortée par cette idée, jusqu'au bout son mari aura sacrifié sa vie pour sauver celle des autres. Du temps où il était là, Anthelme vivait son travail comme un sacerdoce, déjà dans un monde en paix il se donnait tellement qu'après ses visites du soir il rentrait épuisé. Un médecin à la campagne ça vit toute la journée dans la douleur des autres, ça écoute, ça compatit, et puis ça va en tous sens par les chemins creux et par tous les temps. D'autant qu'ici les routes étaient mauvaises, chaque jour Anthelme passait des heures à cheval, se dévouant tellement que de retour chez lui il ne songeait qu'à se poser, en silence. Un médecin à la campagne ça donne tellement de sa personne que le soir ça n'a plus rien. Une femme de médecin, en revanche, ça organise les attentes et ça fait parler, ça s'inquiète des péripéties et des guérisons, et surtout ça se surprend à rêver de corps qui ne soient pas malades, de corps ni fatigués ni atteints par les affections des autres. Une femme de médecin, quand elle sait son mari mort depuis des semaines, elle se retrouve seule dans une maison désertée par tous les corps, les bien portants comme les malades, cette maison pour certains elle représentait le domaine de l'espoir et de la guérison, et pour d'autres celui de la détresse, et voilà que du jour au lendemain cette maison, plus personne n'y venait, plus un corps n'y pénétrait. Il n'y avait que la Bûche qui venait la visiter, trouvant toujours prétexte à vérifier la toiture ou à ferrer le cheval, elle se sentait salie par cette assiduité, au point même de redouter de le croiser, cet avide.

À partir de là elle devrait se résoudre à ne plus être autre chose qu'une femme en deuil, une âme en peine, une femme sans plus ni chair ni sang. Pourtant, au comble de la transgression ou du péché, dans ce tunnel de guerre avec l'hiver en ligne de mire, elle ne se sentait rien d'autre qu'un corps en attente, un corps escomptant comme une revanche, un corps désirant, plus que jamais.

Août 2017

Ils marchaient depuis un quart d'heure et Franck était déjà en nage. Lise voulait rentrer au plus profond de ces bois, franchir la première colline pour explorer au-delà. En plus de pique-niquer elle comptait dessiner quelques croquis ou aquarelles, pour peu de trouver la fameuse igue lumineuse, la dessiner plutôt que de la photographier. Franck portait le pique-nique, ainsi que le matériel, si bien que pour lui la balade vira très vite à l'épreuve. En même temps il se testait, ça lui permettrait de voir où il en était de son corps, de son souffle. Ce qui le motivait aussi, c'était de découvrir où ce chien repartait le soir et d'où il venait au matin, par-delà cette colline, peut-être de cette igue remplie non pas de lumière mais d'eau.

Lise s'imaginait déjà au bord d'un petit lac enclavé et profond, à moins qu'il ne se soit agi d'une source d'eau chaude avec des fumerolles sulfureuses et vivifiantes, un trésor caché à l'écart de tout chemin. À ce qu'elle en avait déduit, pour y accéder il fallait d'abord franchir la première colline, puis la deuxième, passer par la crête la plus haute, celle d'où l'on embrassait tout le panorama. Renseignement pris elle assurait qu'une fois là-haut l'horizon s'ouvrait, à tel point qu'on pourrait voir la montagne Noire au sud, et peut-être même jusqu'aux Pyrénées si l'air était dégagé et pur. Elle avait une manière rêveuse d'abolir les distances, ça confinait à la poésie, et si Franck la suivait dans cette excursion, c'était aussi pour ne pas désenchanter ses illusions oniriques. Malgré tout, l'idée de s'enfoncer dans ces bois ne lui plaisait pas, ils étaient denses, pentus, sauvages et absolument pas entretenus par la main de l'homme. Très vite il se sentit rattrapé par une inquiétude, avant tout celle de se perdre, puis celle de se faire piquer par une tique ou un serpent. Cette peur il ne voulait pas la montrer, de même qu'il redoutait la réaction du chien en les voyant débarquer sur son territoire, dans son périmètre de chasse. Franck n'avait rien dit à Lise de ce qu'il venait d'apprendre sur ces collines reculées, qu'elles seraient livrées à toutes sortes d'animaux, aussi bien qu'à toutes sortes de chasses et de braconniers.

Quoi qu'il en soit Lise était une optimiste, elle ne s'inquiétait de rien, une fois encore il en faisait le constat, avec moins d'amertume que d'admiration. Dans le fond il enviait cela chez elle, cette façon d'envisager toute chose sous le meilleur angle, en toutes circonstances elle était ouverte au monde et semblait ne rien en craindre. Depuis le départ elle ouvrait le chemin, légère au point même de siffloter. Pourtant ça montait sacrément, il fallait louvoyer entre les arbres sans toujours suivre le sentier qui disparaissait par endroits. En plus du pique-nique que Franck portait, ils avaient emporté trois litres l'eau, ils avaient tout. Plus ils escaladaient le versant noyé dans les bois, plus le sentier s'effaçait, s'enfonçant sous les buissons et les ronces.

— Tu sais comment on fait pour ne pas se perdre quand on marche dans les bois ?

— Non, Lise, je ne sais pas.

— Il faut garder le soleil à main droite.

Elle disait se repérer à cela. À croire qu'elle était soudain devenue une experte en randonnées.

— Comme ça au retour, il suffira de l'avoir à main gauche. C'est pas compliqué.

Franck se dit qu'elle avait dû trouver cette consigne dans un guide quelconque au moment de préparer les vacances. « Garder le soleil à main droite », cette expression ne lui ressemblait pas. Il avait pris son téléphone, il n'y avait toujours aucun signal, d'autant que la batterie s'usait à toujours chercher du réseau, et qu'en prime il ne l'avait pas rechargé. Très vite il commença réellement à se demander comment ils feraient pour revenir. Se fier uniquement au soleil pour être sûr de marcher dans le sens inverse, c'était sans doute un peu trop simple. Qui plus est, ils n'allaient pas droit. Ils ne cessaient de zigzaguer dans cette jungle complexe. À tout moment des branches basses entravaient leur marche, il fallait sans arrêt qu'ils se baissent pour passer dessous, les buissons et les branchages les agrippaient comme autant de mains avides de leur interdire l'accès. Ce chemin il fallait maintenant le deviner au milieu de portions d'herbes moins hautes. Quant au soleil, au fil des détours ils l'avaient parfois dans le dos, avant qu'il ne s'éclipse sous les arbres et que dans une trouée ils le retrouvent en face d'eux... Franck gardait en tête ce que lui avait dit le patron du bistrot à propos des chemins d'ici, ils étaient totalement laissés à l'abandon, la nature ici avait gagné la partie. En plus des branchages qui obstruaient le passage, du bois mort jonchait le sol, aussi bien que des buissons piquants et des lianes, rendant la marche périlleuse. Il comprenait pourquoi plus personne ne faisait du moto-cross là-dedans, il n'y avait qu'à pied qu'on pouvait progresser au travers de ce dédale piégeux.

Lise avait le pas léger et se jouait des obstacles. Elle marchait facilement tandis que Franck avait de plus en plus de mal à la suivre. Pour le coup il mesurait l'état de sa condition physique, de toute évidence il ne faisait pas assez de sport. Devant lui elle avançait sans le moindre arrêt, elle semblait s'amuser, ne souffrant absolument pas de la chaleur, alors que lui était en nage et hors d'haleine. Il se consola en se disant que le dénivelé était coriace, sans compter que l'adhérence au sol n'était pas bonne, à chaque pas ses pieds ripaient sur des cailloux, ses semelles dérapaient sur des racines ou de la terre trop sèche. Il songea aussi à tout ce qu'il portait sur le dos, le pique-nique et les bouteilles d'eau, plus les deux tapis de mousse et la boîte d'aquarelle, tout ce chargement le plombait. Parfois Lise prenait beaucoup d'avance, vingt, trente, cinquante mètres. Quand elle se savait trop loin, elle s'arrêtait pour juger du décor, mine de rien elle attendait que Franck revienne à sa hauteur, lui lançant dans un sourire tourmenté :

— T'es sûr que ça va ?

— Oui. Tout va bien !

Quand même, ça le perturbait de fatiguer aussi vite. Ne serait-il rien d'autre qu'un sédentaire, un être assis, passant de déjeuner en réunion, d'un fauteuil de TGV à un siège d'avion ? C'est la sensation qui lui fouaillait le foie, l'angoisse de ne plus être en possession de ses moyens, même pas capable de crapahuter une demi-heure dans les bois. Par orgueil, il refusait de dire à Lise de faire une pause, pourtant il était à bout de souffle, d'autant que la chaleur devenait étouffante. Il se sentait atteint par une sorte d'impuissance, après tout si un jour il devait se sauver ou se battre, si un jour il était poursuivi par on ne sait quel danger et devait courir, pas de doute qu'il s'essoufflerait au bout de cent mètres, il s'offrirait comme une proie... Là sur le moment cette idée le foudroya, surtout en repensant aux mails de ce matin, il n'était rien d'autre qu'une proie facile à attraper, un grand mâle vieillissant, le premier prédateur venu pourrait facilement le coincer. De nouveau Liem et Travis lui traversèrent l'esprit sous forme de rabatteurs aux aguets... Si pour de vrai ils le chassaient, est-ce qu'il aurait la ressource de les contrer ? Est-ce qu'il arriverait à les repousser si un jour ils lui forçaient la main pour qu'il leur cède tout le catalogue et l'amener à pactiser avec Netflix ou Amazon ? Lui revint cette phrase d'un dresseur rencontré sur un tournage – *Face aux loups il faut penser comme un loup* –, voilà ce qu'il devrait faire, sans quoi il se laisserait déborder par leur fougue, leur jeunesse, il ne pouvait pas s'en tenir à la posture du quinquagénaire assuré et sage, le vétéran consolidé par ses succès passés. Ils ne servent à rien les succès passés, ils ne sont d'aucune aide dans un monde où il faut sans cesse se renouveler, réinvestir, se remettre en question...

— Franck, ça va ?

— Mais oui bordel, ça va... Tout va bien, Lise, tout va bien.

Jusque-là, face à Liem et Travis, il avait joué la carte de la confiance, au risque de leur paraître souple, conforté par ses acquis et inoffensif. Avoir l'air inoffensif, là était son erreur. Comment résister à leurs initiatives douteuses, comment les affronter s'il ne se montrait pas aussi féroce qu'eux et toujours en mouvement ? Les proies les plus coriaces sont celles qui attaquent.

Tous les dix mètres il redoutait de tomber nez à nez avec le chien-loup ou les bêtes de l'autre soir. Sans le dire à Lise il avait la sensation très nette d'avancer en territoire ennemi, d'être observé ou pris en chasse. Décidément cette excursion ne lui allait pas. Avec Lise il se faisait l'effet de deux chats d'appartement qu'on venait de lâcher pour la première fois en pleine jungle. En même temps il y avait une forme de concentration dans cette marche, de focalisation mentale. Lise ne parlait plus. Elle devait toucher à l'ascèse, tandis que lui ressentait de plus en plus le manque de souffle et cette colère qui montait en lui. Lise goûtait l'instant, ce paysage la hissait dans une apesanteur contemplative, alors que lui devenait de plus en plus tendu. En bas de la colline Franck avait jeté un œil nostalgique à cette maison qu'ils laissaient tout là-haut, cet asile douillet, dans le fond, avec son rez-de-chaussée ombré, ses murs de moellons épais qui conservaient la fraîcheur, et ces grands arbres qui la bordaient comme un îlot. Cette maison, vue de loin, elle était simple mais insolite, dressée en haut de sa colline comme sertie au sommet d'un dispositif parfait, équilibré. À la voir comme ça, en s'en éloignant, il en était presque tombé amoureux de cette maison, un bien étrange endroit, quelle idée de bâtir une baraque aussi loin de tout, qui avait pu décider un jour de s'installer là, pour y faire quoi ? D'en bas on la voyait bien. Le haut de la colline était coiffé de ces grands arbres, un massif de végétation qui formait comme une oasis, avec la réserve d'eau au centre. Le flanc pentu qui descendait était herbeux, la maison trônait fièrement au cœur de ce périmètre de nature. En partant ils avaient fermé les volets pour éviter que la chaleur n'entre, la voiture était de l'autre côté, d'ici on aurait pu croire que cette maison était abandonnée.

Après une heure de marche Franck n'en pouvait plus. Les sangles du sac à dos lui limaient les épaules, ça virait au cauchemar, pourtant plus ils avançaient, plus il était reconnaissant à Lise. Finalement, grâce à elle il prenait la mesure de sa vulnérabilité. À un moment il débusqua un coin d'ombre sur la droite, une sorte d'alcôve encadrée de rochers, un pur refuge à la surface horizontale. Pour manger et se reposer ce serait parfait. Mais Lise était déjà plus loin, elle lui fit signe de continuer. Elle comptait dévaler la seconde colline pour attaquer la troisième, elle en était sûre, la troisième culminait au-dessus de toutes les autres, de là-haut le panorama serait impressionnant, et l'igue était par là.

Alors il la rejoignit et bascula dans la nouvelle descente. Lise prenait beaucoup d'avance mais ne s'en souciait plus. Cette femme, il s'y était toujours fié, sans qu'elle s'en rende compte elle le guidait. Il n'était plus sûr de la direction qu'ils suivaient, mais il aimait l'idée de s'en remettre à elle, de lui faire confiance. Quand ils s'étaient connus, il tentait de produire son deuxième long-métrage, nullement découragé par l'échec du premier, mais sans plus d'argent. Finalement en vingt ans les rôles se seront inversés. Devant lui elle traçait comme une antilope que rien n'arrêtera, une antilope qui continue sa course alors que les chasseurs ne la voient plus, une antilope extrêmement légère et libre.

Sûr qu'ils étaient en train de se perdre. Ce parcours était tellement sinueux que Franck comprit qu'ils l'étaient bien, en train de se perdre, le soleil ils l'avaient maintenant dans le dos, alors que deux minutes avant ils lui faisaient face. Quand ils attaquèrent la troisième colline, le chemin avait disparu sous des herbes coriaces qui recouvraient tout. Ici c'était le royaume de la friche. Un enchevêtrement de chênes verts et d'arbustes à épines, tout un fatras de branchages qui tressaient un maquis impénétrable et qui griffaient. Il restait encore un peu de batterie à son téléphone mais toujours pas de réseau, en activant la boussole il réalisa que l'application fonctionnait seulement s'il y avait du réseau, en fin de compte c'était une fausse boussole, absolument pas autonome, le nord changeait d'une seconde à l'autre.

Il y a un stade de l'épuisement où le corps continue de marcher de façon mécanique, alors que l'esprit s'abolit dans une forme d'hypnose, un somnambulisme rythmé par le souffle. Franck gardait les yeux rivés sur les baskets roses de Lise au loin, s'efforçant de s'y accrocher. Des tas d'images lui passaient par la tête. Là, avec de la sueur plein les yeux, il se souvint que c'était Lise qui avait dissipé ses doutes après que Liem et Travis étaient venus dîner il y a un an, ces deux types il ne les sentait pas, alors que Lise au contraire lui avait dit :

— Vas-y fonce, fonce, ce sont des mecs bien, ils sont jeunes, ils t'apporteront un œil neuf, vous serez complémentaires c'est sûr...

— Mais enfin, qu'est-ce que j'ai à voir avec des types qui regardent des films sur leur portable ?

— Justement, ils t'apporteront un autre regard, un regard différent du tien, on peut sans doute faire du cinéma autrement que pour faire de l'art, tu ne crois pas ?

— C'est toi qui dis ça ?

Pour finir, c'est Lise qui l'avait convaincu de s'associer à eux, simplement en lui disant de cesser de se méfier tout le temps. De la même façon, le premier soir ici, c'était Lise qui lui avait dit de ne pas avoir peur de ces yeux luminescents qui les fixaient dans la nuit, cette bête qui les épiait depuis l'orée du bois.

À mi-hauteur de la troisième colline, il s'arrêta, les poings calés sur les hanches, la bouche ouverte, il posa à terre le sac dont les lanières lui cisaillaient le dos. Loin devant, Lise continuait d'avancer, sans même se retourner, elle atteignait le sommet. Possible que là encore elle fasse le vide, que mentalement elle s'évade comme en pleine méditation. Il avait tellement de sueur sur le visage qu'il n'y voyait plus, ça lui piquait les yeux comme s'il se noyait en pleine mer. Il s'essuya avec le bas de son T-shirt, puis en jetant un regard là-haut il ne la vit plus. Là devant lui, face au soleil il ne voyait même plus le sentier. De sentier il n'y en avait plus. Ce n'était qu'un enchevêtrement de ronces et de branches qui semblaient se tendre dès qu'il avançait le pied. Ça virait au cauchemar. Il reprit le sac et se remit en marche, mais ne savait plus par où aller, alors il visa le haut, la crête, là où Lise avait dû entamer la descente. Elle goûtait le plaisir de n'être arrêtée par rien, ou alors elle cherchait justement à lui faire peur. À le paumer. L'idée lui traversa l'esprit quand, parvenu en haut de la troisième colline, il ne la vit plus. Pourtant de là-haut, on voyait tout, on se sentait comme au-dessus du monde. En tournant sur lui-même Franck se laissa envahir par tout le panorama. La petite maison se dressait là-bas, elle paraissait très loin pour le coup, perdue dans un inaccessible environnement. Dans cet horizon à 360 degrés c'était la seule maison au monde, sertie dans une sphère où le présent et le passé se confondaient. Ce décor était intemporel, inchangé depuis des siècles, vu d'ici rien ne disait l'époque ni le temps, seuls trois petits nuages égarés dans le ciel semblaient le rattacher au monde. Où qu'il regarde, il n'y avait que des enfilades de reliefs, des perspectives sans cesse relancées par les collines suivantes, pas d'indices de la civilisation, pas même les fils d'une ligne électrique, ni les fumerolles d'une centrale ou d'un feu de campagne. « Au cœur du triangle noir », lui revint la formule de l'annonce, Lise avait voulu qu'ils se perdent, sur ce plan-là c'était gagné.

Il y avait trop d'arbres et de buissons pour bien voir ce qui se passait en dessous, mais face à lui on aurait dit un grand cirque calcaire, un gouffre, une vaste dépression dans le sol, comme si un jour une plaque de terre s'était écroulée pour s'enfoncer de cent mètres. Lise était descendue dans ce grand fouillis de verdure ombragée, elle n'avait pas hésité à s'enfoncer dans ce puits, sans doute qu'elle voulait voir s'il y avait de l'eau, ce devait être plein de sources par ici. Franck n'avait pas la force de continuer. Il avait déjà bu les trois quarts de sa bouteille. Il fallait qu'il récupère. Il s'assit sur un étrange monticule de pierre sèche, une sorte de tumulus qui pouvait dater des Romains. Lise se sentait comme chez elle dans ce no man's land, alors que lui ne réussissait pas à se défaire de sa vie, de ses préoccupations, même là en nage et dépoitraillé, il restait un producteur sur la brèche. Pourtant, ne plus avoir de téléphone, être là paumé sur des hauteurs, voilà qui le replongeait dans un état de nature où seul importait de boire, de se mettre à l'ombre, de récupérer, il côtoyait un état sauvage pour de bon. D'un coup, de tout au fond en bas, il entendit Lise qui l'appelait d'un ton pressant, sans la voir il l'entendait :

— Vite, vite, viens voir !

— Lise, mais qu'est-ce qu'il y a ?

— Viens voir !

Il se mit à descendre en la maudissant, les genoux bon Dieu, les genoux, ce qu'il avait mal. D'autant que maintenant ce n'était plus une pente mais carrément une paroi dans laquelle il ne cessait de déraper, c'était abrupt et ça paraissait profond, il fallait se tenir aux branches et se laisser dégringoler, il pensa à l'enfer que ce serait de remonter tout ça au retour. Plus il approchait du fond, plus la végétation était dense, fraîche, humide. C'était bien une igue, mine de rien il s'enfonçait dans une espèce d'immense puits couvert de végétation, la flore avait la densité de celle des mangroves, on voyait de la mousse le long des branches, une belle mousse épaisse d'un vert topaze, et tout un réseau de lianes de plantes grimpantes, des plantes grasses, ça semblait quasiment tropical. Il se laissait emporter dans cette fraîcheur enveloppante, en trébuchant, puis en glissant sur les fesses. Depuis le fond, Lise continuait de parler mais Franck ne la voyait pas au travers de cette végétation complexe. Elle avait dû trouver une source, ou un plan d'eau, par fragments il entrevoyait des éclats de lumière ou des reflets au-dessous de lui, en haut il distinguait le ciel, en face une paroi formait comme un cirque pyrénéen. Les vingt derniers mètres, Franck les fit carrément en dégringolant, se limant les cuisses et les avant-bras en frottant le sol, il retrouva Lise en bas, elle était au cœur d'une immense pergola aux barreaux dorés, une haute cage dont la structure partait en arceaux à plus de quatre mètres de haut... C'était un vieux métal doré, piqué d'une myriade de taches de rouille, le tout dessinant une grande rotonde ou une gigantesque volière. Chose étrange, le seul élément de civilisation dans les environs c'était ça, une cage, une cage de cirque au fond d'une igue aux allures de jungle.

— Mais enfin, Lise, t'es dingue d'être descendue là, t'imagines le calvaire que ce sera de remonter... ?

— Mais regarde-moi ce décor, je suis sûre qu'il y a des siècles que personne n'est venu ici !

À ce moment-là les buissons tout au fond se mirent à tressaillir. Quelque chose bougeait là-dedans et venait vers eux. Jamais un être humain n'aurait pu tracer aussi puissamment dans ces taillis, d'autant que ça faisait un bruit d'animal épais, à mesure que la bête se rapprochait on voyait le haut des buis qui bougeaient. Ils se regardèrent sans prononcer un mot, Franck avait en tête ces raffuts de bêtes le premier soir, il eut le réflexe de prendre Lise par le bras et de reculer jusqu'à la cage, de se replier derrière les barreaux. Une bête qui charge fonce droit, elle ne craint même pas de se signaler, et dès lors qu'elle fonce il est déjà trop tard.

Mai 1915

La nuit, les yeux des chats brillent de l'éclair de Zeus. Ceux des renards luisent d'une teinte orange, acide, alors que les pupilles des lièvres tirent vers le rouge, et que celles des chevreuils sous la lune paraissent bleues. Dans le monde sauvage, tout regard qui luit dans la nuit est là pour fuir ou pour chasser. Il en va de même pour les lions et les tigres, les loups ou les lynx. Dans les collines, chaque nuit est un ballet de regards, pour peu que la lune répande sa lumière blanche, les sangliers eux-mêmes y voient clair. Quant aux chiens ils baladent leurs yeux bleu-vert dans cette faune en chasse, tous se repèrent et s'évitent, ces milliers de regards rendus phosphorescents par le tapetum lucidum ce sont autant d'animaux aux aguets, et s'ils voient clair dans le noir c'est pour mieux viser leur proie.

Une fois l'hiver passé on se demandait si l'Allemand ne lâchait pas ses fauves à la nuit tombée. On se figurait la colline comme une savane incendiée de regards luminescents, des yeux que par chance on ne distinguait pas, on les guettait par la fenêtre mais on ne les distinguait pas. Maintenant que les premiers jours de mai réchauffaient l'atmosphère, on dormait avec les fenêtres ouvertes, si bien que de nouveau on entendait les lions même en pleine nuit, leurs rugissements soudains paralysaient l'espace et alimentaient les insomnies. Au nombre de ceux qui entendaient ça, il y avait ces femmes qui n'avaient pas trouvé le sommeil, celles dont la paix d'un lit désolé faisait cavaler l'âme. Le désir c'est ce qui résiste au sommeil, mais depuis le début de la guerre, à Orcières on passait sa vie à se fatiguer, à s'inquiéter, les corps ne se touchaient plus. Depuis des mois les corps travaillaient le jour comme ils se reposaient la nuit, très à l'écart les uns des autres. Après les semailles restait encore à planter les pommes de terre et à s'occuper du jardin, du bétail avant que les moutons ne repartent à l'estive. Au printemps plus encore qu'en hiver, à longueur de journée il fallait soulever, traîner, tirer, porter, malgré les beaux jours revenus les corps n'étaient comblés par rien d'autre que l'épuisement.

La nuit, ceux que les rugissements réveillaient se redressaient d'un bond dans leur lit. Il n'y avait guère que les gosses que ça amusait. Pour eux, ces râles caverneux qui tapissaient la nuit, ces grondements qui roulaient depuis les rochers donnaient à l'obscurité un parfum de mystère. Ces nuits-là, les gosses jouaient à une sorte de cache-cache grandeur nature, les chambres revêtaient de faux airs de bivouacs, de campements perdus dans une jungle affolée. Les râles des prédateurs éveillaient en eux un monde de songes et de prouesses, mais à force d'ouvrir la fenêtre dans la nuit, de promener le regard au-delà des maisons, parfois certains prenaient véritablement peur. Dans le moindre mouvement de feuilles, le moindre flottement du rideau, ils croyaient deviner le dos chaloupant d'un lion, d'un tigre peut-être, de Dieu sait quel animal... À force ils en venaient à sentir les langues râpeuses des félins qui leur léchaient les pieds et ils finissaient par hurler en appelant leur mère. La Bûche lui, à cause des années passées à frapper le marteau sur l'enclume, il n'entendait rien de tout ça. La peur ce sont les autres qui la lui racontaient, et ne serait-ce que pour briller aux yeux de Joséphine, il se jura que d'une façon ou d'une autre, à cette peur, il y mettrait fin.

Quant à Fernand le maire, ses nuits étaient hantées par la perspective du courrier. À cause de la peur d'apprendre la mort de tel ou tel et de devoir l'annoncer à la famille, il ne dormait plus. Les hurlements des fauves en un sens il les guettait presque, parce qu'ils le renvoyaient à ce grand frisson qu'aurait pu être sa vie. Lui en entendant ça il se rêvait fort et agile, il se voyait dans la peau d'un dompteur brillant sous les lumières de la piste, dominant l'effroi et jouant avec la peur du public. En tant que maire, depuis le début de la guerre il se sentait la proie de tous les regards, de toutes les attentes, tous au village savaient que c'est par lui que les gendarmes et le préfet feraient redescendre les mauvaises nouvelles, comme tous les maires de la nation il se retrouvait propulsé sur le devant de la scène. Au village on attendait tout de lui, comme s'il y pouvait quelque chose à cette guerre, tous étaient suspendus aux informations qu'il recevait, on soupçonnait même qu'il en taisait. Par lui on redoutait d'apprendre la mort d'un mari ou d'un fils, d'un père ou d'un frère, tel un oracle on espérait qu'il annonce la victoire et décrète enfin la fin de la guerre avec la même radicalité qu'un jour il avait déclaré qu'elle commençait. Les peurs de ses administrés c'étaient comme autant de fauves à contenir, alors ce dompteur qui vivait au-dessus de lui, il le ressentait comme l'incarnation de tout ce qu'il n'arrivait pas à être, un être détaché, affranchi et fort. Le dompteur c'était le modèle de cet homme qu'il rêvait d'être, un homme libre, un pur aventurier charriant tout un monde exotique et troublant. Sans chercher à le voir, il tenait à s'en faire un ami, acceptant toujours de discuter avec lui chaque fois qu'il venait au village, tout au moins pour le plaisir physique qu'il prenait à le regarder, à suivre le ballet de muscles sur son corps immense, ces muscles qui s'activaient au moindre de ses gestes, ces muscles dansants sur son corps comme une brassée de serpents, le corps de cet homme le fascinait.

Au sortir de ces sommeils-là, après une nuit de pleine lune et de feulements déchirants, en plus des enfants il y avait donc aussi Fernand le maire qui frissonnait d'aise. Avant de se lever il s'étirait de tout son long, et cette jambe qu'il n'avait plus il avait l'impression de la déployer, de la tendre. Les bras écartés il inspirait fort. Avec la présence de ces lions, il retrouvait cette vigueur, cet appétit de vivre qui le tenaillait avant qu'il ne perde sa jambe sous une charrue, il renouait avec cette sensation de force qui vient le matin à s'étirer et à sentir tous ses muscles se réveiller, parés à tous les efforts, que ce soit poser le joug des bœufs ou tenir la hache, manier la faux ou enlacer le corps d'un autre. Dans le chant des lions il retrouvait l'impression que ce dompteur lui avait faite la première fois qu'ils s'étaient vus, le jour où ce belluaire s'était planté là, sur le pas de la porte de la mairie, occultant de sa masse la lumière du dehors. Ce jour-là, Fernand le maire était occupé à ses papiers prémonitoires et en levant le nez il était tombé sur cet homme, instantanément fasciné par cet athlète et les soubresauts des fauves qui secouaient les carrioles aveugles, les cages à fauves recouvertes de panneaux de bois peints. Il regardait ce bonhomme, immédiatement envahi par l'impossible jalousie de cette force, cet homme bien plus grand que n'importe lequel d'ici, d'autant qu'au village ne restaient plus que des réformés et des anciens. En fin de compte, seules les femmes étaient valides. Alors évidemment, quand ce bonhomme lui avait demandé la permission de s'installer dans les collines, promettant d'acheter des bêtes et même de donner de l'argent pour s'acquitter du terrain, Fernand le maire avait tout de suite pensé à la maison vigneronne dont tous se détournaient, cet enfer d'où les dix brebis s'étaient dérochées. De toute façon plus personne n'irait habiter là-haut, tous ceux qui y avaient vécu avaient tout perdu, jusqu'à la terre elle-même, jusqu'à la vie. Au village, personne n'en voudrait jamais à quiconque, pas même à un Allemand, d'aller se réfugier là-haut. Au contraire. En un sens, ça arrangeait le maire que le dompteur et ses fauves s'installent sur le mont d'Orcières, ne serait-ce que pour voir si cet être supérieur, ce matamore épaulé de ses lions, saurait déjouer la fatalité et étrangler le malheur. Ce mont portait malheur, pour tous ici c'était une évidence, mais peut-être pas pour cet homme-là, ce serait l'occasion de voir s'il est possible ou pas de déjouer la malédiction.

Ce jour-là, Fernand le maire lui avait proposé de déjeuner avec lui. Dehors, les trois grandes roulottes rouge et or étaient rangées à l'ombre, deux d'entre elles supportaient les immenses cages aux volets rabattus. Les fauves on ne les voyait pas, mais on les sentait à cette fragrance charnelle qui se répandait dans l'air, et à ces secousses surhumaines qui ébranlaient les carrioles. Deux autres gars accompagnaient le dompteur, ses hommes de piste, deux Italiens qui avaient préféré demeurer dans la verdine. Ils avaient ce qu'il fallait de pain et de pâté. Dès le lendemain ils retourneraient dans leur pays.

La voix forte et douce de cet homme montait de tout son corps. Ses modulations semblaient immenses, mais calmes. Fernand faisait un effort pour tout comprendre. Bien que cet homme parlât bien le français, il avait cet accent anguleux et sec. Pendant deux heures le maire l'avait écouté, hypnotisé par cette présence, cette odeur fauve qui émanait de sa nuque bronzée, une nuque comme une poutre, une nuque sur laquelle on aurait pu étayer une maison. Tout le fascinait, jusqu'à cette manière qu'avait l'homme de faire craquer sa chaise dès qu'il bougeait un peu, cette chaise comme une allégorie, soumise ou infiniment apprivoisée. Ce qui le captivait, c'est ce qu'il supposait du pouvoir de cet être, cette emprise concrète qu'il avait sur des lions et qui devait agir sur tout.

En plus d'être conquis, Fernand s'était dit que de savoir des lions là-haut, cela rassurerait le village, le fait d'être surplombé par ce colosse et sa colonie de fauves agirait telle une sainte protection. Peut-être que ces fauves leur communiqueraient un peu de leur irréductible force, comme s'il suffisait d'inspirer l'air des forêts pour devenir chêne soi-même. Le dompteur quant à lui ne supposait rien de cette malédiction promise, en venant voir le maire il n'avait qu'un but, trouver un refuge le plus à l'écart possible pour protéger ses bêtes de la furie du monde. Lui dans cette guerre, il s'était assigné une singulière mission, sauver la peau de ses fauves, rien de plus, garder huit grands animaux en vie.

Puis il y eut cette nuit de mai où les lions rugirent plus que jamais, une nuit douce où la Grande Ourse dominait la Girafe, où Céphée sous la Polaire côtoyait le Dragon. Cette nuit-là les étoiles se livraient à un genre d'inventaire de tout ce qui pouvait briller, ouvrant le bal d'une fête cosmique ignorée des hommes. Il n'était pas loin des deux heures du matin, Jupiter pointait en sagittaire, et c'est sans doute ce prodigieux luminaire qui aiguisa les fauves, car ils se mirent à gueuler comme jamais, à croire qu'ils s'étaient sauvés, qu'ils clamaient une ode à l'évasion. Bien à l'écart du sommeil, Joséphine ne bougeait pas, attentive à ces gémissements qui la remuaient intimement. Ces rugissements-là, sans le moins du monde l'affoler, ils la parcouraient d'ondes sauvages et suaves, c'était comme la réponse envoûtée aux appels des fauves venus d'en haut. Même s'il n'était plus là, le médecin devinait sûrement ces orages qui s'éveillaient en elle. C'est par l'esprit qu'un homme se rapproche au plus près d'une femme, en faisant ce chemin qui va de l'égoïsme à la compréhension. Le fantôme du médecin devinait tout du corps de sa femme, même mort il l'exhaussait. Cette femme qui bougeait seule dans son lit, ces contours fermes qui se lamentaient de n'être pas parcourus, ces formes pleines que ne désavouaient pas les ombres, ces hanches larges et cette taille fine, même mort il les absolvait. Il savait bien qu'une femme comme elle, une femme si palpitante et pleine de vie, les compliments à eux seuls ne suffiraient pas à la combler. Cependant, toutes ces choses au-delà des mots, avant même d'être mort, il ne les lui faisait pas. Et s'il était prêt à tout pardonner à sa femme, y compris cet amour solitaire auquel elle s'adonnait dans la nuit, jamais il n'aurait pu imaginer qu'un jour elle se prendrait à rêver de lions s'ébrouant au-dessus des rochers. Même vivant, jamais il n'aurait imaginé qu'un jour elle serait attisée par des rugissements prometteurs d'étreintes, que son corps se mettrait à rêver de mains fortes lui empoignant la taille, des mains de dompteur, avides comme ces grognements-là.

Joséphine se leva du lit et ferma sèchement la fenêtre. Elle chassa ces bêtes qui soulignaient ses manques et se recoucha, soulagée de ne pas trahir cet homme qui n'était plus. Il ne faudrait plus les entendre ces feulements, ces miaulements sauvages, la nuit il lui faudrait même se boucher les oreilles et boire ce macérat de bourgeons de tilleul pour sombrer dans le sommeil, dès demain la valériane et la fleur d'oranger la déposeraient là où les songes ne parlent que de piété. Elle sentait bien qu'aux yeux de tous elle se devait de renouer avec le recueillement profane que requiert le deuil. Une veuve, pour tous ici elle n'était plus que ça, et elle devait se conformer à ce rôle. Le deuil se portait sévèrement dans les campagnes, bien plus encore qu'en ville, et déjà qu'elle ne voulait pas s'habiller en noir, elle n'avait pas envie de courir le risque qu'on la juge mal. Tout désir est impossible pendant le deuil, pourtant le désir était là, d'autant plus sacré qu'il ne se pouvait pas, d'autant plus impérieux qu'il était étouffé.

Août 2017

Lise et Franck, réfugiés sous la grande cage rotonde, se savaient protégés par ces hautes grilles rouillées, là face au grand chien aboyant avec rage, prêt à les mordre. Le pire c'est qu'il les fixait et leur hurlait dessus avec une obstination qui ne faiblissait pas. Jusque-là il ne leur avait pas fait peur, mais de le voir gueuler avec une telle furie, ses gencives rouge sang écumant de bave, ils craignaient vraiment qu'il n'attaque. Ils se tenaient à distance des barreaux, mais le chien aurait parfaitement pu les rejoindre en se faufilant sous la trappe d'accès, pourtant il restait de l'autre côté de la cage, à croire que quelque chose l'empêchait d'y entrer. Franck eut une intuition. Il prit Lise par le bras et lui enjoignit de le suivre, doucement ils se baissèrent pour glisser le long de l'arc de cercle de la cage et s'approchèrent du sas de sortie, et là le chien se calma. Une fois à l'extérieur de la volière immense, ils se redressèrent prudemment. Le chien gardait ce regard dur, puis il se détendit et s'avança vers eux. Il s'était adouci au point même de venir se frotter à eux en remuant la queue, prêtant le flanc aux caresses. De nouveau il était affectueux et calme. Lise passa la main sur son pelage au crin doux, elle s'accroupit pour lui enserrer le cou, comme on le fait avec un ami ou un enfant après un coup de colère. Franck était heureux de retrouver ce chien, surtout là, au fond de ce puits où il se sentait perdu. Il savait que l'animal maîtrisait cet environnement auquel Lise et lui ne connaissaient rien. Malgré tout, il voulait comprendre pourquoi il avait aboyé comme ça, alors il recula jusqu'à la cage, il se baissa et fit mine d'y rentrer, aussitôt le chien se raidit, il se tendit si brusquement qu'il renversa Lise, qui bascula à terre, puis il se remit à aboyer violemment et fonça sur Franck, prêt à le mordre. Pour stopper là l'expérience, Franck s'écarta de la cage, une fois encore le chien se calma. Il ne voulait pas qu'ils approchent de cette cage ni qu'ils y pénètrent, il ne fallait pas y toucher.

— Dis-moi le chien, qu'est-ce qui se passe avec cette cage, hein, et qu'est-ce qu'elle fait là, d'abord ?

— Tu sais, Franck, il faudrait lui trouver un nom.

— Si ça se trouve il en a pas.

— Justement.

Lise commença de disposer le pique-nique sur un rocher à l'écart. Pendant ce temps Franck inspecta la cage ronde et longue de plus de quinze mètres, haute de quatre. Cet hémisphère de fer devait être là depuis des lustres, on ne pouvait sans doute plus le démonter car les rivets étaient soudés par la rouille. À cause du chien il n'osait plus y entrer, mais à l'intérieur, en plein milieu, il y avait deux tonneaux de bois, et d'où il était il ne pouvait voir s'ils contenaient quelque chose.

Ça ressemblait à un dôme du Jardin des plantes, une cage de zoo ou une scène pour numéro de dresseur. Deux chênes verts avaient poussé dedans, ou alors on avait installé la cage autour de ces arbres. Au sol, malgré la végétation foisonnante, une sorte de cavité était creusée dans la terre, une cuvette d'argile qui contenait un peu d'eau. Cela pouvait être une source, ou un résidu de pluie. Possible qu'ici, dans ce fond de ravine totalement ombragé, l'eau ne s'évapore pas. Au creux du vallon tout n'était que pénombre, il y faisait bon, presque frais. La cage ressemblait à un décor où tout aurait été pensé, mais il ne voyait pas dans quel but ni pourquoi ce chien s'en faisait le gardien.

— Tu sais, Lise, c'était ça ce truc qui brillait sur Google Earth, les barreaux au soleil... Pas trop déçue... ?

— Au contraire, ces arceaux de métal dans la verdure, ces lianes partout, ces arbres en dessous, ça ferait un beau sujet. Pas à l'aquarelle, à l'huile...

— Tant mieux alors. Tant mieux.

— À ton avis, pourquoi il devient fou quand on rentre dedans ?

— Lise, je ne parle pas encore aux animaux.

— Si, tout à l'heure, je t'ai vu essayer.

— Eh bien, ça ne marche pas.

— Il doit y avoir quelque chose dans ces tonneaux.

— Tu penses à quoi, à de l'or ?

— Sois pas idiot, mais c'est quand même bizarre qu'il enrage comme ça dès qu'on approche de cette cage.

Ils engloutirent leur pique-nique composé de pain et de salades toutes prêtes avec une faim dévorante. Le chien encore une fois semblait déçu par ce qu'ils mangeaient, néanmoins il demeurait près d'eux. Lise sortit ses grandes feuilles à dessin et sa boîte d'aquarelle, Franck décida d'aller explorer les parages pendant ce temps, à la recherche d'une source ou d'une rivière, un quelconque point d'eau. Il partit sans sac, sans rien, pas même son téléphone désactivé. Le chien parut hésiter un moment entre le suivre et rester avec Lise, finalement il choisit de l'accompagner, il le suivait même au plus près, épousant sa démarche jusqu'à se coller contre ses jambes, comme s'il cherchait à bien marquer sa présence, à l'épauler. Franck était ému par l'affection soudaine de cet animal, ce chien qui observait le moindre de ses gestes, qui s'efforçait de le devancer, d'ailleurs il se mit réellement à lui ouvrir le chemin, comme s'il avait deviné où il fallait aller. C'était attendrissant. Franck se sentit lié à cette bête par une amitié inexplicable. Non seulement cet animal l'impressionnait mais en plus il respectait tout chez lui, sa liberté, son indépendance, et surtout la spontanéité avec laquelle il était entré dans leur vie. Ce chien les avait adoptés. Ne serait-ce que là, en venant les retrouver au fin fond de cette nature sauvage. Peut-être les croyait-il perdus, peut-être voulait-il les secourir, les aider à retrouver le chemin de la maison s'ils n'y arrivaient pas. Cette présence était un réconfort. Le chien se retournait toutes les vingt secondes, quêtant l'assentiment du maître, alors même que ce maître ne faisait que le suivre. Pour trouver de l'eau il suffisait sans doute d'aller vers le point le plus bas, mais ce n'était pas facile de progresser au milieu de ces ronces, de toutes ces lianes anarchiques et de ces buissons piquants. Contre toute attente, le chien commença à renifler le sol, puis il bifurqua d'un coup vers la gauche et trotta jusqu'à d'épais fourrés au pied de la paroi, une haute falaise calcaire qui délimitait le bord le plus abrupt de l'igue. Là, il y avait un semblant d'abri pierreux dans lequel l'animal se faufila, un abri à peine visible parce que recouvert de végétation. Franck s'approcha. C'était un petit édifice d'un mètre cinquante de hauteur, un assemblage de pierres sèches avec un toit en dôme fait de lauzes enchevêtrées. Malgré l'obscurité qui régnait là-dessous, à la place du sol il décela un trou profond. C'était bien une source. Une source abandonnée. Franck dégagea le lierre et les ronces en tirant dessus, ces lianes étaient coriaces mais il libéra une ouverture pour se faufiler à l'intérieur. Le chien était déjà descendu, à deux mètres en dessous, il lapait sans conviction une eau stagnante, on percevait le bouillonnement d'un petit jaillissement en profondeur, de fines bulles remontant des entrailles de la terre. Le chien se retourna et regarda Franck, l'air de dire qu'il ne devait pas l'imiter, comme s'il le dissuadait de boire cette eau. En voyant cet abri assiégé par les ronces et le lierre, Franck pensa au scénario qu'il était en train de lire, dont l'histoire ne l'intéressait pas vraiment, elle se passait dans un futur proche, tous les hommes avaient disparu, seuls cinq astronautes après quelques années d'hésitation avaient pu revenir de Mars et redescendre sur Terre. Après dix ans sans la présence de l'homme, la nature avait repris le dessus. De cette lecture rapide il avait au moins appris une chose, il ne faudrait que quelques années pour que les villes soient entièrement reconquises par la végétation, parce que très vite les racines des arbres attaqueraient les fondations des immeubles, le béton des tours lui-même souffrirait de ne pas être entretenu, faute de lavage, le sel contenu dans l'air amorcerait la corrosion du ciment et descellerait les pierres du moindre bâtiment, sans entretien tout s'écroulerait et très vite la Terre serait à l'image de cet endroit, abandonnée et sauvage...

Franck avança vers l'eau. Pour marquer sa reconnaissance au chien qui l'avait guidé jusqu'à cette source, il s'y trempa les pieds, l'eau était glacée mais ça lui fit un bien fou, il en avait jusqu'à mi-mollet, ce coup de froid apaisa instantanément l'échauffement qui lui dilatait les veines et enflait ses pieds. Au fond de l'abri il y avait une sorte de bassin en pierre, une retenue dont l'eau débordait doucement. Franck s'assit sur le rebord, et là, le simple fait de retrouver la position assise sous cette voûte ombrée, avec les pieds au frais, ce fut aussi bienfaisant que s'il venait de plonger dans une piscine. L'humidité ambiante l'enveloppait, rarement il avait ressenti un tel bien-être. Le chien continuait de boire distraitement. De temps à autre il regardait dehors comme s'il fallait craindre que quelqu'un ne vienne les déranger, à moins qu'il ne guettât Lise, pensant sans doute qu'elle allait les rejoindre. Franck ferma les yeux. Il touchait un peu à cette béatitude que Lise devait atteindre quand elle s'adonnait à la méditation, assise en position de yogi. À partir de ce moment, pour lui le temps s'arrêta. Un bruit tout de même perturbait cette ascèse, rien de plus que le bourdonnement d'un frelon entré à leur suite dans l'abri et assiégeant l'espace de son vol épais. Franck n'aimait pas ces bestioles, il avait toujours peur de se faire piquer, que ce soit une guêpe, une abeille, qu'importe, tous ces insectes volants l'affolaient intimement, il redoutait qu'une piqûre ne le fasse enfler, comme cela était arrivé un jour à son frère quand ils étaient enfants, à tel point qu'on l'avait conduit à l'hôpital. Il chassa le frelon de la main mais il revint tournoyer au-dessus de lui. Il insistait. Le chien déchiffra la situation, les oreilles dressées il se mit à suivre la bestiole des yeux, observant ses circonvolutions, par jeu Franck lui dit :

— Vas-y chope-le... Allez, attrape !

Là encore le chien le prit au mot, il s'investit de cette mission totalement et avala l'insecte d'un coup de mâchoires aussi décisif que précis, il le mâchonna prudemment, pour le tuer sans doute, après quoi il rentra dans l'eau et déposa l'insecte sur la pierre, juste à côté de la main de Franck. Stupéfait par ce geste, Franck lui dit merci, comme à n'importe quel humain qui viendrait de lui rendre service. Mais le chien le regardait dans les yeux, il paraissait vouloir lui dire quelque chose, il poussait même des petits jappements, avec des modulations qui semblaient presque articulées. Franck ramassa l'insecte, se posa un instant la question de savoir s'il ne devrait pas faire semblant de le manger, peut-être que ce chien, mué par son instinct de chasseur, ne souhaitait qu'une chose, combler les demandes d'un maître et attraper pour lui toutes sortes de gibiers, dans son esprit toute bête était une proie. Franck tenait le frelon dans sa paume, le chien le fixait, l'air d'être en attente. Pour le satisfaire Franck résolut de mettre le frelon dans la poche de son short, mais alors le chien se mit à aboyer, sous la coupole de pierre les aboiements tournaient sur eux-mêmes et se répercutaient dans un écho à en transpercer les tympans. Franck ressortit le frelon de sa poche et fit mine de le mettre dans sa bouche, avant de feindre de le mâcher, de le mastiquer avidement. Là, le chien visiblement comblé relâcha sa tension et s'en retourna dehors... Franck était aussi soulagé qu'accablé, aussi enchanté qu'effrayé. Il comprit deux choses, premièrement qu'il était possible de mystifier ce chien, tout observateur qu'il soit, cet animal gardait une once de crédulité dont on pouvait abuser. Mais surtout il comprit que ce chien attendait de lui quelque chose, et ce n'était absolument pas de jouer ensemble.

Mai 1915

Ce matin-là, tout le village s'était levé encore plus tôt que d'habitude. Aucun ne voulait manquer le grand rassemblement, lui accordant chaque fois la solennité d'une grande procession. Ce cérémonial, ce n'était pas pour honorer le soleil ou un dieu quelconque, mais pour saluer le départ de deux cents moutons, dix vaches, deux ânes et trois chiens. Ce matin plus que jamais les animaux étaient au centre de l'attention. En plus d'avoir guetté le ciel depuis la veille, les femmes dès l'aube avaient inspecté les pattes des bêtes pour y déceler les plaies et les égratignures, il fallait être sûr que toutes les brebis seraient aptes à effectuer des heures de marche, surtout qu'il ferait chaud. Vers sept heures, on avait sorti les moutons des étables pour les rassembler devant l'église et la mairie. Fernand le maire y était allé de son discours sur la valeur du voyage et des choses, le curé venu spécialement pour l'occasion les avait tous bénis, aussi bien les moutons que les accompagnateurs, les chiens comme le berger. Il les assura de sa protection contre les orages et les loups, promettant que les pâtures cette année seraient généreuses et tranquilles grâce à l'effet conjugué de saint Jean-Baptiste et de la vigilance des chiens. Bien sûr les hommes n'étaient pas là, mais ce soleil franc et la bonne humeur ouvrit suffisamment les cœurs pour que les femmes se mettent à chanter.

Cette année on avait ajouté dix vaches au troupeau de moutons. Pour le berger ce ne serait pas simple, seulement il y avait trop peu de foin dans les granges, depuis l'hiver il ne pleuvait plus, alors on avait décidé de faire estiver les vaches qui ne donnaient pas de lait. En haut, l'herbe foisonnait avec une belle abondance, les brebis comme les vaches pourraient manger tout le jour à leur faim, de sorte que la nuit elles dormiraient au lieu de continuer à paître, et des brebis repues qui dorment grassement c'est toujours plus facile à garder. On préférait savoir les vaches en haut, de l'autre côté des collines, bien à l'abri, d'ailleurs cette année on mènerait les bêtes encore plus loin que d'habitude, vers les prairies où il n'y a ni route ni gendarme, au moins on serait certain que personne ne viendrait les inspecter, personne ne viendrait demander des comptes et à coup sûr on ne les réquisitionnerait pas.

Les pâtures étaient de l'autre côté de la savane du mont d'Orcières. L'idée de devoir passer tout près des fauves procurait un supplément de péril au voyage. Tout l'été les bêtes pacageraient à trois heures de marche des lions, à grande distance certes, mais d'avance on savait que chaque nuit on se ferait du mauvais sang, à longueur d'estive on tremblerait pour ces moutons et ces vaches, déjà parce que la guerre répand de l'inquiétude en tout, et puis parce que depuis l'hiver les loups étaient revenus. C'est pourquoi cette année le Simple serait épaulé de trois chiens. Personne n'osait se l'avouer, mais trois chiens face à des loups et des lions ça semblait maigre comme assurance, d'autant que le métier de berger n'est pas si élémentaire qu'il en a l'air, et le Simple n'avait jamais mené des vaches aussi loin. Si bien que cette année on lui fournit également deux fusils au berger, au cas où. Avec trois chiens et deux fusils il devrait s'en sortir. Sans compter que le Simple avait le flair pour deviner les parcours et sentir le vent, sachant que les moutons ont horreur de deux choses, la solitude et les courants d'air. Là-bas il y avait au moins cinq cents hectares de pâtures offertes, des petits bois à l'ombre, largement de quoi nourrir les bêtes et jardiner la nature pour se préserver des feux de forêt.

Deux fois par semaine on irait prendre des nouvelles. Joséphine se proposa de le faire parce qu'elle avait un cheval et que cette balade lui ferait du bien. Au fil des années le Simple était devenu une sorte de valet de ferme, un domestique à la disposition de tous. Assez gaillard et pas méchant, il était né d'une femme des environs de Pasturat près de la rivière, une femme qui avait eu honte de sa grossesse, elle avait d'abord réussi à cacher son ventre, avant de cacher le bébé lui-même et de le laisser dans un fourré en bas, au bord de l'eau. C'était bien un genre de Moïse qu'on avait trouvé ce jour-là, sinon que celui-là, il n'y aura eu aucune reine pour le langer et que par la suite il n'aura cherché à soulever aucun peuple. Cet avorton-là personne n'avait clairement décidé d'en assumer la charge. Alors on se l'était repassé de famille en famille le temps qu'il grandisse, qu'il serve enfin à quelque chose. Tout le monde faisait comme s'il y tenait à ce garçon, histoire de ne pas donner l'image d'un sans-cœur, histoire aussi de ne pas trop déshonorer sa foi aux yeux du curé. Ce gosse avait poussé sans se préoccuper de grandir, ni de parler, ni de quoi que ce soit d'autre. Il fallut attendre ses dix ans pour décréter qu'il était sinon débile, du moins différent, et sempiternellement disposé à dire oui, alors que c'était justement comme ça qu'on l'avait élevé. Seulement, depuis la guerre, le Simple était devenu un être précieux, déjà parce qu'il était un homme à présent, qu'il en avait la force et la rusticité, et surtout parce qu'il était expert en ce qui concerne les bêtes et l'agriculture. Le Simple, c'est la folie des nations qui avait fait de lui un être d'exception, un être humble devenu inestimable et irremplaçable.

À cause des sermons du curé, des paroles perdues pour pas grand-chose, les bêtes ne se mirent en marche que vers neuf heures. Pour rejoindre les pâtures il fallait trois heures à condition d'y aller bon train. Les femmes et les enfants accompagnaient les moutons, et quelques vieillards aussi, du moins pendant les premiers kilomètres, parce que très vite ça montait, ça montait même sacrément. Pour enjamber les collines il fallait d'abord enjamber le mont d'Orcières, de là on bifurquerait pour filer plein est. Tout en grimpant on se demandait comment les bêtes se comporteraient en approchant du sommet, on redoutait que les moutons ne prennent peur en humant les odeurs des fauves, parce que les brebis ont l'odorat subtil et aiguisé et qu'elles se méfient toujours d'une odeur inconnue, les moutons craignent les fragrances inédites, et à coup sûr jamais ils n'avaient reniflé des effluences de tigres ou de lions. Par chance il n'y avait pas de vent, mais on trembla tout de même au moment d'atteindre la cime, tout en priant de rebasculer bien vite du côté des hautes prairies, celles qui s'élancent vers les flancs granitiques du Massif central.

D'autre part on ne savait pas comment réagiraient les fauves en sentant venir vers eux cette marée de moutons et de vaches, on se doutait que ça les mettrait en alerte, peut-être même qu'ils deviendraient fous à en briser leurs barreaux... Tous imaginaient déjà ces huit monstres se ruant sur le troupeau, déchaînés comme les renards qui fondent sur le poulailler en tuant dix fois plus de poules qu'ils ne pourront en manger. Souvent les animaux font cela, les chiens s'adonnent à ce genre de tueries gratuites, et aussi les loups quand ils déboulent dans des cheptels de bêtes vives, comme les hommes en ce moment même, balançant des grenades dans des tranchées farcies de soldats, l'homme n'est pas le seul animal à être bestial.

À l'approche du sommet du mont d'Orcières, les moutons étaient de plus en plus nerveux, alors que les vaches continuaient d'avancer dociles, ne présumant rien du danger. L'odeur des lions ne figure pas d'instinct, chez les limousines, dans le registre des choses à redouter, dans leur esprit de ruminants paisibles, l'insouciance est ce qu'il convient d'opposer à tout péril.

Debout dans leurs cages, les lions avaient reniflé l'incroyable composition qui se faufilait vers eux, cette débauche de chairs vives qui progressaient sur l'herbe sèche. Les lions comme les tigres gardaient la tête dressée, le museau tendu, comme si un feu de savane rabattait vers eux tous les animaux de la création. Dans ces bouffées de particules odorantes, il y avait de la chair échauffée sous le cuir, du muscle juteux et souple, et puis aussi le sang rosé et fluide de ceux qui hier encore n'étaient que des agneaux, ainsi que l'odeur un peu musquée des moutons d'âge. Se mélangeait à ça le parfum connu des corps de femmes et d'enfants, en corollaire des vaches il y avait le fumet de bouse séchée qui imprègne les buffles quand ils ont peur, les huit fauves sentaient confluer vers eux l'indéfinissable vertige de la terre, une marée montante de viandes offertes, pour leurs narines c'était comme une explosion. L'excitation venait à l'idée de plonger la gueule au plus profond de ces chairs, de les déchiqueter pour en exacerber l'odeur, d'arracher des pans entiers de ces proies, les babines maculées de sang. En devinant cette agitation chez ses fauves, le dompteur s'approcha des cages. Le flair d'un homme n'étant rien face à celui des lions, il ne comprit pas tout de suite, alors il alla jeter un œil au bord de la falaise, et là il les vit tous en dessous, arpentant le sentier en lacets.

Il retourna vers ses lions. Jamais il ne les avait vus aussi énervés. Normalement en fin de matinée ils étaient calmes. Il voulut les sortir de la grande cage de détente pour les ramener chacun dans leur box, mais ils n'écoutaient pas ses ordres. Ce matin ils ne le voyaient même pas. Leurs regards allaient se perdre bien au-delà de lui, pour eux il n'existait plus. Wolfgang sut qu'ils n'arriveraient pas à se détendre, au contraire, leurs corps étaient parcourus d'ondes nerveuses, ils avaient tous la queue dressée à la verticale, les muscles tressaillaient sous l'effet d'un frisson croissant, trop agités ils dessinaient tous le même ballet nerveux en marchant de long en large, produisant une sorte de danse symétrique, la chorégraphie des chairs affamées. Face à ça, l'artiste prit le dessus sur le dompteur, parce que ce quadrille parfaitement synchronisé exécutait une danse fascinante, Wolfgang imagina une musique fiévreuse de Richard Strauss ou de Beethoven jouée par le petit orchestre. Sur une piste éclairée de cirque voilà qui ferait un beau spectacle, mais jamais il ne réussirait à le reproduire dans un numéro, jamais il ne parviendrait à les faire aller et venir tous les huit dans ce même mouvement, avec une symétrie aussi impeccable. Le plus beau numéro de ses lions, il aura donc été le seul à le voir, et ce jour-là il n'était même pas avec eux dans la cage. Derrière lui, il entendait maintenant des bruits de clochettes qui se rapprochaient, puis la rumeur massive de ces dizaines de bêtes qui grimpaient vers eux, c'est là qu'il comprit que ces abrutis n'avaient pas tourné à droite, ils avaient choisi de monter en haut de la colline pour couper par la combe sans doute, mais pour gagner quoi, vingt minutes, vingt minutes à épuiser les moutons, tout ça pour redescendre par la pente douce et remonter ensuite.

Les bêtes et les villageois passèrent à moins de cent mètres des cages. Le Simple menait le mouvement en tirant son âne, un baudet tellement chargé qu'il en avait l'échine pliée. Une vingtaine d'accompagnateurs suivaient en contenant le troupeau, des femmes comme des enfants, qui tous marchaient tête basse, évitant de regarder en direction des félins, se doutant bien que ceux-ci les épiaient. Au sommet de la colline, deux mondes se croisèrent, l'un dévorant l'autre des yeux. Seuls les trois chiens marquèrent l'arrêt pour examiner de loin ces fauves épais, ces curieux animaux dont ils pressentaient qu'il ne fallait pas s'y frotter. Les lions de leur côté ne craignent rien ni personne, les lions se savent les plus forts, et pourtant en la circonstance ils étaient impuissants. De tous les animaux de la création ils se savaient les plus forts, sans aucun rival, mais jamais ils n'auraient l'occasion d'en faire la preuve.

En voyant ce troupeau qui s'étirait sans fin au bout de son terrain, le dompteur crut devenir fou, aussi fou que ses fauves, il redoutait qu'ils ne soient durablement énervés, qu'à cause de ça ils restent incontrôlables et fous pendant des semaines. Ce flot de brebis et de vaches qui leur passaient devant le nez les soulevait d'une furie inédite, une rage qui, s'il n'y prenait garde, les amènerait à mordre les barreaux ou à se mordre entre eux, une rage qui ne les quitterait pas.

Les lions ce matin venaient de comprendre que leur territoire était un lieu de passage d'herbivores, que ce monde de collines qui les environnait était peuplé de troupeaux dociles qui osaient traîner jusque-là, devant leurs yeux. Dès lors ils ne feraient plus qu'attendre que des bêtes passent de nouveau.

Si ses fauves se mettaient cette idée en tête, le dompteur perdrait tout ascendant sur eux, de fait ils se diraient, Si le gibier ici est abondant, à quoi sert ce maître qui nous prive de toutes les proies dont les collines débordent... Pour se jeter sur ces troupeaux mirifiques il suffirait de ne plus respecter les cages, au lieu de tout attendre de ce rabatteur avare, de ne plus se résoudre à cette autorité qui les maintenait enfermés, ils auraient mille occasions de déjouer la vigilance du dompteur qui continuait de les faire répéter pour de si maigres récompenses. Cette défiance, il la lut dans le regard de ses fauves, il sut qu'à compter de maintenant ils ne feraient plus que guetter ces défilés d'herbivores. Le grand troupeau rebascula vers l'est en dégringolant le long de la pente, une fois en bas il s'enfonça par le petit sentier dans la colline d'en face. Ils s'engageaient en direction de l'Auvergne, là-haut les plateaux ne sont pas faits du même sol, ils gardent la terre fraîche, contrairement au calcaire qui cuit les racines.

Une heure plus tard, les lions tournaient toujours en rond dans la grande cage. Wolfgang voulut les faire répéter pour récupérer leur attention, mais ne se sentait pas de les approcher. Ils ne l'écoutaient pas. Il eut même le sentiment qu'ils risquaient de l'attaquer. Puisqu'il leur avait caché ça, ses lions et ses tigres ne lui feraient plus aucune confiance, au risque même de se mettre en tête de l'éliminer. Dans une vision d'horreur, il supposa ce qui se produirait si ses fauves ne lui obéissaient plus. Quand les fauves dénient le pouvoir du maître, c'est le début de la rébellion. Ils chercheraient à se sauver, mais s'ils devenaient libres ils feraient de ce territoire leur royaume, ils fondraient dans la vallée et y découvriraient les fermes avec ce qu'elles renferment de cochons, de poules, de lapins, de femmes et d'enfants, les plus vieux dans tout ça ne seraient que des proies dérisoires. Les hommes n'étant pas là, les femmes ne se serviraient pas des armes, les lions seraient maîtres de tout. Le dompteur comprit qu'il lui faudrait redoubler de vigilance, plus que jamais il devrait veiller à ne pas se faire tuer, il fallait qu'il vive pour que tous les autres en bas restent vivants. Pour réaffirmer son pouvoir, le soir même il doubla les rations. Pendant plusieurs jours il faudrait les rassasier grassement, leur rapporter pas moins de vingt kilos de chair à chacun. Il devrait les nourrir à leur en dilater l'estomac, les gaver jusqu'à ce que ces brebis et ces vaches providentielles leur sortent de la tête. Dès ce soir il faudrait que la chair abonde, que le piège donne dix fois plus, sans quoi ce serait lui qui se ferait dévorer.

Août 2017

Cette fois ils avaient vraiment pris possession des lieux, Franck le sentait à la fluidité avec laquelle tout s'organisait dans la maison, comme Lise il avait trouvé ses marques, tous deux y évoluaient naturellement, chacun ayant pris quelques habitudes déjà. Quelle que soit la maison ou la chambre que l'on loue, vient toujours ce moment où l'on s'y sent comme chez soi.

Le soir était parfait, la musique était douce. Le soleil venait de plonger dans un rouge qu'il ne cessait de répandre, promettant à coup sûr de la pluie pour le lendemain, à moins que cela ne soit l'annonce du beau temps, Franck ne savait pas bien. Le vieux poste Telefunken diffusait une sorte de jazz soyeux. On ne pouvait toujours pas choisir la station ni changer la fréquence, mais chaque fois que Lise ou Franck le rallumait, le poste diffusait une séquence de morceaux inédits qui collaient parfaitement à l'ambiance. C'était un peu comme si cette radio décidait elle-même ce qu'il convenait d'émettre, jusque-là ces musiques aléatoires étaient toujours raccord à l'instant. L'appareil était hors d'âge mais le son était bon, il fallait juste veiller à ne pas bouger la grande antenne télescopique, sans quoi ça grésillait.

En fin d'après-midi le chien les avait aidés à revenir de leur balade. Il leur avait ouvert la voie, ils n'avaient fait que le suivre, ce qui tombait bien car ils n'avaient pas vraiment repéré le parcours à l'aller, dans cette zone tout se ressemblait. Finalement ils avaient passé près de quatre heures là-bas, dans ce trou de verdure, dans cet asile verdoyant près de la source. Ils s'étaient même baignés, du moins ils s'étaient trempé le corps, assis dans le réservoir d'eau fraîche légèrement bouillonnante, pour se protéger de la chaleur ils y étaient restés longtemps, en curistes, mais sous le regard vigilant du chien. L'animal grognait chaque fois qu'il voyait Lise ou Franck approcher le visage de la surface de l'eau, par pure prévenance. Lise avait posé la question du nom qu'il pouvait avoir, à partir de là ils s'étaient livrés tous deux à un jeu. L'exercice avait duré un bon moment, des noms ils en avaient essayé plein, tous ceux qui leur venaient en tête, de Lassie à Rex, de Médor à Bulle, de Baïkal à Samba, de Biscuit à Ulysse, d'Ascott à Brutus, Kali, Tara, Roxy... À chaque nouvelle trouvaille de l'un ou de l'autre, ils regardaient le chien en l'appelant par ce nom, en général l'animal ne réagissait pas, il leur lançait tout juste un regard, sans intérêt, mais ne se redressait pas. Parfois, il semblait ne même pas les entendre. Aucun de ces noms n'était pertinent. Quant à tester toutes les associations de syllabes jusqu'à trouver la bonne combinaison, ce serait sans fin. Ce chien n'avait peut-être jamais été nommé. Pour clore le jeu, Franck et Lise avaient décidé de réfléchir chacun de leur côté, d'inventer chacun un nom. Si par le plus grand des hasards ils aboutissaient au même, ce serait évidemment celui-là qu'ils lui donneraient. En revanche s'ils en obtenaient deux différents, et bien chacun se servirait de celui qu'il avait trouvé pour appeler le chien, et on verrait à quel nom l'animal réagissait le mieux. Au pire, ils garderaient les deux. Franck avait choisi Alpha, du nom de sa société. Lise avait préféré Bambi, parce que ce chien sortait chaque fois de la forêt, qu'il y était dans son élément, et comme le faon du livre, il avait l'air porteur de drames. Pourtant Bambi, ça ne lui allait absolument pas, mais ça l'adoucissait.

Ils avaient replié les affaires et étaient restés plantés là à regarder le chien, le chien qui de lui-même s'était mis en route, leur faisant découvrir un chemin un peu plus humain, un parcours moins abrupt que l'accès par lequel ils étaient descendus. Il les avait guidés au fil des parois de l'igue par un chemin assez large qui en faisait le tour et permettait de remonter sans qu'il soit question d'escalade. Une fois en haut ils ne retrouvèrent pas le moindre repère, ne savaient absolument plus dans quelle direction était la maison, mais l'animal les avait précédés, et simplement ils l'avaient suivi.

Après une aussi longue virée, le soir Lise et Franck avaient sacrément faim. Une fois le repas fini et la table débarrassée, Franck traîna dans une fatigue d'après-dîner, idéalement installé sur une vieille chaise en bois qu'il basculait vers l'arrière. Les jambes posées sur le banc en pierre, il observait le chien qui demeurait là sans bouger, sous le grand arbre. Tout le long du dîner ils lui avaient tendu des bouchées de nourriture. Mais rien ne l'intéressait. Rien ne lui convenait. C'est à peine s'il avait daigné renifler les bouts de pain que Franck lui avait lancés, après les avoir trempés dans la sauce de la salade de tomates. Et encore, il les léchait mais ne les mangeait pas. Lise voulait profiter de l'été pour supprimer les produits laitiers de son alimentation, délaisser toute protéine animale, de sorte que dans cette maison il n'y avait rien d'appétissant pour un carnassier. Franck se demanda ce que ce chien pouvait bien manger. Est-ce qu'un chien pouvait décider tout seul de sa pitance et la trouver à coup sûr, il ne savait pas. Aujourd'hui tous les chiens en étaient réduits aux croquettes, du moins tous ceux qu'il avait pu voir autour de lui, et même les chiens avec lesquels il avait tourné, des chiens qui d'après le scénario devaient paraître terrorisants, des toutous qui devant l'objectif produisaient leur effet et semblaient féroces, le soir le dresseur ne leur donnait pas autre chose que des croquettes multicolores. Rien de sauvage dans tout ça. Alpha ne semblait vraiment pas préoccupé par la faim. Il restait paisible, la tête posée sur ses pattes avant croisées, un peu las. Possible que cette longue balade l'ait fatigué lui aussi.

— Alpha... Alpha.

En entendant Franck l'appeler, le chien releva un peu la tête, mais sans conviction.

— Bambi... Bambi.

Ce prénom-là ne marchait pas mieux. Franck repensa à ce choix qu'avait fait Lise, de l'appeler Bambi à cause du paysage, de la nature sauvage qui les entourait. Il n'était pas improbable que ce chien soit orphelin, qu'il ait perdu sa mère ou son maître, que la vie l'ait laissé grandir seul, au point de revenir à l'état sauvage. Quant à Alpha, c'était bien en référence au nom de sa société qu'il l'avait choisi, mais c'était aussi le nom du personnage principal du scénario futuriste qu'il était en train de lire, un de ceux que Liem et Travis lui avaient transmis. Ce scénario il ne l'aimait pas, là encore il sentait l'empreinte de l'imaginaire des jeux vidéo, mais le fait que le héros s'appelle Alpha avait déclenché en lui une certaine affection pour ce texte. D'une manière générale il n'avait aucune attirance pour les films de science-fiction, en dehors de *Blade Runner* ou de *Metropolis*, de *Brazil* ou de *L'Odyssée de l'espace*, et quelques autres, de *Soleil vert* ou *La Planète des singes*... Finalement quand il faisait le compte, un certain nombre de films d'anticipation l'avaient fasciné, mais en tant que producteur jamais il n'investirait dans ce type de projet. Ce serait sans doute une source de conflit de plus avec Liem et Travis.

Dans la salle de bains, la radio changea de registre. Depuis un bon moment elle ne diffusait que du classique mais là d'un coup elle se mit à passer de la musique country. Une chanteuse à la voix plaintive sur des mélodies au banjo, voilà qui donnait une ambiance western au coucher de soleil sur les collines. En se retrouvant dans cette nature, perdu dans ce paysage sauvage, il se dit qu'il se verrait bien produire un western, mais un western vert, et ici même, dans ce décor, même si cette maison en pierre ne serait pas très raccord. Il promena son regard tout autour de lui et se demanda quels êtres avaient vécu là, quel genre de primitifs c'étaient pour faire le choix de vivre à ce point à distance des autres, à ce point isolés, il fallait être un peu aventuriers et avoir une activité qui supposait d'être en retrait.

Jamais il ne trouverait de financement pour tourner un western européen, de toute façon les westerns ne sont plus rentables, pas même aux États-Unis. À moins de verser dans le western minimaliste, avec peu de personnages, des panoramas de nature profonde, perdue, et surtout cette lumière-là, tout un film tourné dans la lumière rouge du couchant, comme *Les Moissons du ciel*, et puis cette longue prairie qui descendait face à lui, ce grand pré au bout duquel il décela quelque chose qui s'agitait, tout en bas il voyait bien les herbes secouées de petits mouvements saccadés. Sans bouger de sa chaise, Franck releva la tête pour mieux voir. Il y avait effectivement une bestiole tout là-bas, un petit animal qu'il discernait mal, à cent cinquante mètres vers les arbres, ce devait être un lapin sautillant de place en place, ou un lièvre, il ne savait pas faire la différence entre les deux. Le chien était toujours à moitié endormi, les yeux fermés, mais il sentit que Franck avait repéré quelque chose, en tout cas il dressa les oreilles et regarda Franck, attendant de nouveau une instruction. Franck s'efforça de ne pas le regarder en retour pour ne pas l'influencer. Mais ce fut plus fort que lui, à cause de la musique sans doute, de ce country de moins en moins mélancolique, cette danse qui s'enflammait, Franck ressentit le frisson du chasseur, il voulait déclencher quelque chose dans cette nature paisible. Pour vérifier s'il avait réellement un quelconque pouvoir sur cette nature environnante, il chercha à provoquer un genre d'enchaînement animal, là sur le moment il voulut qu'il y ait de l'action, que ça s'embrase, agir en cow-boy, de ces cow-boys coriaces qui règnent sur leur environnement et se fondent dans le cycle du vivant, décidant du sort des animaux aussi bien que de celui hommes.

— Alpha ! C'est quoi là-bas ? Hein ? Qu'est-ce que c'est là-bas… ?

Le chien se leva d'un bond, déjà avide d'une certaine forme d'action, mais laquelle ? Ce qui est étrange chez les chiens, c'est qu'ils comprennent tout de suite qu'il faut regarder dans la direction que désigne le doigt… Si bien qu'Alpha repéra le lièvre à l'ouest, il se mit à l'arrêt, ne bougeant pas, la truffe pointée pour décrypter l'espace, jusque-là il s'en tint à ça, tendu comme une arme chargée, prêt à la détente, très vite ils échangèrent un regard, et là Franck lui dit juste « Chope-le ! ». Aussitôt le chien détala vers le lièvre, le lièvre, qui de loin sentit le prédateur fonçant sur lui, détala à son tour et se carapata vers le bois... Un lièvre court deux fois plus vite qu'un chien, mais un chien ne renonce jamais, quitte à décupler sa course dans une déclivité folle. Franck regretta son geste, surtout quand il vit Alpha galoper jusqu'au fond du pré et ne même pas s'arrêter face aux buissons, au contraire il les transperça dans un violent bruit d'impact, il troua les buis et les ronces en amorce du bois, ce bois qui au bout de quelques dizaines de mètres plongeait à pic, côté ouest, en surplomb de l'ancien village d'Orcières, devenant une vraie falaise de ce côté-là. Franck s'en voulait d'avoir lancé ces deux animaux dans cette cavalcade mortelle. Il n'en revenait pas de la folie de ce chien, capable de se catapulter à toute allure dans ces fourrés en pente, avec la paroi au bout, au risque de dégringoler le long de la roche. En même temps cette énergie irrésistible le fascinait. Qu'est-ce que le chien lui rapporterait cette fois, un bourdon, une balle de cyprès ou le lièvre ?

Derrière lui la radio enchaîna avec un morceau endiablé de Baden Powell, *Saravá*, il le reconnut tout de suite, il collait parfaitement à cette ambiance ardente et trouble de jungle, ce danger toujours affleurant dans les lieux sauvages, une nature d'autant plus nature qu'elle regorgeait de périls. Franck traversa le pré et marcha jusqu'au bois, il voulait voir si en contrebas le chien continuait de poursuivre sa proie, s'il cavalait toujours après ce trophée ou s'ils s'étaient tous les deux précipités dans le vide... Possible que ce chien cherche un maître, en tout cas il voulait satisfaire Franck, démontrant une incessante volonté de se sacrifier pour lui, obéissant à des ordres qu'il ne lui donnait pourtant que du bout des lèvres. Seulement là, il fallait l'arrêter ce chien, il fallait le dissuader de tuer cet animal, alors Franck s'avança plus avant dans le bois, il se déprit de la musique qui électrisait l'atmosphère de ses percussions mortifères, de ses rythmes sorciers, de loin il n'entendait plus que les probables tam-tam du morceau suivant. Ce chien voulait peut-être le soumettre à une sorte d'initiation, comme ce rituel massaï qui veut que tout nouveau venu tue de ses mains un lion et le mange, ce qui lui procurera force et courage, et le fera passer dans le monde des « hommes ». Peut-être qu'à titre d'offrande ce chien voulait lui ramener le lièvre, le lui remettre en main propre pour qu'il le mange... Il était horrifié à l'idée de voir Alpha revenir avec une bête crevée dans la gueule, un lièvre démantibulé et ballant. D'avance cette vison l'épouvanta, jamais il ne pourrait ramasser le cadavre d'une bête pleine de sang, une bête encore chaude et mouillée de la bave du meurtrier haletant, et d'ailleurs qu'est-ce qu'il en ferait de ce lièvre, il le mettrait direct à la poubelle, parce que rester toute la nuit avec la pensée de cette dépouille dans la cuisine en bas, c'était insupportable... Pourtant c'était bien ce que ce chien s'apprêtait à faire, il le sentait, Alpha allait lui rapporter ce lapin, attendant de lui qu'il le dépiaute, qu'il le cuisine et le mange. Franck avait enfin compris quelle était la nature du jeu entre eux, ce chien chassait dans l'unique intention de lui dédier ses prises, par révérence.

Quand Lise ressortit de sa troisième douche de la journée, elle vit Franck s'agiter tout là-bas, au fond du pré, il avait l'air de guetter les fourrés tout en appelant « Alpha ». Mais le chien ne venait pas. La scène l'amusa. Franck fit demi-tour et d'un pas pressé remonta tout le pré vers la maison.

— Quelque chose ne va pas ?

— Oui, Lise, je crois que... Enfin, je crois que j'ai fait une connerie.

— Ah bon ! Quoi ?

Franck s'approcha de Lise et la prit dans ses bras.

— Non, rien. Rien. Rien.

Ils se serrèrent tous deux comme le feraient deux êtres se retrouvant sur un quai de gare après des mois de séparation. Là, dans cette nature primitive, il redécouvrait la force du lien qui les unissait, il ressentait cela, « On s'aime mais on ne se le dit plus, on s'aime de telle manière qu'il n'y a même plus lieu de se le dire, de le penser... » C'est peut-être le stade ultime de l'harmonie, le seuil de la béatitude entre deux êtres, l'amour devenu à ce point naturel qu'il ne s'énonce même plus. Franck la tenait éperdument contre lui cette femme, il l'enserrait de toutes ses forces cette femme qui l'avait amené jusqu'ici pour se perdre dans ce coin perdu, dans ce monde si simple et si complet, pour se perdre et se retrouver. Dans la vie il fallait peut-être s'en tenir à ça, une maison et des collines tout autour, dès qu'on se met à attendre autre chose de l'existence, alors il en faut toujours plus, ça n'en finit pas. Cette tendresse soudaine, c'était autant de la reconnaissance que de la peur, il redoutait de toucher là à une plénitude interdite, de plonger dans l'illusion profonde du retour aux sources, avec le danger de se croire dégagé du reste du monde comme de tout devoir, de son métier, de ses associés, de ses banquiers... Ce serait un bien cruel bonheur de se décréter libre, comme ça, du jour au lendemain, de se dégager de tout ce qui faisait sa vie, d'un coup de se sentir affranchi de toute contrainte et au-dessus de tout.

Le morceau suivant à la radio était une musique de film, un homme parlait en catalan, seulement, à cause de son micro douteux et du son de sa voix de plus en plus haché, on ne comprenait rien à ce qu'il disait. La médiocrité de la prise de son compliquait tout. Puis la voix se tut et laissa la place à une autre musique de film, *Furyo* de Sakamoto.

Le soleil venait de sombrer, la lumière du jour avait presque entièrement disparu. C'était l'heure où l'on se dit qu'il serait temps d'allumer, mais Franck et Lise ne bougeaient pas, il la tenait toujours dans ses bras, les yeux fermés il tournait le dos à la prairie, si bien que c'est Lise qui vit Bambi réapparaître tout là-bas, ce Bambi solide et fort qui ressortait du bois mortel, entre chien et loup elle le distinguait mal mais il franchit les derniers buissons en quelques sauts lents et las, visiblement épuisé par sa course dans les ronces. Sans rien dire, Lise suivit des yeux ce chien qui remontait le pré pour revenir vers eux, sans courir, aucunement pressé, avec l'air penaud de celui qui n'est pas fier. Franck la serra davantage contre lui.

— Lise, est-ce qu'il le tient dans la gueule ?
— Quoi ?
— Le lièvre, est-ce qu'il l'a chopé… ?
— Franck, de quoi tu parles ?

Franck se retourna, soulagé de constater que le chien n'avait pas coincé le petit animal entre ses mâchoires, de toute évidence il ne l'avait pas rattrapé. Le chien se rapprocha calmement et se posta auprès d'eux, secouant la tête, la hochant à la manière de celui qui s'en veut. C'est là, aussi démobilisé qu'exalté, que Franck comprit qu'il s'était fait un véritable allié, un allié solide, indéfectible, dès lors il pourrait tout obtenir de ce chien, seulement, pour sceller le pacte de cette transaction abstraite, il fallait que ça passe par la réalité d'une récompense.

Lise se baissa pour caresser le grand animal maussade, sous le poil rêche et doux elle sentait qu'il avait chaud, mais le chien têtu ne se défaisait pas de son attitude chagrine. Lise lui disait des mots dynamisants et tendres, elle le cajolait comme un coureur fatigué, cependant, ce chien tout piteux c'était Franck qu'il regardait, il le fixait droit dans les yeux, comme s'il attendait de lui de l'indulgence ou un pardon, et surtout la promesse de recommencer, oui c'est bien ce que Franck ressentit, Alpha comptait sur lui pour reproduire le jeu dès le lendemain, avec une autre prise, pour chasser autre chose qu'un lièvre cette fois, autre chose qu'une baballe ou une boule de cyprès, oui la prochaine fois il faudrait viser quelque chose de beaucoup plus gros, plus précieux et compromettant, un gibier beaucoup plus noble, pourquoi pas un chevreuil ou un sanglier, un cerf ou un homme, pourquoi pas.

Mai 1915

Ce matin en sellant son cheval Joséphine n'était pas tranquille. Rien ne lui interdisait de faire cette balade mais d'avance elle s'en sentait coupable. Toutefois, si on la surprenait en train de gravir ce flanc-là de la montagne, si d'en bas on la voyait disparaître derrière les genévriers et monter le chemin vers le mont d'Orcières, on se dirait tout bonnement qu'elle allait rendre visite au Simple dans ses pâtures. En un sens c'était vrai. Sinon qu'elle caressait une arrière-pensée, un vœu qu'elle serrait aussi fort que les rênes de son cheval, croiser de nouveau cet homme. Nul ne doutait que c'était par pure bonté d'âme qu'en quinze jours elle avait déjà ravitaillé le berger trois fois, lui apportant du pain et du lait frais. Puisque les brebis sont délicates et que leurs pattes sont toujours en butte aux ornières et aux épines, Joséphine emportait avec elle un pot de sulfate de cuivre et de la vaseline pour soigner les plaies, à coup sûr en glissant la main sous les pattes des bêtes elle trouverait des entailles. Joséphine savait y faire avec les brebis. Là-haut à Bergerac ses parents étaient de grands propriétaires, contrairement à ses sœurs elle passait souvent dans les métairies, parce qu'elle aimait les animaux, et pas seulement son cheval, et qu'à l'époque le monde elle le voyait comme un grand livre fait de décors qui l'attendaient, en tout lieu elle avait sa place, aussi bien dans les salons fleuris de la maison parentale que dans les fermes du domaine.

C'était d'autant plus audacieux de s'aventurer sur le mont que son cheval rechignait à grimper par ce chemin-là. Par endroits la pente semblait quasi verticale, le sol caillouteux lui vrillait les boulets, le pauvre cheval souffrait encore plus avec une cavalière sur le dos, aussi légère soit-elle. Malgré cela Joséphine poussait la bête sans poser pied à terre, aujourd'hui elle voulait hâter l'allure, ne surtout pas perdre de temps dans ce bel après-midi qu'elle s'était dégagé, aujourd'hui elle se voulait libre, libre dans son projet de s'égarer.

Une fois encore les fauves les sentirent venir de loin, le cheval et la cavalière. Depuis deux semaines ils ne restaient guère au repos, l'excitation provoquée par le passage des moutons avait fait place à un profond ressentiment qui ne se dissipait pas. Pour les rassasier, Wolfgang avait braconné pas moins de dix sangliers et trois chevreuils, et malgré tous ses efforts pour leur trouver de la chair vive et arrimée sur les os, les lions ne s'étaient toujours pas adoucis. À croire que la captivité ne leur convenait plus, qu'ils n'arrivaient plus à s'y résoudre. Ces quadrilles de gigots et ces flancs de vaches dont ils avaient gardé l'odeur, ces tonnes de viande tranquilles délaissées par tout prédateur, tout cela ne cessait de les entêter. Depuis quinze jours les huit fauves gardaient la gueule ouverte et avaient l'haleine courte, les mâchoires contractées, signe qu'ils sentaient que ces proies étaient toujours dans les parages, par moments le vent portait des molécules de chairs intruses, des bouffées qui perturbaient la cohésion du groupe et les agaçaient tous. Jamais depuis que le monde est monde, des lions n'avaient eu une telle débauche d'effluves dans leur aire, jamais ils n'avaient reniflé un tel cheptel de conquêtes sans pouvoir s'en rassasier. Humer leur odeur sans les voir, ça virait au supplice. Au-delà des barreaux qui les retenaient il y avait de surcroît ces collines de chênes verts et de buissons, des bois serrés et denses dont les lions ont horreur, parce que les arbres et les buissons touffus entravent la course et obstruent le paysage, quand ils chassent les lions ont besoin de chevaucher dans des savanes dégagées et planes. Plus que jamais ils maudissaient ces arbres, ces barreaux, et cet homme. Depuis deux semaines tout les rendait fous.

Une fois au sommet, plutôt que de continuer vers l'est, Joséphine jeta un œil en direction des cages. D'où elle était elle les apercevait tout en s'en tenant bien à distance. Elle était profondément remuée par les grognements, cette agitation qu'ils traduisaient. Elle eut même un peu peur. C'était la première fois qu'elle montait jusqu'ici, dans le domaine de cet homme.

D'habitude elle bifurquait toujours en aval du sommet, à la patte d'oie juste en dessous.

En avançant un peu elle découvrit la petite bâtisse, la fameuse maison vigneronne à laquelle on prêtait tant de sortilèges. C'était une maison toute simple, modeste mais splendide de par son isolement. Elle trônait, finement sertie sur sa colline, une maison pas trop à l'image de ce bonhomme qui y habitait et de sa faune imposante.

En venant jusqu'ici elle croyait que sa seule présence suffirait à tout déclencher, qu'il suffirait qu'elle pose un pied à terre pour que le dompteur l'accueille ou s'en détourne. Qu'importe, de toute façon le moindre geste, la moindre attitude de cet homme-là serait pour elle un acte d'amour. Quand bien même il la repousserait, cette sensation-là, aussi fugace et révoltante qu'elle soit, serait déjà bien plus vertigineuse à vivre qu'une vie passée auprès d'un corps éteint, un mari d'autant plus absent qu'il était mort.

Le silence était pesant, il faisait trop chaud pour que les fauves soient dans la grande cage, l'atmosphère était hantée par les grognements des huit félins repliés dans leur gîte, terrés à l'ombre des deux grandes carrioles jaune et rouge rangées sous les chênes. À cause de la lumière folle qui régnait aujourd'hui, Joséphine ne les distinguait pas bien, elle devinait leurs silhouettes épaisses, mais surtout elle sentait leur présence, l'onde enveloppante de ces carnassiers ardents, des monstres qui émettaient des bruits soyeux et affolants. La grande cage rotonde à l'arrière était vide, Joséphine la reconnut, c'était celle qu'il y avait au cirque, celle dans laquelle il faisait ses numéros. Au sol, une autre cage était démontée, des grilles d'extension posées à plat. En voyant ça elle se demanda si un jour il reprendrait le cirque, si la vie reprendrait, si chaque chose en ce monde pourrait reprendre librement son cours, y compris la tournée de ces lions prisonniers.

Elle trouva étrange qu'il ne soit pas là. L'appeler serait bien trop impudique, d'ailleurs comment devrait-elle l'appeler, Wolfgang ça ne se pourrait pas, Monsieur peut-être, à moins de lancer tout simplement : « Y a quelqu'un… ? » Elle s'approcha de la maison, ça ne lui faisait pas moins peur que d'approcher des fauves. Elle fut tout étonnée de découvrir des jardinières de campanules et de gardénias aux fenêtres, elle n'ignorait pas la délicatesse qu'il faut pour faire vivre ces fleurs. Elle pencha le visage pour les sentir, l'odeur des gardénias est aussi élaborée qu'un parfum de marque, un parfum tellement doux et subtil qu'on le prend pour une intention personnelle. Les deux volets étaient ramenés sur la fenêtre, un peu entrouverts pour laisser passer l'air, par une mince trouée elle devina la maison plongée dans l'ombre, il n'y avait personne, semble-t-il, mais frapper au volet serait bien trop incommodant.

Gênée de regarder à l'intérieur, elle se détourna pour se diriger doucement vers les cages. Elle marchait en plein soleil, mais à mesure qu'elle avançait elle perçut de mieux en mieux les bêtes calées dans l'ombre, ses yeux s'habituant à la pénombre elle discerna les huit silhouettes massives qui une à une se précisaient, jusqu'à devenir bien visibles. Restant à bonne distance elle contempla ces splendeurs terrifiantes, des fauves qui en retour la dédaignaient sans arrogance, lui opposant une indifférence placide. Ils se tenaient au fond de leur cage, comme pour se prémunir du soleil. Dans son idée les fauves aimaient la chaleur, mais apparemment non. Elle n'en revenait pas d'être là, dans une nature dont elle connaissait les contours, des paysages qu'elle fréquentait depuis toujours, mais confrontée à huit félins totalement déplacés. Elle s'approcha un peu plus. Par moments le grand mâle, un animal épais à la crinière abondante, lui jetait un regard, il paraissait la regarder mais fermait aussitôt ses paupières pour rejeter le regard ailleurs, l'espace d'une seconde il fermait les yeux avant de les rouvrir en fixant une direction autre, puis ses immenses yeux bordés de noir revenaient vers elle, visant par-dessus son épaule, ne lui faisant même pas la faveur de s'arrêter sur elle. Ces lions et ces tigres étaient comme de gros chats, de gigantesques peluches qu'elle avait envie de caresser, d'autant qu'ils s'étaient allongés, presque alanguis, cette position adoucissait les éclairs de violence qui émanaient de leur moindre clignement d'yeux. Joséphine s'en rapprocha encore, fatalement attirée, croyant déceler chez eux une concorde, une tolérance pour le moins, déjà ils s'abstenaient de grogner, de rugir, ils reconnaissaient en elle une alliée. Alors elle s'approcha plus encore, elle était presque à portée des barreaux maintenant, se tenant à peine à un mètre, elle était tenaillée par l'envie de glisser sa main de l'autre côté, de les toucher enfin ces peluches affolantes. Jamais elle n'en avait vu d'aussi près, dans un tel calme. Elle crut entendre chez l'un ou l'autre une sorte de grognement, un ronronnement tendre, alors elle s'avança vraiment tout près, posa la main sur la cage, mais Thor, le grand mâle, lâcha un souffle féroce qui la fit reculer. Elle les pensait intrigués par sa présence, alors qu'en fait ils ruminaient cette froide colère qui les hantait depuis deux semaines, cette frustration de ne pas pouvoir courir vers de vraies proies. Bien que séparée d'eux par les barreaux Joséphine ressentait de la peur, elle éprouvait cette mort qu'à tout moment ils pouvaient infliger. Et pourtant, de les sentir si proches, ces huit félins onctueux, ces huit grosses peluches, lui vint comme une envie de se jeter au milieu d'eux. Elle en tressaillit de désir. C'étaient les fauves de cet homme qu'elle avait là à portée de main, et de les approcher, au point presque de les toucher, c'était aussi vertigineux que de l'approcher lui.

Les fauves la dédaignaient toujours, sauf Léa, la longue femelle, qui se leva lentement, l'air de rien elle tourna un peu et se posa au centre de la cage, immobile et calme, et soudain d'un bond elle se propulsa sur les barreaux, c'était bien une attaque et ça fit un bruit énorme, elle ouvrit grand la gueule avant de s'élancer sur ses deux pattes arrière, le corps tendu comme un arc, et ce bond qu'elle ne fit pas entièrement à cause de la cage elle le prolongea en pulvérisant un jet de bave sur Joséphine, la gueule tordue par l'envie de mordre, puis elle poussa des grognements farouches et baissa la tête, les pattes antérieures écartées, comme si elle mettait Joséphine au défi de l'approcher. Joséphine ne pouvait plus bouger. Elle demeura pétrifiée par ce mouvement d'humeur, incapable même de respirer ou de reculer. Ces grognements l'avaient traversée comme une lame, elle en restait le cœur battant, le souffle court. Puis Léa recommença à se raidir, à cracher en fermant les yeux, la gueule tendue d'une rage atroce et la queue basse.

Plus qu'un mouvement d'humeur, Joséphine crut voir là la marque d'un dépit. Les trois pas qu'elle fit en arrière signaient bien plus qu'un retrait, c'était la vexation de se savoir exclue de tout ça, la certitude de ne pas être à sa place. Tout cet univers la repoussait, ces fauves comme cet homme, tout ce qui lui semblait l'ultime exaltation, d'un coup tout cela lui apparut aussi dangereux qu'interdit, insupportable même. Elle tombait de haut, comme si lui revenaient de lointaines évidences, que les gardénias parfois ont une odeur de sueur, que les fauves ne sont que des carnivores sans affect et forcément mortels, qu'elle était veuve, que le soleil brûle et que l'amour fait souffrir.

Elle remonta sur son cheval qu'elle avait attaché à l'écart et se retira, aussi vexée qu'amère, aussi blessée qu'on peut l'être lorsqu'on réalise que le monde méprise nos états d'âme et que la vie nous attend ailleurs, en bas, là où il n'y a ni passion ni désir, là où il n'y a que la peur et le travail, l'angoisse d'un monde ayant basculé du côté de la guerre pour une éternité. Elle s'en voulait d'avoir cru à cela, à la passion, à l'étreinte folle qui abolirait le monde, à l'amour pourquoi pas. Tout ce qui l'attendait c'était une existence qui ne fait même pas l'effort de fausses promesses, une existence ne lui offrant même pas un vrai chagrin. Rien n'est plus dur que de comprendre que l'on ne sera plus jamais aimée. Être rejetée par ces fauves et ne même pas avoir vu cet homme, c'était pire que de redescendre sur terre. Ici tout la dédaignait. Elle manqua de repartir par le chemin en sens inverse, oubliant presque de continuer vers l'est, oubliant presque le berger.

Derrière son volet clos, le corps endolori d'être demeuré longtemps sans bouger, le nez écœuré par le parfum des gardénias, il l'aperçut qui s'éloignait et basculait à l'est, il comprit qu'elle allait vers les brebis. Il vit la fine tête et le chignon blond glisser le long des arbustes, puis disparaître. Cette femme il la savait juste là, dès le premier jour en bas, au village, dès le premier regard il avait bien senti qu'elle lui tendait ses yeux, sa peau, son corps, mais il craignait d'ajouter des histoires à l'Histoire, d'ajouter son désir à ce monde qui le piégeait déjà, il craignait trop que les lions eux-mêmes, les lions bien plus que les tigres, ne soient mortifiés s'il avait une liaison. Les lions le sentiraient tout de suite, ils décèleraient la fragrance de la peau de lait de cette femme mélangée à sa propre sueur, et la jalousie les rendrait fous.

Il soupira en se relevant doucement, les articulations douloureuses d'être resté plié en deux. Il ouvrit les volets comme pour mieux respirer, alors que dehors la chaleur était bien plus forte que dedans. Lui apparut la détresse de faire sa vie seul. Une maison en haut d'une colline exprime mieux que n'importe quoi d'autre les contours de la solitude. La solitude est une erreur, mais il savait d'avance tous les périls qu'il y aurait à se rapprocher de quiconque au village, et d'autant plus d'une femme, et d'autant plus de celle-là. Cette femme, il lui faudrait perdre la tête pour s'autoriser à la désirer, pour prendre le risque de l'aimer. Wolfgang se jura de ne plus penser à elle.

Bien à l'écart de la maison, les lions tapis dans l'ombre ne bronchaient plus. L'incident était clos. Pourtant Léa, Bianca et Zhan ne s'étaient pas rassises, les femelles sont moins fainéantes que les mâles, surtout quand il fait chaud. Cet après-midi il n'y avait pas de vent, l'air ne charriait pas d'odeurs de troupeau, seulement, cette femme et ce cheval qui étaient venus là sous leur nez, ils leur avaient remis en tête les souvenirs des proies. Ce troupeau ils ne l'oubliaient pas, ces bêtes ils les savaient là, derrière, à trois collines d'ici. Les fauves ne renoncent jamais, dès lors qu'ils savent des proies dans les parages, d'une façon ou d'une autre un jour ils rompent les liens, un jour ou l'autre ils cassent les chaînes, les lions plus encore que les hommes ne cèdent jamais sur leur désir.

Août 2017

Le lendemain au réveil, Franck fut de nouveau pris par le besoin de civilisation. Ce matin encore il avait envie de voir du monde, de commander un café pour en humer la tasse, sentir des présences anonymes autour de lui. Le tintamarre de la ville lui manquait, la rumeur changeante des conversations des autres, et les passants, les voitures, ce grand tout qui vibre autour de soi en permanence et qui distrait du vide. Une fois de plus il s'installa sur la banquette tout au fond du Paradou. Il retrouva ses repères. Ce bistrot lui allait bien, cette position de repli par rapport au reste des clients, il se sentait suffisamment à distance pour être tranquille, encadré par une activité humaine qui le rassurait.

Depuis qu'il était au mont d'Orcières, il avait bien conscience de vivre une expérience inédite. Pour la première fois il touchait la sensation insolite d'habiter une maison réellement loin de tout, perdue dans l'espace comme dans le temps. Ce qu'il découvrait grâce à ce gîte, c'est qu'il existe une forme de solitude gratifiante et que de cet isolement il est possible de retirer une plénitude. Tout au long de l'année il était entouré de monde, mais seul face à de multiples décisions à prendre, seul face à ses collaborateurs, seul face à ses partenaires financiers et à quantité de personnes qui lui demandaient sans cesse des comptes et qui d'une certaine façon le cernaient. Le métier de producteur a cela d'épuisant qu'il suppose d'être en permanence au contact de plein d'interlocuteurs, et surtout d'en être le moteur, l'impulsion rassurante. Le producteur c'est le sommet de la pyramide, le maître d'œuvre qui petit à petit s'efface au profit des artistes, qui se fait discret et n'apparaît nulle part, sinon en tout petit sur les affiches, avec son nom écrit dans ces génériques que personne ne lit. Plus le film se rapproche du jour de sa sortie, de sa rencontre avec le public, et plus le producteur s'éloigne et se met en retrait. Inquiet. Préparé à la crise. Dans ce métier il n'est pas interdit de douter, mais il ne faut pas le montrer. Un producteur ne doit pas s'ouvrir sur ses doutes, mais paraître assuré en toutes circonstances, face à toutes sortes de partenaires, aussi bien des banquiers que des comédiens, des réalisateurs déboussolés que des associés débordants. Tout cela Franck le savait d'autant mieux que ce matin, en rallumant son smartphone, il découvrit pas moins de huit messages et une longue bordée de mails de la part de Liem et Travis. Des courriers qu'il redoutait mais qu'il ouvrit un à un pour voir où ils en étaient de leur offensive. Rien qu'en survolant les nouvelles propositions, il comprit qu'ils le testaient, ils avaient en tête de le faire plier, de le faire se coucher comme un chien qu'ils étaient certains de mater. Au-delà d'une simple collaboration avec Netflix, leur nouvelle idée c'était de carrément leur vendre des parts, que Netflix entre dans Alpha Productions. Non contents de leur céder le catalogue, ils étaient tout bonnement prêts à pactiser. En jetant un œil aux documents adressés en pièce jointe, Franck se rendit compte que cette fois ils avançaient sans lui, ils proposaient de signer un contrat de diffusion avec une clause d'exclusivité, mais d'expérience il savait qu'une fois le loup dans la bergerie, on ne l'en déloge plus. En décryptant les nouveaux avenants au contrat, il se demanda s'il avait affaire à deux provocateurs ou à deux inconscients. Dès le départ il les avait mal évalués, il s'était laissé influencer par leur jeunesse, leur vigueur de trentenaires, avec ce qu'elle suppose de fraîcheur, d'allant et de maîtrise des nouvelles technologies, tout ce qui maintenant le dérangeait.

Il était pourtant rompu aux lectures de documents contractuels, mais là tout semblait alambiqué et étrangement traduit de l'anglais par un logiciel, avec des tournures incompréhensibles. De plus les nouvelles clauses étaient bardées de surlignages multicolores sur le document PDF, il était perdu. Plutôt que de s'escrimer à tout comprendre il les appela. Et comme il le redoutait, d'emblée cette conversation lui déplut. Surtout que Liem et Travis avaient la manie de mettre le haut-parleur, si bien qu'il les avait tous deux en ligne, sans qu'il sache lequel venait de parler, leurs deux voix se chevauchant sans cesse. Franck n'aimait pas ces cacophonies téléphoniques, surtout dans ces conditions-là, au fond d'un café, et à deux contre un. Chaque fois qu'il parlait de business avec eux, il se sentait aussi démuni que face à un vendeur de smartphones qui lui expliquerait de nouvelles applications dont il n'aurait jamais l'usage. Cette fois Liem et Travis se montraient offensifs et pleins d'assurance, ils disaient qu'il fallait viser loin, prendre de l'avance sur le marché, leur astuce étant de miser sur les nouvelles directives européennes, des lois qui seraient bientôt votées à Bruxelles, des mesures protectionnistes qui dès 2019 contraindraient les géants du Net à réinvestir 15 % de leur chiffre d'affaires réalisé en France dans des maisons de production locales...

Il sentait bien que Liem et Travis cherchaient à le perdre dans ces considérations vaseuses, les projets de loi ne voient pas toujours le jour, surtout à Bruxelles, surtout quand il s'agit de s'opposer aux GAFAM. Mais ses associés étaient sûrs d'eux, il fallait faire vite, jurant que Netflix comme Amazon seraient obligés d'investir en France et d'enrichir leur catalogue d'au moins 20 % d'œuvres locales. Autrement dit tous ces géants américains seraient contraints de produire en France, de fait ils auraient très rapidement besoin de professionnels français pour engager ces productions locales, ne serait-ce que pour respecter les quotas, elle était là l'aubaine, il fallait se positionner en tant que producteur exécutif et réagir vite, d'autant que les responsables de la plupart des boîtes de production françaises étaient en vacances...

— Faut se bouger, Franck, on va tous les prendre de vitesse.

— Bon Dieu ce que vous êtes naïfs ! Dites-vous bien que les GAFAM comme tous les dominants se placent toujours au-dessus des lois, toujours, d'une façon ou d'une autre ils contourneront la règle et la pire des conneries ce serait bien de les croire loyaux...

Derrière ces projections opportunistes et ces projets de partenariat, Franck flairait l'arrière-pensée. Ce que Liem et Travis lui taisaient, c'est que leur projet à terme c'était de produire des séries. Seuls les petits formats les intéressaient, pas les longs-métrages, les salles de cinéma relevaient pour eux de la vision romantique et complètement has been du métier, à l'avenir les films se consommeraient avant tout sur tablette et téléphone portable, mais plus en salles... Franck refusait de croire cette guerre-là perdue. Plus que tout, il ne voulait pas que Netflix aussi bien qu'Amazon prennent des parts et entrent au capital, jusque-là il n'avait jamais eu besoin d'eux pour faire ses films. Il comprenait que Liem et Travis n'en finiraient pas de lui forcer la main pour renégocier les clauses les liant tous les trois, et c'est là que, d'instinct, il leur balança cette proposition, une offre qui lui vint comme une illumination et qui lui-même l'étonna, c'est là qu'il leur lâcha avec l'aplomb de celui qui y aurait réfléchi depuis des mois :

— Bon, OK, on marche comme ça, mais à une condition, c'est que vous me dégagiez une enveloppe de cinq millions pour faire le film que je veux.

— Non, Franck, ça c'est pas possible. On marche à trois maintenant, alors pas de chasse gardée, ni pour toi ni pour aucun d'entre nous...

— Cinq millions par an.

— Bon, il faut que tu remontes à Paris pour qu'on reparle de tout ça calmement.

— Parler, on peut très bien le faire par téléphone, la preuve...

— Mais t'es jamais joignable... Non, là, faut vraiment qu'on se voie pour signer, et puis tu vas quand même pas passer trois semaines dans ce trou !

— Je suis très bien dans ce trou, comme tu dis. Au contraire. Je crois qu'à vous aussi, ça vous ferait pas de mal de prendre du recul...

— Du recul ? Faut jamais trop en prendre, tu sais, surtout pas en ce moment. Fais gaffe, Franck, le recul c'est fait pour reculer...

— Non, c'est fait pour y voir clair.

En guise de riposte Liem lança, avec tout ce qu'il put d'ironie :

— Attends, tu vas pas me faire croire que dans ta zone blanche t'as les idées claires sur les choses...

— En tout cas, j'y vois plus clair que vous sur le cinéma que je veux faire.

Travis enchaîna sur ce ton méprisant que Franck avait déjà noté chez lui :

— Mets-toi à jour, Franck. Le cerveau, c'est comme l'iPhone, faut faire les mises à jour...

— Le cinéma que j'aime faire, dans cent ans on le fera encore.

Et là, pour la deuxième fois, Travis lui asséna son couplet :

— Sortir en salles c'est trop risqué... Un jour ou l'autre faudra penser numérique, Franck, tu vois pas qu'aujourd'hui dès le berceau ils sont tous scotchés sur leur smartphone...

— Non.

— Crois-moi, t'aurais des gosses, tu pigerais.

Cette vacherie, il la lui avait déjà balancée à la figure il y a trois mois. La petite phrase assassine. Il ne pensait pas qu'il le referait. De sa part ça relevait de la saloperie pure, ou de l'inconséquence. Franck l'encaissa comme un uppercut, souffle coupé. Mais là encore il n'en montra rien. On ne lui avait encore jamais envoyé dans la gueule que ne pas avoir d'enfants était une tare, que ne pas avoir d'enfants était coupable et excluait de fait de la civilisation, du grand mouvement du monde, que ça excluait du cycle du vivant. Ces deux connards lui déniaient le droit de comprendre quoi que ce soit au monde.

Plutôt que de continuer à discuter Franck leur dit juste qu'il les rappellerait demain. Demain il leur indiquerait quel jour il comptait remonter à Paris, ils auraient ce rendez-vous, et il signerait. Il leur dit au revoir sans acrimonie ni colère, mais cette fois quelque chose était cassé. Là, deux minutes après avoir raccroché, il songea qu'il ne pourrait pas travailler avec ces deux-là, deux jeunes pères ne cessant de lui balancer à la figure qu'il ne comprenait rien au monde actuel parce qu'il n'avait pas d'enfants, sous-entendant qu'eux seraient du bon côté de la barrière, puisque jeunes, puisque modernes, puisque parents. Au fond, il l'avait toujours ressenti ce fossé, cette cassure avec le monde de ceux qui avaient procréé, il en éprouvait une culpabilité taraudante, comme s'il y avait un déshonneur à interrompre l'espèce, à la saboter. Avec Lise ils n'avaient pas eu d'enfants, à vrai dire ils n'avaient pas pu, c'était une longue histoire, bien trop d'histoires, ils n'avaient pas à s'en excuser, mais là, en quelques mots reçus dans les dents, assis au fond de ce café loin de tout, c'est comme si tous ces échecs et ces désillusions le rattrapaient brutalement, comme si tout ce beau paquet de déveines coalisées que chacun traîne derrière soi, toutes ces désillusions d'un coup remontaient en lui.

Franck regarda le téléphone posé là devant lui. Déjà il s'en voulait de ne pas avoir réagi, d'avoir manqué de repartie face à Travis, ou Liem, après tout il ne savait même pas lequel des deux l'avait vraiment dit cette fois. En même temps, il n'y avait rien à répondre à cela. Dans la vie, il y a des choses comme ça qui s'encaissent, des vérités que les autres ont l'indélicatesse de vous balancer à la figure pour vous affaiblir ou vous casser, mais qui n'en restent pas moins des vérités. Il recommanda un double express que le garçon lui apporta tout de suite. Il le but sans sucre, d'un trait, ça lui fit battre le cœur et transpirer à grosses gouttes. Sans savoir pourquoi, à ce moment-là il eut l'image du chien, la veille au soir, quand il l'avait lancé sur le lièvre et qu'il s'était mis à cavaler à toute allure, comme s'il l'écoutait. Ce grand chien loyal, il devrait peut-être l'envisager comme un allié, un vrai allié celui-là, pas comme les deux autres, un allié fiable qui serait réellement prêt à l'épauler, au point même de fomenter un stratagème avec lui, un genre de parfaite revanche en forme de piège pour les coincer, ces deux connards, faire de ces deux chasseurs deux belles proies.

3e PARTIE

Août 2017

En sortant du café Franck fut rattrapé par la lumière, le décor, tout étonné de se retrouver là. Sans s'en rendre compte il avait bu six cafés et parlé près d'une heure au téléphone, l'appareil plaqué contre l'oreille, il ressentait un échauffement sur le côté droit du visage. Tout au long de l'échange la colère n'avait cessé de monter en lui, s'épanouissant petit à petit, jusqu'au paroxysme de la phrase assassine.

Après cette heure passée au fond du bistrot, une heure à parler à ses deux associés en fermant les yeux, au point presque de se croire face à eux dans le bureau, rue de l'Arbre-Sec à Paris, voilà qu'il se retrouvait en plein soleil, comme s'il débarquait d'une planète obscure pour plonger dans la lumière d'un été total. C'était stupéfiant comme décalage. En marchant au hasard il déboucha sur la grande place, aujourd'hui encore il y avait le marché, mais plus petit cette fois, avec moins de commerçants, moins de monde. Il avança à l'ombre des étals, il avait l'impression de visiter un décor avant que le tournage ne commence, tout semblait à la fois irréel et concret.

Il s'en voulait toujours de ne pas avoir dégainé une repartie bien cinglante pour leur montrer que tout cela ne l'ébranlait pas le moins du monde. Souvent on ne réagit pas face à une attaque, la repartie ne vient qu'après, trop tard. Pourtant, il ne devait en aucun cas se laisser bousculer par ces deux petits cons, au contraire c'était à lui de reprendre l'initiative, de reprendre la main, il fallait qu'il les déstabilise en leur mettant le couteau sous la gorge, de quelle façon il ne le savait pas encore, mais il devait les sortir de leur zone de confort, quitte même à les faire venir ici, dans ce coin qui en quelques jours était devenu son terrain. Aussitôt, son intuition prit un caractère définitif, il fallait les attirer ici, les coincer d'une manière ou d'une autre et leur faire payer leur morgue et leurs arrière-pensées... Lui revint l'image du chien et de sa course sauvage après le lièvre, en un flash il le vit se lancer à leur poursuite, parce qu'il lui aurait donné l'ordre de les choper... Il était tellement énervé qu'il en tremblait. La caféine lui tapait fort dans les tempes, la sueur le submergeait, alors il se replia un peu plus près des étals ombragés.

Il fut immédiatement rattrapé par la tranquillité de l'endroit, l'indolence de ces allées paisibles, sans plus de cohue, contrairement à dimanche. À l'ombre l'air était doux. Franck s'efforçait de ne plus penser à ses deux associés, mais sans qu'il y puisse rien une image insistait, celle d'Alpha leur courant après et leur faisant rentrer dans la gorge tout leur baratin, les forçant à signer de nouveaux avenants, de nouvelles clauses à leurs dépens... Il se concentra sur les fruits et légumes disposés le long des étals heureux. Des tomates lui firent de l'œil sur le stand d'un maraîcher, des tomates à la rondeur imparfaite, leur peau n'avait pas ce vernis des fruits en plastique de supermarché, elles rayonnaient d'une vigueur honnête. Les pommes de terre à côté étaient terreuses, comme enfouies dans leur gangue millénaire, les salades paraissaient vivantes, les carottes empilées tendaient leur pointe vers lui, les fleurs de courgette étaient alignées comme autant de grands pinceaux maculés de jaune, sur le devant il y avait toutes sortes de fruits répartis dans des cageots, sans apprêt, sans doute tout juste cueillis sur l'arbre. Cependant, ce qui le fascinait le plus, encore une fois, c'était le grand stand rouge de l'autre côté, l'étal du boucher et sa bâche écarlate qui renvoyait la lumière. Le soleil tapait là-dedans et rehaussait l'ensemble, ça faisait penser au velours rouge des rideaux de théâtre. Au milieu de ce dispositif, un immense jambon cru trônait, un cuissot énorme mis en majesté au-dessus des autres viandes et charcuteries. Là, dans cette lumière, c'était fascinant, ce jambon énorme était fixé sur un support en bois de près d'un mètre de long, rivé aux deux bouts par des piques de métal. La cuisse entière de l'animal était tenue par une vis, la cuisse glorieuse était piégée sans résistance, offerte aux yeux de tous, dans une générosité atroce et émouvante. Un instant Franck s'imagina à la place de ce jambon, il se vit coincé, sadiquement tailladé, tranché par ses associés.

Au-delà de ce dispositif, le plus troublant c'est que le boucher découpait des tranches une à une avec un long couteau tenu à l'horizontale, alors qu'il n'y avait pas le moindre client devant le stand. Ce devait être pour une commande, ou bien pour les exposer. Le colosse avec sa blouse blanche maculée de traces rouges se penchait au-dessus de sa cuisse de cochon comme s'il craignait qu'elle ne lui échappe, il tenait la lame à plat et la faisait lentement glisser dans la chair. Il y avait quelque chose de délectable dans ce geste. Franck pensa à Alpha, à la satisfaction que ce serait de lui en rapporter quelques tranches, histoire que le chien participe un peu au repas quand ils étaient à table, plutôt que de simplement les regarder, là au moins il aurait un véritable intérêt à rester auprès d'eux. Lui apporter de la viande serait une façon de faire un pas vers lui, une forme de fraternisation. Au fond c'est ce chien qui avait raison, dans la vie il faut être d'une détermination sans faille, ne pas craindre de fondre sur sa proie, sans pitié, choper l'ennemi à la gorge.

Franck s'avança vers l'étal et dit ces mots qu'il n'avait plus dits depuis dix ans :

— Je vais prendre du jambon, oui celui-là, une dizaine de tranches bien fines. Ou non, au contraire, pas trop fines.

Le boucher lui lança un regard sévère, comme un buraliste qui verrait approcher un môme de six ans.

— Fines ou pas fines ?

— Pas trop fines.

Franck regarda autour de lui, comme s'il redoutait qu'on ne l'observe, et là, avec une générosité machinale, le boucher lui tendit la tranche qu'il venait de découper, un lambeau de chair rouge grenat qui pendait au bout de sa lame.

— Goûtez d'abord, comme ça vous me direz si vous les voulez fines ou pas fines, vos tranches.

Franck saisit le bout de jambon comme si on lui tendait un insecte à avaler. Il n'osa pas dire que ce n'était pas pour lui, que c'était pour offrir, ou n'importe quoi d'autre, mais in extremis le parfait prétexte à invoquer lui traversa l'esprit.

— Non vraiment, je viens de boire plein de cafés, j'ai encore un goût sucré dans la bouche.

Le boucher planta son regard dans le sien, puis ramena le bout du couteau vers sa bouche et goba d'un trait cette chair, il l'engloutit en fermant les yeux et la dégusta aussi délicatement qu'un pétale de rose confit. Il mâchouilla longuement, exagérant sans doute le plaisir qu'il y prenait. Franck, ne sachant quoi dire, passa en revue toutes les marchandises exposées sur l'étal, il faisait face aux vestiges d'un monde ancien, un peu comme un ethnologue en pleine Amazonie se retrouverait piégé par son hôte à un repas cannibale. D'une certaine manière, en ne mangeant plus de viande il ne participait plus de ce vieux monde-là. Mais n'ayant pas d'enfants, il ne participait pas non plus du monde à venir... Dans sa tête tout se mélangea, et par l'effet d'une réminiscence bien concrète lui vint même le goût que cette chair sèche pouvait avoir.

— Alors, je vous en mets combien ?

— Écoutez, je ne sais pas. En fait, je crois que je n'en veux plus.

— Vous savez quoi, je vous en coupe dix tranches bien fines et je vous les offre.

— Non vraiment...

— Ne refusez pas, de toute façon j'ai personne ce matin, comme ça vous me direz si vous l'aimez et vous reviendrez me voir dimanche... Ça marche ?

Franck n'osa pas dire non. Il repensa au chien, au pacte que ça scellerait entre eux s'il lui rapportait ça. Le boucher recommença à trancher cette cuisse avec une minutie de ciseleur. Franck se retrouvait nez à nez avec un spectacle qu'il abhorrait, il l'observa en anthropologue. Il y a quinze ans, il avait tenté de coproduire une fiction sur la vie de Claude Lévi-Strauss. En matière de décors et d'exotisme il y aurait eu de quoi faire. De ce projet lui restaient des fragments de scénarios, des souvenirs d'harmonies primitives, du temps où l'homme et l'animal parlaient le même langage, s'entre-dévorant l'un l'autre, aujourd'hui encore on offrait des animaux en peluche aux nourrissons, qu'ils ne cesseraient de serrer, de mordiller, d'enlacer comme s'ils étaient des animaux eux-mêmes, sans jamais avoir tenu le moindre bébé il savait cela.

Cette découpe n'en finissait pas. Franck suivait la lame qui glissait dans la cuisse, cette situation le mettait profondément mal à l'aise, il leva le regard vers les médailles vissées sur un panneau de bois, des trophées reçus à des concours, bordés d'une rangée de diplômes encadrés. Il songea à son propre bureau à Paris, aux prix remportés dans des festivals plus ou moins prestigieux, il avait une bonne quinzaine de films qui avaient été primés, et autant plusieurs fois nommés.

— Impressionnant, toutes ces médailles, bravo...

— Famille Bardasse, boucher de père en fils depuis six générations. Nous autres, ça fait plus d'un siècle qu'on nourrit le canton... Ici, c'est grâce à nous que les mômes auront pris du muscle.

— Du muscle, on peut aussi en prendre autrement...

— Ah oui ? Dans les betteraves ou la batavia ? Non, pour faire du muscle, faut manger du muscle, c'est la nature qui veut ça...

— Peut-être.

— Dans le canton, ça fait des siècles qu'on charpente les hommes en débitant des bêtes, qu'on bâtit du vivant, c'est pas rien, vous ne croyez pas ?

Franck restait bloqué sur sa moue et ne voyait pas quoi répondre sans entamer le sempiternel débat, relever ce véritable archaïsme, pour l'homme moderne, de manger des animaux.

— Je vais vous dire, chez les Bardasse on aura même nourri des lions !

— Ah bon, en Afrique ?

— Non, non, ici. Du temps de l'arrière-grand-père y avait des lions dans les parages, et le vieux leur refilait le cinquième quartier, à l'époque on achetait *en vif*, vous comprenez, on tuait les bêtes nous-mêmes. Enfin, quand je dis le vieux, l'était pas vieux à l'époque.

— Le cinquième quartier, c'est quoi ?

— C'est tout ce que l'homme ne mange pas...

Franck regarda ce type avec méfiance, il lui en voulait de cette immanquable ironie. De toute évidence il se fichait de lui, ce type tombait dans la facilité de l'autochtone à railler le touriste en lui racontant des histoires. En tant que Parisien Franck supportait mal cette manie très provinciale de prendre le nouveau venu pour un con. Après Liem et Travis, depuis ce matin le monde entier se coalisait contre lui, et la repartie qu'il n'avait pas eue tout à l'heure, là il fallait qu'il la dégaine...

— Pourquoi vous me racontez toutes ces conneries, hein, vous me prenez pour un con c'est ça, vous me prenez tous pour un con ?

Le boucher se redressa, le couteau à la main, réellement désappointé face au visage noué de Franck.

— Oh là ! Tout doux.

— Pardon, c'est le café, j'en ai trop bu, et puis j'ai cru que vous vous moquiez...

— Mais non, je vous jure que c'est vrai ! À l'époque y avait un type qui élevait des fauves dans les collines, seulement, un beau matin il s'est fait bouffer par ses lions, et après sa mort sa femme a voulu continuer de les nourrir. Elle ne voulait pas se séparer des lions parce que ça lui permettait de rester auprès de cet homme qu'ils avaient bouffé, si ça c'est pas de l'amour...

— C'est une légende ou quoi ?

— Oui, c'est une légende, sauf qu'elle est vraie. Eh bien c'est un Bardasse qui aura nourri les lions après la mort de ce gars.

Franck restait perplexe.

— Je vois bien que vous ne me croyez pas... Vous mangez pas de viande, vous ?

— Pourquoi vous me dites ça ?

— Parce que ça se voit.

Franck était remué par cette histoire, il repensait à la cage paumée dans la ravine, se disant qu'il y avait peut-être un lien entre tout ça, que la maison qu'il habitait avait peut-être abrité cette femme et cet homme, ces fauves. Le boucher continua de lui raconter des choses atroces, il en rajoutait visiblement sur ces histoires de lions, prétendant qu'une nuit un type jaloux du dompteur avait relâché les fauves, qu'il avait ouvert les cages et que les bêtes s'étaient ruées vers le village et avaient bouffé tout ce qu'il y avait à bouffer, les chevaux, les brebis comme les hommes... Il avait l'image de cette docile maison perdue là-haut, à quoi s'ajoutaient toutes ces horreurs. Décidément cet endroit lui plaisait. Le boucher lui tendit le paquet de viande bien compact, l'emballage qu'il venait de confectionner de ses grosses pattes. Le papier était d'un rouge aussi vermillon que l'étal, un rouge glorieux et franc. Franck sentait ce petit colis bien dense au creux de sa paume, voilà des années qu'il n'avait pas empoigné un morceau de viande, qu'il n'avait pas ressenti de barbaque dans sa main, qu'il n'avait même pas touché un animal autrement que vivant... La sensation était forte, pas répugnante pour autant.

— Mais dites-moi, le dompteur avant de mourir, il faisait comment pour les nourrir ?

— Ah lui pour nourrir ses lions, il avait un truc.

— Lequel ?

— Là-dessus motus !

— Pourquoi ?

— Parce que ça braconne toujours là-haut. Mais croyez-moi que le gars avait la combine, il attrapait de tout, des sangliers, des chevreuils, il chopait même des lynx et des loups...

Franck sortit son portefeuille pour payer.

— Non non, j'ai dit que je vous l'offrais.

Il y avait bien trois cents grammes dans ce paquet. Franck imaginait la tête que ferait Lise en voyant cet emballage rouge de boucherie au fond du panier, s'y superposèrent l'image de la grande cage au fond de l'igue hier et celle de Liem et Travis enfermés dedans, tenus en garde par des lions... Le boucher lui tendit la carte de visite de sa boutique

— Tenez, on ne sait jamais !

— On ne sait jamais quoi ?

— Des fois que vous ayez des fauves à nourrir !

Franck prit la carte et regarda ce type avec tout ce qu'il put de froideur, sans le moindre signe de sympathie.

Il retourna à la voiture, envahi d'une gêne coupable, non pas de tenir de la chair d'animal mort dans la main, mais de renouer avec l'ancestrale fierté du chasseur, ce schéma préhistorique dans lequel il avait l'impression de se fondre, il se sentait redevenir chasseur.

Cette maison le plongeait non seulement dans un isolement radical, en haut des collines et loin de tout, mais elle le plaçait aussi en surplomb de sa propre vie, de lui-même en quelque sorte. À une altitude propre aux tours de vigie, une position qui permet de voir d'où vient l'ennemi. Il se savait lié à elle par un pacte, comme si cette bâtisse et ce chien cherchaient depuis le début à lui révéler quelque chose de lui-même. Là-haut, tout évoquait une forme de sérénité, de tranquillité immense, tout en étant au cœur d'une nature sauvage à la violence totale. Cet univers de collines boisées invitait à la paix, mais le chien l'avait éveillé à tous ses réseaux de rivalités, les merles, les geais et les mésanges elles-mêmes, tous ne chantaient que pour se tenir à distance, dans ce no man's land tous les animaux s'épiaient et se surveillaient, avec l'inexorable arrière-pensée de savoir qui mangerait l'autre.

En roulant toutes fenêtres ouvertes il observait de nouveau les barres de son téléphone disparaissant une à une. À chaque virage il s'enfonçait un peu plus dans une zone libre, dégagée de toute contrainte, totalement sauvage. Il retournait doucement vers les collines, sans musique, regardant ces paysages, déjà familier de l'endroit, un peu chez lui, comme s'il avait pratiqué une espèce de rituel d'acceptation. À présent il savait que ce territoire n'était pas neutre, il habitait le périmètre de cette femme, de cet homme, de ces lions. Tous ces acteurs engloutis, ces présences d'un autre siècle, il s'y sentait bizarrement lié. D'une façon ou d'une autre leur histoire était toujours là à rôder, elle errait sous forme de molécules de mémoire qu'on tentait de taire ou d'oublier. Il songea à Lise, elle dormait peut-être encore dans la maison grande ouverte, avec les portes et les fenêtres telles qu'il les avait laissées, le chien devait probablement être déjà là, à l'attendre à l'ombre du chêne. Finalement, là-bas tout l'attendait, les vivants et les autres.

Mai 1915

Depuis le début de la guerre, l'humanité était plus que jamais scindée en deux. D'un côté les femmes restées dans les lieux de vie, les femmes qui tenaient les maisons et soignaient les animaux, assuraient les récoltes et préparaient les semences, les femmes qui en plus d'engendrer les hommes et les vivres se mettaient à faire tourner les usines et à conduire les trams, en tout lieu elles étayaient la vie en plus de la donner. De l'autre côté, les hommes, qui n'étaient plus voués qu'à tuer.

Depuis neuf mois les femmes portaient le monde. C'est tout le règne du vivant qu'elles portaient sur leurs épaules, tandis que les hommes ferraillaient avec la peur et la mort, des hommes raffermis par l'honneur, les vins de troupe et la trouille, et qui mouraient par légions entières. Dans toutes les fermes les femmes s'étaient révélées omnipotentes, elles décidaient de tout. Les enfants et les vieux ne faisaient que les aider. À l'arrière, en plus des tâches qui les mobilisaient depuis toujours, voilà que maintenant elles labouraient, elles semaient, sarclaient, fauchaient et récoltaient à la force de leurs bras, elles rehaussaient la terre de récoltes nouvelles, garantissant l'avoine pour les animaux et le tabac pour les hommes, les fruits et les légumes, des récoltes qui iraient nourrir le corps des pères, des maris et des frères qui s'offraient à la mort, pour tuer il faut vivre, et pour vivre il faut manger.

Le plus cruel dans tout ce labeur, c'est qu'elles l'accomplissaient avec de vieux outils. Elles travaillaient avec des fourches et des bêches flottant dans le manche, des socs branlants, plus trop aiguisés. Les rendements étaient tombés de moitié, ce n'était pas par manque de force, c'était que les outils s'avéraient trop lourds pour elles, et usés, et surtout qu'il n'y avait plus d'engrais, plus d'arsenic ni de soufre, plus le moindre produit pour aider aux cultures. Très vite, l'industrie chimique ne se voua plus qu'aux poudreries pour fabriquer des gaz et des bombes, à Orcières les femmes devaient donc se plier en deux pour arracher le liseron et le chiendent à main nue, depuis un an elles désherbaient à la seule force du poignet. Sans bête de trait ni engrais, la terre devenait cent fois plus difficile à travailler, au point que les mains se faisaient calleuses et les bras durs comme des étais. Des produits chimiques on faisait des gaz toxiques qui débusquaient les hommes de leur tranchée avant de les étouffer en plein air, les efforts de l'industrie commandaient de faire toujours plus de canons et de fusils, jour et nuit les chaînes tournaient pour dégueuler des avions et des chars flambant neufs, alors c'était pas demain la veille qu'on fabriquerait de nouveau des bêches ou des charrues, et encore moins de l'engrais ou des faux. De toute façon il n'y avait plus d'argent pour se payer tout ça. Depuis le départ des hommes, la terre était plus basse que jamais et les nuits plus seules. Les journées de printemps avaient beau être longues, on n'avait plus l'occasion de se poser à l'ombre des noyers ni de tirer de l'eau fraîche au puits. Le seul bienfait de ce travail harassant, c'est que ça empêchait de ruminer, ça évitait d'attendre ce courrier qui ne venait pas, de rêver à cette permission promise, un jour, pour peu que les hommes s'entêtent à vivre.

Depuis la fin de l'hiver Joséphine aidait dans les fermes, elle donnait le coup de main et travaillait même aux champs. Pour officialiser la mort de son mari, elle n'avait pas voulu qu'on fasse de messe, ni même de veillée sans corps. Du coup, ça laissait une incertitude dans l'esprit de tous. Un mort que l'on n'a pas enterré, c'est un mort immatériel, un mort abstrait, finalement un corps tant qu'on ne l'a pas vu revenir, tant qu'il n'est pas officiellement retrouvé, c'est moins un mort qu'un absent. Alors Joséphine se dévouait par journées entières pour s'épuiser le corps dans les champs des autres, à leurs yeux elle voulait être autre chose qu'une veuve même pas vraiment en noir. Désormais, en plus d'aider pour écrire les lettres ou garder les enfants, elle chaussait des sabots trop grands pour aller sarcler, herser, biner, elle revêtait les habits de fermière et se livrait à toutes sortes de tâches, des efforts qui l'essoraient et l'abrutissaient comme un vin trop fort. Au contraire des autres, cette fatigue elle la recherchait, elle lui permettait de ne pas penser à l'époux, pas plus qu'à l'amant qui ne s'offrait pas, à ce désir suspendu là-haut, ce désir féroce, demeurant inassouvi. Pas besoin de convoquer Dieu pour ressentir la pensée amère du péché.

Depuis la fin de l'hiver, elle était toujours la première à se proposer, dès l'aube elle se consacrait au maniement de la charrue. Faute de chevaux on utilisait des mulets, ça prenait plus de temps mais ça allait quand même. Seulement, avec ses quarante-huit kilos, il fallait qu'elle appuie fort sur les mancherons pour fendre la terre, Joséphine pesait de tout son poids dessus pour que la glèbe s'ouvre, et chaque fois que le soc butait sur une pierre ou une butte épaisse, c'était comme un coup de reins que la terre lui donnait, une secousse montée du plus profond des entrailles qui la soulevait comme une vague, c'était grisant et fort, et plus le soc fouillait le limon et plus l'étreinte s'élevait du fond des âges. Cet effort lui échauffait le sang et sollicitait le moindre de ses muscles, elle sentait son cœur lui palpiter dans les tempes, c'en devenait une jouissance de labourer, de délier les entrailles de la terre pour la féconder. Du bout de cette lame tout répondait à son désir, pour peu de peser de tout son poids.

Quand elle se retrouvait au milieu des champs avec les autres femmes autour d'elle, que ce soit Gisèle, Fernande ou Léone, celles dont les mômes les suivaient tout le temps, quand elles étaient toutes pliées en deux, accaparées à leur tâche, Joséphine se sentait honteuse de penser au dompteur. Alors, elle redoublait d'ardeur pour abolir cet homme, elle s'arc-boutait pour enfoncer l'araire, et en retour elle ressentait la prise féroce de ses mains sur sa taille, sur ses seins, plus elle se livrait à ce corps-à-corps avec la terre et plus elle éprouvait le vertige que ce serait de s'en remettre à ce gladiateur solennel.

Ce qu'elle avait vu des lions n'avait fait qu'attiser son désir. Tout chez cet homme semblait une allégorie de l'acte charnel, jusqu'aux grognements de ses fauves, les râles suaves, les soupirs émanant de leurs corps immenses. Chaque fois qu'en bas elle les entendait, elle tressaillait de tout son être et se rêvait là-haut, s'imaginant aussi dévoreuse que dévorée. Aider aux champs, voilà qui lui rinçait le sang, voilà qui lui vidangeait l'âme de tout remords. Quand elle rentrait le soir, la fatigue était un assouvissement, elle revenait aussi épuisée et en nage qu'après une nuit d'amour. Le soir, chacun rentrait chez soi pour faire manger les enfants et s'occuper des vieillards, la soirée c'était une autre journée qui commençait. Alors que seule dans son grand mas à portail, Joséphine ne dînait que d'un bout de pain et de fromage. Après s'être longuement lavée et brossé les cheveux, ses cheveux qui depuis le matin poissaient sous le foulard, elle redevenait une femme. Puis, plutôt que de lire ou de rester là, elle ressortait et faisait une longue balade, elle marchait sans voir le chemin, dans l'obscurité parfaite. En passant près des maisons, parfois elle surprenait par la fenêtre une assemblée de femmes et d'ancêtres regroupés en cercle autour de la chandelle, faute de pétrole on était retourné à la bougie, rien qu'en voyant cette assemblée assise elle savait qu'ils relisaient la dernière lettre reçue du front, celle du mari de Fernande ou du frère de Léone, celle du fils de Simone, ou du fiancé d'une autre, des lettres qui donnaient moins de nouvelles qu'elles n'en demandaient, des lettres où les hommes distillaient des consignes et des mises en garde, comme si la terre ne pouvait pas tourner sans eux, des lettres parfois de pas grand-chose mais rendues bouleversantes par la situation. Joséphine ne voulait pas participer à ces représentations intimes, elle les devinait cependant. Lire la lettre de l'un ou de l'autre qu'on avait reçue soudait le village dans une émotion commune, donnait corps à cette entraide qui faisait que dorénavant on se disait tout, on s'épiait pour savoir où l'autre en était de l'inquiétude. Et autant dans les champs, pendant la journée, Joséphine se sentait liée à cette collectivité, autant le soir elle s'en dégageait, loin, très loin. Après avoir fait tout le tour du village, elle revenait par le chemin qui longe la rivière. La nuit était son monde à elle, elle y cachait ses désirs comme son désespoir. Ses pas produisaient un bruit tout mince sur la sente asséchée, tout au long de la balade elle se savait surplombée par ce mont qui ajoutait de l'ombre au noir total.

Elle aurait aimé monter à son sommet, pour le voir, il l'attendait peut-être. Depuis toujours elle plaisait aux hommes, chaque fois qu'elle allait à Limogne ou à Villefranche elle s'étonnait de surprendre le désir dans leur regard, sans rien y faire elle charmait, malgré elle elle charmait, de ce charme sans doute dont les magiciens usent pour faire se volatiliser les colombes, mais en ville à ce jour tous ces hommes n'y étaient plus.

De la même façon qu'elle ne savait plus où allait le monde, elle ne voyait pas bien ce qu'il y avait à espérer de l'amour. L'oubli de soi, ou au contraire, s'y retrouvait-on encore plus présent à soi-même ? Dans un monde fait d'aléas, un monde où plus personne n'avait la force d'espérer, il y a une chose dont elle était certaine, deux hommes là-haut l'attendaient, un homme au ciel et un autre près des nuages, à moins que ce ne fût l'inverse, et si une veuve devait s'interdire de monter là-haut, une femme libre avait le droit de se poser la question. Sans ces appels fauves, elle serait peut-être parvenue à ne plus y penser à cet homme, seulement, chaque soir ça recommençait, et malgré la haute dose de peur qu'ils lui inspiraient, elle les prenait comme des appels tendres, jamais comme des sommations.

Août 2017

Depuis le début du repas Lise était perturbée par la présence de ce paquet de jambon sur la table, surtout que Franck l'avait déplié à côté de son assiette. Rien qu'à voir cette masse de chair rouge liserée de blanc, elle ressentait de l'écœurement. Pour dédramatiser, Franck lui répéta qu'il s'agissait d'honorer la présence de ce chien, de rendre grâce à cet invité permanent, rien de plus. L'animal était là tous les jours, il devenait un convive à part entière, mine de rien ce chien participait à leurs vacances, un genre d'ami. Partant de là, c'était bien la moindre des choses d'avoir une attention à son égard, de prévoir à manger pour lui.

— Franck, un chien ne mange pas à table, en tout cas ce n'est pas une habitude à lui donner.

— Lise, ça me fait plaisir. Ça me fait plaisir de lui faire plaisir. Et puis, il faut bien qu'il mange, pauvre bête, il est tout le temps là à nous regarder quand on est à table, c'est vexant...

— Pour toi ?

— Non, pour lui.

— Ne t'inquiète pas, ce genre de chien est capable de trouver tout ce qu'il lui faut tout seul. Tu m'as dit que la nuit c'était plein de chevreuils et de sangliers en bas, à mon avis il en fait son affaire.

— Parce que tu crois vraiment que ce chien est capable de tuer un sanglier ou un chevreuil comme ça, tout seul ?

— Franck, t'as vu ses mâchoires ? T'as vu cette gueule, ses pattes, la largeur de ses pattes... D'ailleurs, par moments, il me fait peur. Par moments, je ne sais pas bien s'il grogne ou s'il est content. En fait, je crois qu'on ferait bien de le signaler.

— Le signaler, mais à qui ? De toute façon il n'a pas de collier.

— Justement, c'est ça qui est bizarre.

— Enfin, Lise, puisque ça te paraît normal qu'il y ait des tas de sangliers, de chevreuils, de lapins et toutes sortes de bestioles qui se baladent partout dans la nature, qu'est-ce qu'il y a d'étonnant à ce qu'il y ait également un chien ? Au nom de quoi un chien n'aurait-il pas le droit d'être sauvage lui aussi ? Ça doit bien exister ça, les chiens sauvages, en Russie y en a des centaines de milliers... Et puis, c'est peut-être pas un chien.

— C'est quoi alors ?

— Un loup !

Alpha se tenait à côté de Franck, assis sur ses pattes arrière, en attente, il avait bien compris qu'on parlait de lui, mais surtout il avait bien senti que pour une fois il y avait de la viande à table. C'en devenait encore plus intéressant d'être là. Franck lui jeta un coup d'œil, il prit conscience qu'un nouveau lien se tissait, à partir de maintenant s'instaurait entre eux une complicité d'autant plus concrète qu'elle était liée à la nourriture. Lise était large d'esprit, certainement pas du style à reprendre les autres sur leurs actes ou leurs choix. Elle ne se formalisa pas plus que ça quand elle vit Franck saisir une tranche de ce jambon en la décollant du tas, puis la suspendre au-dessus de la truffe du chien, le chien qui restait calme, comme incrédule, fasciné par ce bout de chair incroyable qu'on tenait au-dessus de lui. Franck abaissa la tranche doucement, sans que le chien marque le moindre signe d'agitation, il restait toujours aussi calme et ne bondit pas pour attraper le morceau. Une fois le jambon à sa hauteur, il le chopa sèchement dans un mouvement fouetté de mâchoire, puis il s'assit pour le mâcher religieusement. On sentait que pour lui la chose était importante, on aurait dit qu'il y affectait la solennité d'une offrande. Lise avait préparé une salade de pâtes avec des courgettes, des poivrons et des herbes, elle les servit tous deux. Franck avait envie de voir ce que ça donnerait s'il ajoutait des lamelles de jambon à son assiette, ça relevait presque de la transgression, mais c'était tentant. Il décolla une nouvelle tranche et la posa sur sa salade. Lise le regardait faire, se retenant de prononcer la moindre remarque. Simplement elle n'y croyait pas. Franck découpa son jambon en fins morceaux, puis il les mélangea aux pâtes. Ce qui

le surprit, c'était de ne ressentir aucun écœurement, aucune culpabilité à découper cette bête
du bout de son couteau. L'ensemble semblait
appétissant.

— Je t'assure, Lise, je voyais ce type me parler
en découpant ses tranches, sa lame les débitait
à même le jambon, normalement ça aurait dû
me couper l'appétit mais là ça avait l'air bon...

— Qu'est-ce que tu veux que je te dise, c'est
pas non plus interdit.

— Je sais bien, je sais bien que c'est sauvage,
mais c'est juste que là, ça me tente.

Il enfourna une bouchée de cette salade carnassière et instantanément il retrouva cette sensation qu'il y a à mâcher profondément, cette
mastication essentielle des dents broyant la
viande, il renoua avec cette tension particulière
de la mâchoire quand elle sait malaxer de la
chair, quand la bouche croque une matière toute
semblable à elle-même, une chair pareille à la
langue, aux gencives, à tout ce corps qui s'ap-
prête à la dévorer. En fermant les yeux Franck
s'abandonna pleinement à cette forme de sauvagerie intemporelle, comme s'il se reconnectait
au cycle même du vivant, le cycle d'une nature
où tout s'entredévore, où tout se combine et
s'ingurgite mutuellement. Là, perdu dans ces
collines, il était partie prenante de la cruauté
qui l'environnait, il participait du même règne
animal que ce chien, que cette buse qui tour-
noyait dans le ciel, que ces chevreuils qui se
cachaient dans les combes, que ces cigales qui

stridulaient, mastiquer cette viande était un parfait vertige hérétique...

— Alors ?

Lise regardait Franck comme un môme qui
tirerait sur une cigarette pour la première fois
de sa vie. Il resta un moment en arrêt, sans parvenir à lui répondre, mais sa bouche se pétrifia
quand il s'apprêta à déglutir...

— Non...

Il recracha cette bouchée molle et compacte
qu'il avait longuement amalgamée en bouche.

— Je n'y arrive pas !

Ça fit rire Lise, en même temps que ça l'éclaira
d'un profond soulagement. Il mit de côté tous
ces bouts de jambon et mangea la salade de
pâtes. Lise, à cause de la chaleur, n'avait pas très
faim, elle n'avala qu'une demi-assiette. Puis elle
alla chercher les pêches et la cagette de petits
fromages de chèvre que Franck avait achetés,
puisqu'il y tenait. Avant, elle voulait se passer un
coup d'eau sur la figure dans la salle de bains,
il faisait si chaud que le simple fait de manger
échauffait le corps.

Franck se retrouva seul avec l'animal. Le chien
était dressé sur ses quatre pattes, tendu, comme
à l'arrêt, il observait Franck sans comprendre,
à moins qu'il ne fît qu'attendre très égoïste-
ment qu'on lui tende une nouvelle tranche. Il
savait qu'il y avait plein de jambon sur cette
table, il ne comprenait pas que Franck ne lui
en redonne pas, il recula en regardant Franck
droit dans les yeux, le fixant avec agressivité
comme s'il voulait dire quelque chose, et là il

aboya trois fois, des aboiements intenses qui retentirent dans tout le panorama, trois forts coups de gueule comme des coups de feu qui figèrent tout sur place et propagèrent le plus parfait silence. Franck contempla cette nature soudain éteinte. C'était comme si cette buse, ces geais, ces cigales, et tous ces animaux qu'on ne voyait pas mais qui étaient là, tous les sangliers, les chevreuils planqués, les lapins et les grives, comme si toutes ces proies possibles poussaient un unanime soulagement, que toutes se félicitaient qu'un être humain, un de plus, se désengage de la grande chaîne du vivant pour aller rejoindre le collège des absous, l'académie de ceux qui se repentent. C'est sans doute ainsi que les animaux voient la chose, chaque homme qui ne mange plus de chair cherche à se disculper du mal qu'il s'autorise à faire à ses semblables, pour les hommes c'est une manière de rester entre eux, de se tenir en dehors des bêtes. Dans ce silence, c'est bien ce que Franck crut déceler, l'unanime concorde de la faune alentour, tous ces animaux qui l'observaient et qui l'avaient cru sur le point de basculer, de les rejoindre dans le cycle fatal. Entre l'homme et le chien, le divorce se sera joué du jour où ils n'auront plus partagé les mêmes mets. Avant la pâtée ou les croquettes, l'un et l'autre mangeaient les mêmes chairs, la même viande, le chien finissait la carcasse du poulet dont l'homme avait mangé le blanc et les cuisses, le chien se nourrissait des abats du gibier pendant que l'homme le cuisinait. Dorénavant, l'homme et le chien mangent des denrées bien distinctes, plus la moindre communion dans le repas.

Le chien restait tendu, haut sur ses pattes, il fixait Franck avec rudesse. Mais plutôt que de baisser les yeux Franck prit le parti de soutenir le regard de l'animal. Très vite, toutefois, il sentit le chien près de geindre ou d'aboyer, le chien qui crispait les mâchoires et retroussait les babines, au point même qu'il ressentit la peur de se faire mordre ou attaquer. Ce qu'il retrouvait dans les yeux de ce chien-loup, c'était la folie carnassière qui amène les loups à se battre entre eux sur le cadavre du sanglier qu'ils viennent de tuer, cette avidité des loups qui se mordent et s'entre-dévorent sur le corps même d'une proie qu'ils déchiquettent. Franck tendit le bras et donna trois tranches de jambon à Alpha qui tombèrent à terre, le chien s'adoucit, se fit tout tendre, il s'allongea pour les lécher consciencieusement, avant de les engloutir, une à une.

Lise revint avec son paréo noué et humide. Elle apportait la cagette de cabécous, les pêches et un grand broc d'eau glacée. Ignorant tout ce qui venait de se jouer entre Franck, le chien et la faune alentour, elle lui demanda s'il y avait du monde en ville, ce matin. Mais comme Franck ne lui répondit qu'évasivement, elle comprit qu'il avait de nouveau parlé à Liem et à Travis, d'instinct elle le sentit.

— Tu t'en sors ?
— De quoi donc...
— De Liem et Travis.

Franck fut tout éberlué par cette question. Revenir à ce genre de préoccupations lui semblait anachronique, déplacé. Dès qu'il se retrouvait dans cette maison, dès qu'il remontait vers ce paysage, c'était comme s'il se déprenait de sa vie, de ses problèmes, de l'idée même qu'il y avait une vie ailleurs, un métier, des associés et des projets. Vivre ici le plaçait dans une sorte de faille temporelle assez proche de l'insouciance, à cause de ces collines bien sûr, de cette mer végétale qui les entourait, et puis de ces cigales qui occupaient tout l'espace, cet endroit conviait à une déconnexion radicale. Au moins sur ce territoire, il ne serait rattrapé par rien, ici aucun coup de fil ne pourrait l'atteindre, pas plus qu'un mail, un tweet ou quoi que ce soit d'autre. Ici, il était hors d'atteinte.

— Tu sais, Franck, si tu ne veux pas en parler, je comprends.

— Lise, je n'ai rien à cacher, c'est juste que j'avais la tête ailleurs.

— Qu'est-ce que tu comptes faire avec eux ?

Lise lui demandait cela sans la moindre gravité. Parce qu'elle le supposait fort, elle ne doutait pas qu'il ait encore la main sur tout, qu'il était toujours ce producteur solide qui d'une façon ou d'une autre arrivait tout le temps à ses fins. Franck de son côté ne voulait pas lui faire l'aveu de son indécision, lui dire qu'il ne savait plus comment s'y prendre avec eux, qu'en réalité il se faisait manœuvrer par ces deux mômes qui le forçaient à conclure des accords et qui à terme prendraient l'ascendant sur lui, et surtout il y avait de nouveau eu cette phrase assassine qui les rendait haïssables, de purs ennemis.

— Je ne sais pas, Lise. Pas encore. Ils m'en demandent trop. Mais je ne me laisserai pas faire.

— Ah bon, parce que vous en êtes là ?

— On va finir par trouver un terrain d'entente, mais ce ne sera pas si simple que ça.

Lise fut surprise de déceler chez son mari cette pointe de défaitisme, il ne l'avait pas habituée à une telle fatalité. Elle rassembla le saladier vide, les fromages et les pêches sur un plateau, à cause des guêpes qui ne cessaient de tourner autour d'eux, même si ce qu'elles convoitaient surtout c'était le jambon, cet emballage de viande qui restait là grand ouvert et qui les excitait.

— Non, laisse-moi le jambon, je vais continuer de lui en donner. Il va le finir.

— Bon. Je prépare des cafés glacés mais on les prendra à l'intérieur, il fait trop chaud dehors.

— Comme tu veux, Lise, comme tu veux.

Franck la regarda marcher vers la maison. Il avait l'impression d'avoir toujours vécu ici, perdu dans la nature, déconnecté de tout, rattaché à rien. Il n'avait aucune envie de repenser à Liem et à Travis, pas maintenant. Là, tout ce qu'il voulait, c'était faire une sieste sous le grand chêne, reprendre contact avec cette nature qui l'environnait, se fondre en elle, puis après ça faire une longue balade du côté des ravines, retourner vers la cage. Son téléphone portable, il ne savait même pas où il l'avait laissé. Dans son pantalon sans doute. Ou dans la voiture. Tout ce qui lui importait, c'était de ne pas penser, et surtout pas à ces deux enfoirés, ces deux embrouilleurs qui le rabattaient comme des lions se coalisent pour attirer les gnous, rien que de se rappeler le coup de fil de ce matin, ça le rendait fou. Le chien continuait à le fixer. Lui revint l'image des loups s'entredévorant sur le cadavre de leur proie. Il caressa Alpha, qui répondit d'un mouvement de tête approbateur, son poil était dru mais doux. De nouveau il eut clairement l'intuition du pacte qu'il devrait nouer avec ce chien, ce cerbère à la dévotion totale dont il était certain qu'il obtiendrait tout. Encore fallait-il qu'ils pactisent tous les deux, qu'ils scellent le serment. Franck attrapa une nouvelle tranche de jambon qu'il promena au-dessus de la gueule du chien. Là encore l'animal l'attrapa d'un mouvement sec, peut-être un peu moins nerveux qu'avant, comme s'il consentait à l'autorité du maître. Franck le regarda mastiquer avec délectation. Puis il prit une nouvelle tranche, mais cette fois il l'approcha de sa bouche à lui et la goba. Cette tranche il l'enfourna et la mâcha longuement, il s'en délecta, puisant tout le suc de cette texture grasse et salée, de ces arômes sauvages et puissants. Ce sel qui faisait monter la salive, c'était bon. Il guettait la réaction du chien, mais ne décela aucune animosité dans son regard, au contraire, le chien s'approcha de lui et posa sa tête sur sa cuisse, comme pour exprimer une communion. Franck flatta le cou puissant de la bête, la confiance s'était installée. Et là d'un coup, sans réelle explication, il n'eut plus de mal à repenser à Liem et Travis, là d'un coup il se sentit moins seul face à eux, mieux armé, à partir de ce moment il se connaissait un allié, ne restait plus qu'à amener ces deux salauds sur un terrain dont ils n'avaient pas idée, un terrain où ils ne gagneraient jamais. Au bout du compte, ce serait eux les perdants, oui, c'était à lui de les amener à signer un nouveau contrat, avec des avenants bien différents, une nouvelle donne qui ferait d'eux les victimes, les perdants ce serait bien eux, pas lui.

Demain matin il les appellerait, il leur dirait qu'il était prêt à signer, oui, il signerait selon leurs termes, avec une ouverture du capital, il fallait même signer le plus vite possible, le mieux ce serait qu'ils le rejoignent ici, comme ça ils mettraient tous trois leur griffe sur ces nouveaux accords et on n'en parlerait plus. Pas de doute qu'ils rappliqueraient. Pour eux ce serait un sacré détour, il leur faudrait prendre le train, près de six heures de trajet, il irait les chercher à la gare de Gourdon ou de Souillac, à la limite ils passeraient la nuit à Orcières et repartiraient le lendemain, avenants au contrat signés, et ce serait fait. Pour cela il suffisait d'ajouter quelques clauses, des clauses que Franck avait en tête depuis un bon moment, il suffisait juste de les ajouter. Demain matin il irait rectifier les avenants chez ce fameux Sören, l'illustrateur qui vivait dans la vieille ferme, il rédigerait les deux pages qu'il avait en tête, imprimerait le tout en six exemplaires, et il n'y aurait plus qu'à signer.

Alpha gardait toujours la tête posée sur le genou de Franck, il le fixait droit dans les yeux, comme s'il lui signifiait son accord. Franck regarda le paysage environnant, cette nature dont avec ce chien il occupait le centre, il essayait de se figurer la chose, les lions qui avaient vécu ici même, à cet endroit, des lions qui avaient un jour régné sur tout ça, d'une certaine façon il se sentait prêt à renouer avec un peu de leur empire, à réveiller en lui un peu de cette violence qu'il faut pour se défendre, mais surtout pour attaquer, et ce chien mieux que personne lui disait de le faire.

Mai 1915

Pendant cinq ans Joséphine avait vécu dans le sillage de son mari. Les consultations et les visites réglaient leur vie, les patients peuplaient leurs conversations, mais depuis que le médecin n'existait plus, elle ne savait plus bien ce qui sous-tendait cette existence sans lui. Être veuve à trente ans, être veuve dans un village aussi perdu qu'ici, c'était être condamnée à la solitude, d'autant plus que c'était la guerre et qu'ils n'avaient pas eu d'enfants. C'est aussi pour ça qu'elle avait tant besoin d'aider les autres aux champs, pour ne pas rester seule. Mais chaque soir Joséphine se faisait rattraper par l'angoisse, une angoisse particulièrement tenace car les combats se répandaient tout autant à l'Est qu'en Afrique, aussi bien au Nord qu'au Sud, dans le ciel aussi, on disait que maintenant des bombes tombaient sur les villes en plus de laminer les tranchées, des engins de mort largués depuis des zeppelins et même des avions, dès lors il n'était pas impossible qu'un jour ou l'autre le monde disparaisse en une gigantesque explosion. Au rythme où mouraient les hommes, il n'y en aurait bientôt plus. Au niveau d'une communauté ça donnait des maris et des fils qui perdaient la vie pour rentrer dans l'Histoire, si bien qu'à la campagne plus qu'ailleurs, une femme de trente ans qui se retrouvait veuve ne se remarierait pas, sans enfant elle ne recevrait même pas de pension.

Chaque bataille, chaque nouvelle journée de combats abolissait des couples, les robes noires n'en finissaient pas d'éclore, chaque jour elles fleurissaient par milliers. À tout point de vue l'amour ne faisait que perdre. Joséphine pressentait le péril qu'il y aurait pour une femme à vivre seule. Rien que là, en quelques mois, elle voyait bien ce qu'elle était devenue aux yeux de tous : une vieille fille... *Vieille fille*, le terme s'était approché d'elle jusqu'à la contenir, jusqu'à l'envelopper comme un vêtement tout prêt, sur mesure. Pour le restant de ses jours elle ne serait plus que ça, *une vieille fille*, à moins de casser les codes et de dénier à l'amour le droit de la déserter.

Avant d'être une vieille fille elle était une veuve de guerre, le terme ne cessait de rôder dans les campagnes, avec son cortège de dignité et de malédictions. Joséphine se savait condamnée à la solitude et à l'effroi, pour autant elle n'envisageait pas de retourner à Bergerac où ses parents vivaient, retourner vivre avec eux c'était impossible.

Dans cette ambiance de drames permanents, dans un monde où la peur ne retombait jamais, certaines nuits tout devenait affolant. Pour quiconque aurait misé sur l'espoir, c'était perdu, les nouvelles venues du front se révélaient chaque fois plus catastrophiques. Et comme un écho à ces frayeurs, voilà que maintenant les fauves eux-mêmes ne s'arrêtaient plus. Depuis un mois ils rugissaient à longueur de temps, hurlaient sans discontinuer, c'en devenait un bruit de fond tout pareil à la guerre, faisant comme une résonance au Grand Drame. Sans qu'on sache trop pourquoi, ils rugissaient désormais de jour comme de nuit, à croire que le dompteur ne les tenait plus. Les chiens ne réagissaient plus, ils n'osaient même plus mêler leurs aboiements à ces appels démesurés, écrasés par la seule amplitude de ces cris. Le maire voulut savoir ce qui leur arrivait, alors il monta voir le Boche pour lui demander le fin mot de l'histoire. L'estive, tout venait de là. Depuis que les fauves avaient vu ce cortège de brebis, depuis qu'ils savaient que les bêtes pâturaient sur les plateaux et non plus aux abords des clairières comme les autres étés, ils reniflaient leur chair fraîche tout au long de la journée. En fonction du vent, les odeurs les visitaient, et de sentir ces brebis et ces vaches attisait sans fin leur instinct. En bas au village, on finit même par craindre que ce raffut n'alerte les gendarmes, ou qu'un jour les lions ne s'évadent, qu'ils ne se répandent vers le village et que tout ça se termine mal.

Pour calmer les villageois, Couderc le maître leur rappela que c'était la règle dans la nature, les mâles hurlent pour affirmer leur territoire et affoler les proies. « Tout mâle est hanté par cette intention-là, être maître des lieux et repousser ses rivaux. Dans la savane, ces hurlements s'entendent à des kilomètres, alors qu'ici soyez tranquilles, leurs cris sont étouffés par les collines et les bois... »

— Mais qui nous dit qu'un jour ils ne lui fausseront pas compagnie au Boche, après tout ce n'est qu'un homme, et il est seul, il ne pourrait rien contre huit fauves...

On priait pour que le Simple là-haut dans ses pâtures n'entende pas ces sabbats hurlants, sans quoi c'est sûr que ses brebis prendraient peur. Les moutons paniquent pour un rien. Et depuis que le cours de la viande s'était envolé, depuis que l'armée réquisitionnait à tour de bras, la moindre brebis valait de l'or. Si bien que ce troupeau c'était un trésor, un trésor jusque-là bien caché, personne ne devait savoir qu'il existait, et si un jour les autorités se mettaient en tête de poser des questions au sujet des brebis, il n'y aurait qu'à leur dire qu'il n'y en avait plus, qu'elles s'étaient toutes dérochées suite à une attaque de loups, que dans l'affolement elles s'étaient toutes précipitées du haut de la falaise. Au pire on dirait qu'elles avaient été dévorées par les loups ou par les lions là-haut, quitte à rejeter la faute sur le Boche, en tous les cas il ne fallait pas que ces brebis partent à la réquisition.

— Pas question qu'après nos hommes, on nous vole nos moutons, pas question qu'ils aillent nourrir des soldats pour leur donner la force de se faire tuer...

Au milieu de ces enjeux vitaux, Joséphine avait presque honte de son drame. Le malheur du monde faisait écran au sien. Finalement ce n'était pas plus mal. Elle se repliait dans la peine, s'efforçant le plus possible de se faire oublier, d'autant que ces rugissements, contrairement aux autres, elle les guettait. La nuit, elle était bien la seule ici à les attendre, parce que cet air chaud tombé du soir, ce vent chargé de feulements félins, il l'enveloppait de frissons troubles. Ces rugissements, plutôt que de l'affoler, ils l'assiégeaient de vibrations maléfiques, des pulsations qui la soulevaient de mille secousses. Ces grondements c'étaient comme des appels venus d'un monde délivré de toute peur et de tout péché, un monde dont la sauvagerie ne cessait de la hanter, ça confinait à l'impudeur. Pourtant il fallait qu'elle s'en libère, sans quoi elle redoutait de devenir folle, voire qu'on la découvre, qu'on soupçonne une attirance ou une liaison.

Du temps du médecin, Joséphine était une notable, mais depuis qu'elle aidait aux champs on la voyait comme une égale, une alliée à la présence indispensable. À cause des taxes devenues folles ça ne valait plus le coup de travailler les grandes parcelles, les femmes cultivaient plutôt des fruits et des légumes, au moins ces produits-là on était sûr de les vendre en plus de les manger, seulement c'était dix fois plus de travail, elles y laissaient leur santé. Quant au beurre, aux fromages et au lait, tout était tellement taxé qu'on ne pouvait plus rien vendre, en ville personne n'aurait eu les moyens d'en acheter. Plus que jamais les moutons c'était la valeur sûre, vu qu'ils se nourrissent de pâtures gratuites. À côté de ça, chaque ferme avait le cochon comme nourriture de garde, de beaux jambons à la couleur du cuir charnu. De les voir suspendus aux poutres rassurait sur l'avenir. Les temps promettaient d'être de plus en plus durs, mais au moins on avait des réserves.

Dans le panier qu'elle laissait au bord du champ, pour la pause de midi, Joséphine emportait juste une pomme et un bout de pain, même pas de fromage, et pour le repas du soir on ne savait pas. À la fin de la journée elle rentrait seule, restant en dehors de tout partage. Pourtant on l'invitait à venir chez l'une ou chez l'autre profiter du souper, elle refusait toujours, alors on insista en lui promettant des bons plats, et c'est comme ça qu'on s'aperçut qu'elle ne mangeait pas comme tout le monde. Bien que le veuvage n'interdise pas la chair, Joséphine refusait les découpes de jambons ou les potées cuites longtemps, de la viande elle n'en voulait jamais. C'est sans doute pour ça qu'elle tenait tant à demeurer seule, parce qu'elle ne mangeait pas comme tout le monde.

C'était d'autant plus surprenant que durant la journée on la voyait se donner corps et âme aux travaux des champs, elle passait des heures arc-boutée sur l'araire, et cependant elle ne mangeait quasiment pas. On la pensait malade à cause de ça. Quelqu'un qui ne mange pas de viande, c'est quelqu'un qui ne tient pas à vivre, c'est un travailleur qui ne veut pas reconstituer sa force. À moins que sa force, elle ne la trouvât ailleurs. À la voir prendre la charrue à bras-le-corps, à la voir peser de tout son poids pour que le soc fende la terre, elle en avait de la force, mais elle devait la puiser ailleurs que dans les repas.

Qu'elle ne mange pas de viande, qu'elle refuse ces bêtes précieuses qu'on prenait le risque de ne pas déclarer, les anciens considéraient cela comme de la provocation. Ici il aura fallu se battre pendant des siècles pour avoir le droit de manger de la viande. Dans les campagnes il aura fallu du temps avant de se défaire de tous les préjugés, ces prérogatives héritées des vieux siècles qui voulaient que seuls les seigneurs aient droit à la viande rouge, celle qu'on disait noire tellement elle était rouge, aussi bien la chair des faisans que celle des chevreuils, des vaches ou des hérons. Il n'y avait pas si longtemps, les seigneurs seuls avaient droit à la chair tendre des veaux ou des agneaux, les paysans quant à eux se contentaient de cochons à la rigueur, un animal fangeux qui se nourrit de saletés, ils avaient droit au lard, mais pas aux autres subtilités.

En ne mangeant pas de viande, c'était comme si Joséphine déniait tous ces acquis. Quand on la questionnait à ce sujet elle prétendait que c'était pour garder la peau blanche, et que digérer la viande fatiguait le cerveau. Elle était folle de penser ça, mais on la respectait quand même. De toute façon, les jours redevenant chauds, toutes se retrouvèrent au même régime. Les poêles ne tournant plus, on ne se lançait plus dans les cuissons. Aux repas du soir on mangeait des soupes de lait avec du pain trempé, ça rafraîchissait bien, on appelait ça des soupes de chien, les enfants adoraient ça. Les vieillards, eux, en revanche, ils auraient bien aimé en manger de la viande, seulement ils ne pouvaient plus mâcher, ça les excluait de cette farandole de mets enviables. Les vieux, ils finissaient avec quelques incisives, un peu comme les vaches, une fois vieilles elles n'ont des dents que sur la mâchoire du bas. Les vieux ça les meurtrissait de devenir herbivores comme les vaches, alors que du temps de leur jeunesse ils avaient des molaires fracassantes et des canines acérées comme les loups. Vieillir, c'est passer du jeune loup au ruminant. Alors de voir que Joséphine répugnait à manger de la viande, dans leur esprit ça ne passait pas. Les dents, c'est bien le signe que l'homme est fait pour la mastication, les mâchoires servent à déchiqueter les chairs et à les broyer rudement, comme le font les chats ou les chiens, sans doute cette femme avait-elle la prétention de se croire au-dessus des animaux, affranchie de toutes ces filiations. Elle se croyait au-dessus d'eux. Déjà qu'elle était veuve, voilà qu'en plus elle ne mangeait pas comme tout le monde, elle reniait tous ces beaux bétails qui faisaient la fierté, si bien que Joséphine les vieux l'aimaient de moins en moins, avant de se mettre à s'en méfier.

Août 2017

Lise avait posé son chevalet sur la terrasse de la chambre. Elle profitait de ce surplomb pour restituer le paysage, avec les trois arbres au premier plan, la longue pente qui descendait jusqu'à la combe, et la colline qui se dressait devant elle, en amorçant d'autres au-delà, prolongeant sans fin le panorama. Face à cette nature elle se sentait pleinement dans son élément, soulagée de tout regard. En tant que comédienne c'est cela qu'elle ne supportait plus, le regard des autres, le vertige d'être scrutée, surtout au théâtre, certains soirs ça devenait angoissant de penser à ces rangées d'yeux, de se savoir pas vraiment réelle devant eux, comme si jouer c'était ne plus exister.

Sur cette toile, il y aurait au moins quatre niveaux de perspective, elle se lançait ce défi. Cette toile blanche la défiait, tout comme cette nature qu'elle se proposait de saisir. La première gageure était de figurer ce bleu-là, celui du ciel, puis d'y apposer le vert des collines. Au passage elle nota que depuis qu'ils étaient ici, ce vert-là devenait moins vif, les arbres semblaient accuser le coup face à la chaleur qui se perpétuait de jour en jour. Pour déterminer les teintes, elle comptait plutôt sur la lumière de fin d'après-midi, pour l'heure le soleil écrasait tout.

Ce qui l'intéressait le plus dans cet ensemble, c'étaient les deux pins et le chêne centenaire au premier plan, avec la cabane en pierre juste au milieu, un abri qui dans le temps devait servir à garder des animaux, des lapins ou des poules, des outils peut-être. Dès le début de l'après-midi le soleil passait derrière l'épaisse frondaison du chêne, si bien que Lise pouvait rester sur la terrasse, y peindre sans même sortir de parasol, elle était à l'ombre de l'ombre, comme cachée au cœur de cet océan de lumière. Depuis plus d'une heure Franck faisait la sieste au rez-de-chaussée, mais à quelques signes elle devina qu'il venait de se réveiller. Elle entendit le volet qui grinçait en se rouvrant, là-dessus le chien se redressa, le chien qui n'avait pas bronché depuis une heure, comme s'il attendait l'éveil de son maître, là il se mit à s'étirer et à japper, puis à courir en tous sens en aboyant, sans doute qu'il voyait Franck dans la grande pièce, qui s'activait, Franck qui s'apprêtait à sortir.

Depuis sa position en surplomb Lise dominait tout, dissimulée sous son parasol naturel, planquée dans cette cache, elle vit Franck apparaître juste en dessous de la terrasse, en plein soleil, il était en short et marchait d'un pas ferme vers la vieille cabane. Le chien le suivait en se tenant bien à sa hauteur. Elle faillit l'appeler, lui faire coucou, mais se retint, elle préférait le laisser tranquille et le regarder faire, tout en diluant un tube de bleu et un tube de blanc dans un peu d'eau. Franck tenta d'ouvrir la vieille porte en bois abîmée du cabanon, la clenche était coincée, ou fermée à clé, il avait beau forcer ça ne s'ouvrait pas. Lise se demandait ce qu'il voulait faire dans cette cabane, pourquoi ce besoin de l'inspecter par cette chaleur. À force de jouer sur la poignée, la porte finit par s'ouvrir dans un long grincement. Franck marqua un temps d'arrêt. Il parcourut l'intérieur des yeux sans s'avancer, mais à cause du grand soleil il ne voyait rien dans ce trou d'ombre. Finalement il entra dans la cabane. Le chien demeura en retrait, il observait Franck sans conviction. Plutôt que de le suivre, il s'assit et le guetta à distance, visiblement perplexe, sachant n'être d'aucune aide, d'aucun recours en la circonstance. Lise commença à couvrir le fond de sa toile de ce bleu fraîchement amalgamé, tout en gardant un œil à la scène en bas, le chien posé devant la cabane, Franck qui s'activait dedans, remuant tout apparemment, une scène de la vie à la campagne, un tableau en soi. Elle songeait à ce qu'aurait pu être leur vie ici, s'ils avaient été agriculteurs à une époque lointaine, il y a cinquante ans ou plus, du temps où des êtres habitaient ces lieux, elle imaginait ce qu'aurait été leur vie s'ils avaient été les premiers occupants de cette maison, les journées passées à travailler sous le soleil, ou dans le froid, même en ce dimanche d'août il aurait fallu veiller sur les cultures, les animaux, la terre, une vie de labeur continu, à l'opposé de l'après-midi qu'ils vivaient là. Elle reposa son pinceau. Elle ferait d'abord une esquisse au crayon fin, elle voulait tout exprimer de ces trois éléments, les arbres, la cabane, les collines au fond. La lumière viendrait de la droite, elle regarda la toile blanche, avec en tête le décor tel qu'il serait d'ici deux à trois heures, avec un soleil plus rasant. Il faisait chaud et la peinture séchait vite. Mais ça ne la gênait pas.

En recréant ce panorama elle se demanda si tous ces arbres étaient déjà là à l'époque, en particulier le noyer et le chêne, si les collines avaient le même aspect, et ce qu'on pouvait bien récolter par ici dans le temps. Aux motifs taillés dans la pierre des linteaux, des macarons représentant des feuilles et des grappes de raisin à présent quasiment effacées, on supposait qu'à l'origine il y avait des vignes, jusqu'à l'épidémie de phylloxéra sans doute, mais après, que s'était-il passé, quels êtres avaient vécu dans ces murs dans les années 1930, ou 1950, voire avant… ? Elle n'en avait pas la moindre idée, pourtant ça lui importait de le savoir. Comme si elle cherchait à s'imprégner de cet endroit. Quand on loue une chambre d'hôtel, hébergement tout ce qu'il y a de plus impersonnel et froid, on ne se pose jamais la question de savoir qui l'a occupée avant, au contraire on ne veut surtout pas le savoir. En revanche, quand on loue une maison, surtout une vieille maison perdue comme celle-là, et qu'en plus on projette de la peindre, mine de rien on explore le temps, une bien intime démarche qui renvoie à ces vies ignorées qui ont pourtant animé les lieux. Lise voulait tout savoir des vies qui les avaient précédés dans cette maison, des corps qui avaient dormi là, qui avaient aimé là. Elle avait la profonde conviction d'être la première à peindre ici, à rêvasser intensément, comme si c'était la première fois qu'une conscience se plaçait au milieu de ce décor et se proposait de l'exprimer, s'interrogeant non seulement sur l'âme des lieux, mais sur tous ceux qui y avaient habité... Au bout de son pinceau la peinture avait séché.

Franck continuait de batailler à l'intérieur de la vieille remise, elle l'entendait remuer des masses de choses dans ce coin d'ombre. Il devait déplacer des tonnes d'affaires, elle ne voyait pas ce qu'il pouvait chercher, un vélo peut-être, ou des outils. Peut-être qu'elle devrait faire comme lui, explorer la maison jusque dans ses moindres recoins, tenter de faire parler les objets, révéler on ne sait quelles traces cachées. Elle avait juste eu la curiosité de monter au grenier. Le petit escalier de bois qui y grimpait n'était pas engageant. C'était plein de vieux meubles oubliés, là-dedans, une vraie brocante, deux lits en fer, un ancien moulin à café, pas de livres, mais bizarrement trois fouets, des longues lanières de cuir tressées, accrochées au mur comme des trophées. En revanche elle n'était pas allée dans la vieille grange un peu en contrebas, du côté de la réserve d'eau, elle ne savait même pas si sa clef était parmi celles du trousseau. Mais dans cette somme de données inconnues il y avait une chose dont elle était sûre, cette maison était louée pour la première fois. Elle le sentait. Elle l'avait perçu à tout un tas de détails. À ce matelas trop neuf, un peu dur, avec son étiquette et son enveloppe de plastique, mais aussi à ces couverts dans les tiroirs, beaucoup trop vieux en revanche, de même que les verres et les assiettes, de toute évidence cette vaisselle était bien trop usée pour servir encore régulièrement. Et puis, plein de choses n'allaient pas dans cette maison, les sanitaires déjà, ces bruits bizarres que faisait la tuyauterie quand l'eau coulait, une eau avare qui plus est, et les prises de courant rondes, aussi, qui ne marchaient pas. Pas de doute que si d'autres gens avaient loué cette maison avant eux, ils s'en seraient plaints, au quotidien ce n'était pas commode d'avoir si peu de pression à l'antique pommeau de douche, sans parler de ces taches d'étain sur le miroir de la salle de bains, il fallait se pencher pour se voir, et mille autres détails encore qui auraient certainement été corrigés au cas par cas, suite aux récriminations des locataires, et surtout aux commentaires sur Internet. Le plus incommodant, c'étaient ces vieux meubles et ces placards usés, ces tiroirs qu'il fallait forcer parce qu'ils refusaient de s'ouvrir, de même que ces armoires renfermant leurs secrets, ces menuiseries menaçant de céder, tout signifiait que cette maison n'avait pas été habitée depuis des années, qu'elle n'avait pas été fréquemment ouverte ni aérée.

En découvrant l'annonce il y a trois mois Lise l'avait pressenti, sans rien en dire à Franck, elle avait bien compris que personne n'avait loué ces lieux avant eux, ni vécu là depuis des lustres, cet inédit l'avait attirée.

Enfin, Franck ressortit de la cabane, plié en deux et maculé de poussière. Le chien recula comme s'il venait de voir surgir un extraterrestre. Franck avait passé une vieille corde autour de son épaule, une sorte de grosse longe rugueuse. Lise se pencha en arrière pour qu'il ne l'aperçoive pas. Elle voulait continuer de l'épier. En même temps elle était soulagée qu'il trouve à quoi s'occuper, elle avait tellement craint qu'il ne s'acclimate pas, qu'il craque au bout de deux jours et la supplie de finir les vacances à l'hôtel ou à la mer, n'importe où mais pas ici. Franck était si habitué aux endroits confortables qu'on l'imaginait mal dans ce genre de baraque perdue au milieu des collines. Finalement ça se passait bien. En revanche elle ne voyait absolument pas ce qu'il voulait faire de cette corde. La réaction normale aurait été de le héler depuis la terrasse, quitte à le surprendre, et de lui demander ce qu'il comptait faire avec ça. Seulement, elle ne voulait pas l'encombrer, ni le gêner en quoi que ce soit. Après tout qu'il fasse ce qu'il veut avec sa corde, même si, l'espace d'une seconde, lui vint ce pressentiment affreux, par association de pensées, des êtres ici ne se seraient-ils pas déjà pendus ? Il découlait peut-être de là l'insolent mystère de cette maison, ceux qui y avaient vécu s'étaient un jour suicidés, ne laissant ni succession, ni famille, ni enfants, un peu comme Franck et elle. Franck retourna dans la cabane pour y prendre une seconde longe, assez épaisse apparemment. Il passa les deux autour de ses épaules, comme on le ferait avec les sangles d'un gros sac. Bien sûr il l'intriguait, mais elle se retint de lui poser la moindre question. Depuis vingt ans qu'ils vivaient ensemble ils fonctionnaient ainsi, se réservant une marge de liberté, s'appliquant toujours à éviter l'indiscrétion. Lui, de son côté, il ne se permettait jamais de remarque sur ce qu'elle était en train de peindre, il ne faisait que l'encourager, en tout, d'abord en tant qu'artiste, quand elle avait essayé de réaliser un film, ou quand un beau jour elle lui avait annoncé que dorénavant elle ne voulait plus tourner mais s'adonner à la peinture. Plutôt que de lui dire qu'elle était folle, qu'elle ferait mieux de continuer sa carrière, de la relancer, plutôt que de la culpabiliser, ce jour-là il lui avait juste demandé si elle préférerait peindre à l'huile ou à la gouache.

Cet homme si elle l'aimait depuis plus de vingt ans, c'était justement à cause de sa prévenance. Franck ne faisait jamais que la conforter, comme il le faisait avec tout un tas de gens autour de lui, scénaristes ou comédiens, techniciens ou réalisateurs, il avait pour principe de toujours encourager. Son point de vue sur les autres était rarement critique, c'est peut-être la qualité première chez un producteur, savoir porter les autres, les consolider en leur épargnant d'avoir à se justifier.

Franck était retourné dans la maison. Lise l'entendit qui s'activait au rez-de-chaussée, le chien se tenait debout, prêt à bouger, observant Franck comme s'il attendait qu'il lui annonce le programme. D'en bas Franck lança :

— Lise ?

Elle répondit oui en feignant d'être surprise.

— Je vais faire un tour.

— Pas de souci.

Là-dessus elle le vit ressortir dehors. Il n'avait pas compris qu'elle était sur la terrasse, il devait la croire dans la chambre ou au grenier. Si bien qu'il ne se retourna pas en partant. Cette fois il avait son sac à dos, et toujours ces deux cordes roulées autour de ses épaules, d'un bon pas il commença à dévaler la pente en direction des collines.

Lise le regarda s'éloigner un temps. Puis elle revint à sa toile. Il lui faudrait peindre le chêne en dernier, juste après la cabane dont Franck venait de laisser la porte entrouverte, ce qui, en un sens, dénaturait le tableau qu'elle avait en tête. Ce n'était plus du tout la même chose, cette cabane avec la porte ouverte. En même temps c'était joli, d'une certaine façon ça y mettait de la vie. À présent elle se savait absolument seule, elle savourait cette sensation comme un accomplissement. En dehors de quelques cigales éparpillées, pas trop actives, le silence était complet. Mais il ne l'affolait pas, au contraire, elle le retrouvait comme un élément naturel, un cinquième élément. Rien à voir avec le silence qu'on demande avant de tourner une scène, ce silence convenu où d'un coup tout le monde se tait, ni avec le silence vertigineux du théâtre. Non, ce qu'elle retrouvait là c'était le silence primordial, cosmogonique, le silence qu'à chaque séance de méditation elle avait l'impression d'un peu mieux dompter. Franck était parti, le chien n'était pas là, elle les voyait qui s'éloignaient tous deux, maintenant au pied de la colline, avant de s'enfoncer dans le bois, et la question de savoir ce qu'ils allaient faire avec ces cordes ne la préoccupait pas, elle goûtait à la paix totale.

Juin 1915

À Orcières, ce qu'on entendait de la guerre, c'est surtout ce qu'on n'entendait plus. Depuis le départ des hommes, leur silence hantait, un silence qui n'en finissait pas de dire qu'ils n'étaient plus là. Depuis la nuit des temps, il y avait toujours eu des hommes ici à travailler dans les champs, à longueur de journée leurs voix s'éparpillaient, et ne plus percevoir ces appels qu'ils se lançaient d'un bout à l'autre des parcelles, c'était plus déchirant qu'un vacarme. Là, au fond des causses, dans cette campagne nichée entre les collines et les falaises calcaires, les cris des hommes sortant les bêtes au matin ne retentissaient plus, on n'entendait plus les ordres qu'ils donnaient aux bœufs pour qu'ils se tiennent calmes pendant qu'ils leur passaient le joug. Dans les collines ne résonnaient plus ces gueulantes qu'ils lançaient quand ils manœuvraient les animaux de trait, pas plus que ces injonctions ni ces paroles qui rythmaient le travail ou la chasse. Du temps où les hommes étaient là, ils passaient leur vie dehors, à remuer, à hurler et à rire, on les voyait peu mais on les savait là. Maintenant tout ce qu'on distinguait d'eux, c'était le silence qui régnait partout dehors, un silence déchiqueté par des cris de lions, c'était pire qu'une mort. Même les chiens n'aboyaient plus.

Là-haut, dans les tranchées, les hommes devaient pourtant bien en pousser des cris, mais de tout autres, et bien trop loin pour qu'on les entende. Vu du causse, le front on l'imaginait comme un brasier immense, une chaudière jamais rassasiée, un volcan sans cesse soulevé de retours de flammes et de giclées de lave. Quelquefois en lisant les nouvelles ou en écoutant le maire donner des informations qui n'étaient pas dans le journal, les femmes voulaient croire que les choses allaient se tasser, que cette guerre c'était comme un grand feu bientôt à court de combustible, à un moment ou à un autre toute cette haine dressée entre les peuples s'effondrerait sur elle-même. Parfois dans les journaux, on annonçait que l'armée allait démobiliser les soldats de plus de quarante-six ans, et les pères de plus de quatre enfants, ceux-là au moins ils rentreraient, rien qu'ici ça permettrait d'en voir revenir quelques-uns, trois pas plus. Seulement, cette rémission ne se produisait jamais. Chaque fois le brasier reprenait de plus belle, la chaudière se relançait et demandait toujours plus d'hommes, toujours plus de soldats. On arrivait à l'été 1915 et ici il n'y avait toujours pas eu de permissions. Sans le bruit des hommes, seuls les chants des oiseaux et des cigales animaient l'espace, il n'y avait plus que ces sons-là à retentir dans la nature, ainsi que les séquences hurlantes des lions qui détonnaient par cycles, histoire de rappeler que la peur n'est jamais loin.

Les femmes priaient pour revoir ces maris et ces fils. Et pourtant elles redoutaient ce qu'ils diraient quand ils reviendraient, comment ils réagiraient en découvrant que les fermes et les moulins avaient continué de marcher sans eux. Peut-être qu'ils le prendraient mal, qu'ils trouveraient mille choses à redire, que la parcelle des Taillis était semée trop claire, ou que les foins étaient tassés trop haut, ou que les vaches n'avaient pas assez haut de clôture, ou que les rives étaient dévastées par les ragondins. Si ça se trouve ils ne verraient que ce qui n'allait pas. Cette terre après tout, depuis la nuit des temps c'était la leur, depuis toujours ils y avaient leur façon de faire. Peut-être qu'en revenant ça se passerait mal. Certaines femmes commençaient à le craindre, qu'une fois les hommes revenus plus rien ne soit comme avant, qu'elles ne les reconnaissent plus. Peut-être même qu'ils seraient fâchés de voir que la vie avait continué à se dérouler sans eux, qu'ils en deviendraient à jamais froissés. Dans les campagnes les femmes venaient de soutirer à la terre un sacré aveu, les récoltes pouvaient s'effectuer sans les hommes. La terre pouvait vivre sans les hommes. Dans les campagnes comme dans les usines, dans les moulins comme dans les champs, partout le monde avait donc continué à tourner sans eux.

En ville, il paraissait que les femmes avaient le droit de rejoindre leurs époux dans des cantonnements de repos, ne serait-ce que pour quelques heures, mais ici on ne voulait pas entendre parler de ça. Ce serait bien trop de papiers, bien trop de trajet. De toute manière au village les femmes n'avaient pas une seconde à elles, entre la basse-cour et les champs, entre les mômes et les vieillards, entre la cuisine et le lavoir, comment perdre des heures et des heures pour aller serrer son homme dans ses bras, faire des jours de train pour un baiser, ça n'avait pas de sens. Ça disait bien que la ville était un tout autre monde, un tout autre versant de l'humanité, toujours est-il qu'ici, pour l'amour comme pour le reste, il fallait faire sans les hommes.

Mais de savoir que le monde pouvait tourner sans eux n'avait rien de léger, au contraire, les femmes craignaient même que ce ne soit sacrilège de pouvoir vivre sans les hommes, au point que certaines, au lieu d'en être fières, furent assaillies d'une sourde culpabilité. À tel point que quand on apprit que des brebis disparaissaient là-haut, que chaque semaine il y en avait deux ou trois de moins, au lieu de tout de suite incriminer les loups ou les fauves, les femmes crurent voir là la marque d'un châtiment, d'une punition, en représailles à cette émancipation nouvelle. Face aux brebis qui se mettaient à s'envoler, la première intuition fut de se dire que si les hommes avaient été là, jamais ce genre de calamité ne nous serait arrivé. Les hommes auraient su faire en sorte qu'on ne perde pas des bêtes comme ça.

D'autant que des brebis, très vite il en manqua cinq, puis dix, et fatalement la semaine d'après c'était près de vingt qui avaient disparu. La panique les gagna toutes au village, et compte tenu de cette tendance qu'ont les choses à empirer dès lors qu'on s'en inquiète, à ce rythme-là il n'y aurait plus une seule bête à la fin de l'estive.

C'est grâce à Joséphine qu'on prit conscience du désastre, tous les huit jours c'était elle qui ravitaillait le Simple en pain et en terrines, chaque fois les bêtes elle les inspectait une à une en leur examinant le dessous des pattes, et chaque fois qu'elle refaisait le compte il en manquait deux ou trois de plus.

Fernand le maire et Couderc le maître étaient deux références dans le domaine de la raison, deux êtres avisés capables de rationaliser les choses plutôt que de partir dans les pires superstitions. Leur première idée fut de penser aux loups, seulement, dans la pâture on ne retrouvait jamais de carcasse ni de cadavre, marques de leurs agissements. Ils pensèrent aussi à des vols, mais aucun intrus ni braconnier n'aurait pu monter là-haut, et encore moins en redescendre, sans que le Simple ou ses chiens le remarquent. Seul le curé prenait l'air de celui qui sait la vérité, et même s'il n'était pas d'ici, même s'il ne venait qu'une fois par semaine pour les offices et que dans le fond il ne connaissait rien au village, il jurait qu'il fallait voir là un prélèvement de Dieu. Ces brebis qui disparaissaient, c'était le fait d'une sanction divine parce que à Orcières on ne priait pas assez, on manquait de reconnaissance et d'actions de grâce, or il faut être prêt à tout sacrifier pour être aimé de Dieu. Selon lui toute plaie avait un sens, le sacrifice des hommes comme des bêtes était le tribut nécessaire pour mériter un jour la paix, d'ailleurs ces hommes, on se devait de les honorer par d'incessantes prières, car vivre sans eux pourrait être la source de péchés, il fallait donc être prêt à tous les sacrifices, car toute douleur et toute perte étaient une raison de plus d'être l'élu de Dieu. Pour le prouver il n'hésitait pas à le dire en chaire en s'aidant de son vieux livre à la tranche dorée : « Exode 20,24, Tu m'élèveras un autel de terre, sur lequel tu offriras tes holocaustes et tes sacrifices d'actions de grâce, tes brebis et tes bœufs. Partout où je rappellerai mon nom, je viendrai à toi, et je te bénirai. » Preuve que la vraie douleur n'est pas de souffrir, mais de ne pas l'accepter.

On s'en méfiait du curé, au moins autant qu'on redoutait d'être puni de ne pas le craindre. Finalement dans son discours tout se tenait, Dieu prélevait des moutons parce qu'on ne pleurait pas assez les hommes. Toutefois son Dieu était gourmand, car après un mois les moutons là-haut continuaient de disparaître, sans cadavres ni ossements, sans survol de charognards, Dieu prélevait les bêtes de la même façon que la nation nous avait enlevé les hommes. Toutes se remirent aux prières, mais cela ne changea rien, les brebis disparaissaient toujours et les lions ne gueulaient pas moins, à croire que la malédiction soufflée par le mont d'Orcières était plus forte que les requêtes de Dieu et qu'elle avait décidé de s'en prendre au village tout entier.

Août 2017

En descendant la colline, Franck se concentra sur le bruit de ses pieds foulant l'herbe sèche. Ça produisait des frottements secs, un genre de bruit de faux. La pente était raide, il fallait poser les semelles bien à plat afin de ne pas être entraîné par le mouvement. Le chien marchait juste à ses côtés. Il tirait la langue comme s'il avait déjà soif, alors qu'ils marchaient depuis cinq minutes seulement. L'environnement sonore était hypnotique, en plus de ses chaussures fouettant l'herbe et des halètements d'Alpha, une camisole de cigales lui ceinturait la tête. Dans tout ça pas le moindre son émis par la civilisation, pas de moteur, pas de tronçonneuse ni de voiture, pas d'avion. Au pied de la colline Franck fit une pause à l'ombre des chênes verts, la forêt se poursuivait à partir de là, face à eux, elle couvrait le versant de sa masse ombreuse. Comme toujours, le chien le fixait droit dans les yeux, un regard qui avait valeur d'assentiment. Franck le fixa en retour, tout en repensant à cette nuit. Vers deux heures du matin, il était descendu de la chambre avec son ordinateur portable. Il voulait reformuler les avenants au contrat en s'installant dehors sur la vieille table, dans le noir complet. Dès qu'il avait ouvert l'ordinateur, des centaines de petits insectes étaient venus se cogner sur l'écran rétroéclairé, une faune minime qui l'assaillait. Au total il avait mis deux heures pour reprendre toute une série de formulations de ces fichiers PDF, en plus d'une clause lui réservant le droit de garder un œil sur les prises de participation, il en avait ajouté deux qui lui permettraient d'avoir les mains libres sur les longs-métrages et de s'ouvrir une ligne de crédit pour ses besoins propres, en somme il se donnait la possibilité de produire un film tous les deux ans, un film sur lequel il aurait la mainmise et qu'il pourrait budgéter sans l'accord de ses associés. Pendant tout ce temps, le chien était resté à côté de lui, tantôt assis, tantôt allongé. Sa présence le réconfortait, l'animal l'épaulait dans son audace. Au premier étage Lise dormait. La maison était entièrement éteinte depuis longtemps à cause des moustiques. L'ordinateur constituait la seule source de lumière dans les environs, sur des milliers d'hectares à la ronde il n'y avait que ce petit écran à répandre sa luminosité. De cette scène lui apparut la nature du lien qui unit l'homme et le chien depuis la nuit des temps, là dans la nuit noire il comprit pourquoi l'un et l'autre s'étaient toujours conçus comme alliés, car si ce chien n'avait pas été là près de lui, il n'aurait cessé de sursauter au moindre bruit, de s'alarmer du moindre bruissement lointain.

Autour de lui s'étendaient à l'infini des hectares de bois sauvages, émettant toutes sortes de craquètements, de froissements, de bruits suspects derrière lesquels on imagine très vite quelque chose ou quelqu'un, sans le chien tous ces bruits-là l'auraient perturbé, Alpha était une vigilance par délégation, totalement attentif à l'environnement, en un mot il veillait sur lui.

Avant de monter la seconde colline, Franck avala une grande gorgée d'eau, il remonta les cordes pour mieux les caler sur ses épaules, il n'en revenait pas d'avoir l'aplomb de concevoir un tel plan, sans être complètement sûr d'avoir la cruauté de le mettre à exécution. Là encore c'est le regard du chien qui consolida sa détermination, il y voyait le métal de l'animal rompu à chasser et à mordre, à tuer. Ce regard pour peu de le soutenir était empreint de violence pure. Franck y lisait plus qu'un enseignement, la nécessité qu'il y a parfois, non pas de se défendre, mais d'attaquer.

Sous les arbres le jour s'adoucissait. Franck grimpait entre les chênes serrés, sans même plus chercher le sentier tortueux et quasiment effacé, il visait le sommet. Chacun de ses pas produisait des bruits secs de craquements, des vieux rameaux qui rompaient, des branches l'agrippaient de toutes parts, elles l'accrochaient puis se détendaient en fouettant l'air. À partir de là lui vint la sensation d'entrer dans un tout autre monde, un monde qui requérait de l'endurance et du souffle, de la force, pas d'autre concentration que celle de bien choisir l'endroit où poser le pied, éviter les ronces et les grosses pierres, déjouer les pièges. La pente était rude, ça montait dru, mais au moins ils étaient à l'ombre.

Lise était redescendue de la terrasse pour se préparer un thé glacé. Elle hésita à troubler le silence mais elle mit la radio, histoire d'avoir un fond sonore. Cette fois la programmation était bizarrement calée sur du reggae. La playlist n'était pas si aléatoire que cela, elle fonctionnait par plages de quinze à vingt minutes, la prochaine pourrait tout aussi bien être du jazz ou du classique, de la country, du rap ou bien du Léo Ferré. En remontant sur la terrasse elle fut surprise par cette chaleur si forte. Elle contempla le panorama qu'elle s'apprêtait à peindre, les collines, elle trouva émouvant de savoir qu'en ce moment même Franck marchait là-dedans, dans cette végétation, elle allait donc peindre un décor dans lequel son mari était enfoui, sans qu'on le voie, sans même qu'on sache qu'il y était. Dans cette masse de verdure elle ne le discernait absolument pas, ne le repérait à rien. Probablement que d'ici peu il arriverait au sommet de cette colline, en face, avant d'en redescendre l'autre versant, toujours caché par les arbres. Elle ne comprenait pas ce qui lui avait pris de se lancer dans une balade par cette chaleur, à cette heure il ne faisait pas loin de 40 degrés. Pas de doute qu'il voulait retourner du côté de la grande cage, de la source juste à côté, elle avait bien senti que cet endroit l'avait marqué, mais tout de même c'était étrange ce besoin d'y repartir dès le lendemain, surtout par ce temps. Elle qui avait tellement craint que faute de réseau, de piscine et de plage il ne s'ennuie ici, en un sens elle était rassurée qu'il se trouve des activités, quelles qu'elles soient.

Au bout d'une demi-heure Franck redescendait déjà le versant de la deuxième colline. Une fois en bas il se posa au fond de la ravine, s'assit sur une souche bien à l'ombre et engloutit d'un trait le restant de sa bouteille d'eau, sans reprendre une respiration. Mais le chien voulait continuer, si bien qu'il redémarra sans attendre et s'enfonça plus avant dans le val. Ici, à cause de la moiteur et de l'ombrage permanent, le sol était tout autre, la végétation abondante et grasse, il y avait des lianes épaisses et des châtaigniers au tronc noueux, des arbres sans doute hors d'âge, à la sève lente et au temps arrêté. Ça leur donnait un caractère fantomatique. En tombant sur un amoncellement de vieilles traverses de pin imputrescibles, il comprit qu'il s'agissait d'une ancienne voie ferrée, fermée sans doute depuis des décennies. L'humidité régnait dans cette cathédrale végétale, les frondaisons en arcs-boutants s'élevaient à plus de trente mètres, là-dessous Franck avait l'impression d'être sous une lointaine latitude. Par rapport aux zones exposées au sud, il y avait certainement dix degrés de différence, cette combe devait être orientée plein nord. Il repensa à la forêt tropicale en

Guyane où ils avaient tourné il y a quinze ans, et à cet autre film aussi en Serbie, une coproduction allemande sur la cavale de deux évadés du goulag. Ici l'ambiance était un peu la même, on retrouvait cette moiteur étouffante de la canopée de Guyane, avec toutes sortes d'animaux qui se baladent en hauteur, ces serpents qu'on guette toujours en travers de ses pas... Tout de même les arbres ici étaient moins grands, moins amples, bien sûr il n'y avait pas de singes capucins ni de chauves-souris vampires, mais il distingua un petit animal tout là-haut dans les branchages, un écureuil qui ne bougeait pas, lui-même surpris d'avoir été surpris, hésitant à fuir ou pas. Franck ne fit pas un geste. Dans les buissons il entendit le chien qui revenait de son tour de reconnaissance, il avait dû découvrir une source ou une flaque d'eau, en tout cas il était trempé, la gueule luisante et l'air profondément requinqué. À le voir aussi alerte et excité, Franck comprit qu'il voulait qu'ils repartent tout de suite. Tout ce qu'il désirait c'était du mouvement, de l'action. Par moments, ce chien donnait l'impression d'être réellement demeuré à l'état sauvage, surtout en étant comme ça perdus dans les bois, dans ce contexte il prenait l'ascendant et devenait le maître. Il fixa Franck comme il le faisait chaque fois qu'il attendait de lui qu'il bouge, qu'il se relève, mais Franck voulait souffler encore un peu, profiter de la fraîcheur, l'écureuil là-haut ne bougeait toujours pas, il n'avait pas peur ou était bien trop pétrifié pour bouger. Franck l'observait par en dessous, ce que le chien saisit parfaitement. La faune ici s'en tenait à cette observation mutuelle, à ce qui-vive existentiel où chacun guette l'autre, soit parce qu'il le craint, soit parce qu'il le chasse. La forêt est un espace de combat, la paix semble y régner mais dès lors qu'on s'y arrête un instant, on sent bien que s'active tout un royaume de vigilances, on pressent des milliers d'oreilles qui écoutent, de regards qui surveillent, la tension est palpable. Peut-être qu'au fond de la ravine des chevreuils l'observaient et que des sangliers en planque ou des renards patientaient, le temps qu'il reparte, parce que tous ces animaux ne reniflent qu'une chose en chaque être humain : le chasseur. Le chien gardait le regard rivé sur l'écureuil. Franck savait qu'il suffirait d'un mot, même pas vraiment un ordre, pour que le chien se rue à corps perdu à l'assaut de cet arbre et se démène pour tenter de choper le rongeur là-haut, comme il le ferait de n'importe quel gibier, un ordre suffirait et il se mettrait à chasser. À la limite il n'attendait que ça, un ordre pour se jeter sur le petit animal. Franck avait peur qu'il se prenne de nouveau au jeu, qu'il commence à aboyer comme un dératé, qu'il essaye de grimper à l'arbre pour attraper cet écureuil et lui briser la nuque d'un coup de gueule. Un oiseau se posa là-haut à gauche, sur la cime d'un autre arbre, un geai, de ces gros oiseaux qui par moments émettent ce bruit atroce, de ces cris exotiques qui rayent le silence, en forme d'alarme, suite à quoi d'autres oiseaux répercutent le même cri de loin en loin, alertant d'une présence, les geais sont chez eux dans la forêt, c'est leur domaine, les geais dénoncent le moindre humain...

— Vas-y, chope-le !

Le chien se mit à s'agiter au pied du grand arbre, mortifié par l'impossibilité absolue d'y monter, vexé de ne pas pouvoir honorer l'ordre...

— Allez, attrape !

Franck testait l'ascendant qu'il avait pris. Face à cet ordre qu'il ne pouvait exécuter, le chien se trouva diminué, il se mit à aboyer en regardant le sommet de l'arbre. Le geai nullement effrayé ne bougeait pas, Franck était au cœur d'un trinôme sauvage, à mi-chemin entre la proie et le prédateur, se sachant toutefois bien plus dans le camp du prédateur que dans celui du gibier, car il pouvait décider de qui chasserait qui, il se découvrait un pouvoir de vie ou de mort qui le faisait entrer de plein droit dans le règne animal. L'écureuil n'était plus visible, disparu, alors que le geai là-haut tenait tête et criait plus encore... Au beau milieu de cette cérémonie païenne faite d'aboiements et de cris d'oiseaux, un bruit se fit entendre au loin, très loin, Franck crut reconnaître le bourdonnement d'un moteur, un gros, sans doute un camion, un véhicule à la sonorité épaisse qui progressait difficilement dans les collines en forçant le régime, ça semblait venir de l'autre côté, dans le périmètre de la cage. Le chien continuait d'aboyer. Franck lui ordonna de se taire mais le chien n'obéissait pas, de plus en plus excité par la vue de cet oiseau méprisant.

— Tais-toi !

Franck avait haussé le ton en faisant les gros yeux et le chien s'arrêta net, il n'aboyait plus, ne bougeait plus, dressant pourtant l'oreille. Le geai décolla de son propre chef, l'écureuil n'était plus de ce royaume, mais le bruit du moteur enflait. Franck se releva et se mit en marche, il voulait gravir cette hauteur face à lui et la gravir vite, un effort de dingue qu'il accomplissait comme en volant, jamais il ne se serait cru capable d'escalader aussi vite mais il voulait se positionner sur le promontoire, au bord de l'igue, et voir qui d'autre que lui avait l'idée de venir explorer cette cage par cet après-midi de canicule, quel genre de véhicule pouvait bien accéder à ce refuge-là.

Juillet 1915

Que le châtiment procède de Dieu ou du diable, au bout de vingt brebis manquantes, tous passèrent de l'inquiétude à l'affolement. D'abord les hommes, puis maintenant les brebis, petit à petit c'était la vie qui les quittait au village. Les anciens, trop fatigués de s'être remis à la tâche, ou mortifiés de ne plus pouvoir le faire, s'érigeaient en semoirs de pensées noires. Même les plus terre à terre devaient bien admettre qu'un sort leur avait été jeté, ce n'était pas normal que les brebis disparaissent comme ça, sans cadavres ni traces de sang. Quant aux enfants, ils s'inquiétaient de voir leurs mères inquiètes, des mères déjà épuisées et délestées de toute envie, des mères se sentant coupables de prendre la place des hommes, qui se pensaient punies à cause de cela, lors même qu'elles souffraient que ces hommes ne soient plus là.

Le mouton c'est l'allié depuis la nuit des temps, le mouton dont la laine réchauffe et la chair nourrit, le mouton c'est l'animal qui exauce tous les besoins du corps, surtout ces bizets dodus et sains que la gale n'attaque jamais, des moutons rustiques qui tiennent presque toute l'année sans foin. Alors ces brebis disparues c'était comme une voie d'eau dans une barque dérivant en mer. Sans rien y pouvoir, les femmes avaient le sentiment de s'enfoncer chaque jour un peu plus dans la perte. D'abord les hommes, puis les brebis, tous ces êtres avalés par la nuit, c'était le signe que le monde les abandonnait. Ces hommes, elles se sentaient non seulement fautives de continuer à vivre sans eux, mais bien plus encore de penser parfois à la chair, de penser à la chair sans vraiment penser à eux. Tout cela c'était la faute au désir qui la nuit leur parcourait le corps, c'était la faute au péché de ressentir l'envie au plus profond de soi, au point de se frotter le ventre contre les draps. Petit à petit, la conviction les gagna qu'elles vivaient dans la faute, sans plus le moindre assentiment de Dieu. Cette fièvre qui leur cuisait le sang, ce désir qui leur électrisait le corps, c'était autant de poison qui leur captait le bas-ventre. Pourtant toutes ces heures passées au labour, ces étreintes avec l'araire, les seins plaqués sur les mancherons en fer, toute cette énergie les abreuvait d'une fatigue pareille à l'amour. Chaque soir elles arrêtaient le travail comme si elles ressortaient des bras d'un amant total. Seulement, si ces séances-là compensaient l'étreinte, elles ne comblaient en rien le manque de caresses.

Vingt brebis perdues en un mois, à ce rythme-là il n'y en aurait plus à la fin de l'estive.

Alors on rouvrit l'immémorial débat à propos des bergers. Dans les campagnes beaucoup préféraient que ce soit une femme qui veille sur les moutons plutôt qu'un homme. Comme le disait la croyance : « Qu'est-ce qu'un bon berger ? C'est une bergère... » Pour veiller à longueur de journée sur ces bêtes exposées au grand air, il faut du soin et de la prévenance, il faut surtout des trésors de sensibilité pour anticiper le malaise ou la peur, deviner la petite blessure, la caresse assassine d'un courant d'air. Pour être sûr que le Simple soit vraiment à la hauteur, Fernand le maire et Couderc le maître décidèrent donc de monter eux-mêmes là-haut. Vers midi le maire attela son vieux cabriolet mal suspendu, il s'y installa avec Couderc en prenant soin de relever la capote. Suivant l'idée du professeur ils partirent avec huit lampes à pétrole, histoire que le Simple les allume la nuit. « Si c'est des loups qui nous les volent, au moins ils ne viendront plus, parce que les loups n'aiment pas les flammes qui dansent, les bergers massaïs eux-mêmes effrayent les lions avec des torches... » En plein cagnard ils grimpèrent jusqu'aux pâtures avec du pain et des fromages pour le Simple. Pour les chiens ils avaient pris des volailles crevées et des abats qu'ils avaient fourrés dans un tonneau, ça puait mais qu'importe, l'urgence était de résoudre le mystère. Il leur fallut deux heures pour atteindre le troupeau. Quand le Simple les vit arriver, il crut que c'était déjà la fin de l'été, que le moment était venu de redescendre, sa joie fut de courte durée.

Une fois là-haut le maire et le maître inspectèrent les lieux. Pas une marque de sang ni un bout de carcasse, pas de dépouille ni de viscères, rien ne traînait, pas même un fragment de laine pris dans les chardons. Ils fouillèrent dans les bois environnants, les geais en haut des arbres les regardaient faire, eux seuls savaient la vérité, de même que les corbeaux qui étaient là à épier, comme s'ils attendaient le début d'un quelconque sabbat, en bons charognards ils guettaient les prémices d'un sacrifice ou d'une orgie. Dans tout ça, seuls les oiseaux savaient.

En fin d'après-midi, Fernand le maire et Couderc le maître firent demi-tour. Redescendre avec le cabriolet était encore plus délicat que monter. Depuis la banquette les deux hommes voyaient le cheval piégé entre les deux bras du brancard, l'attelage le poussait vers l'avant et pesait de tout son poids. À force, le frein s'échauffait sur la roue usée, le cheval n'en pouvait plus, alors ils résolurent de faire une halte chez le dompteur pour faire boire cette brave bête avant d'attaquer la fin de la pente. Mais le cheval renâcla, l'odeur des lions lui heurta si fort les narines qu'il refusa de bifurquer vers la petite maison. Ils durent donc continuer de dévaler vers le village, avec ce cheval à sec et ce frein cramé.

Le lendemain, le maire voulut que tous se rassemblent pour faire le point. Aucune maison n'offrait assez de place pour les contenir tous à l'ombre, pas même la mairie, quant à se replier dans l'église les femmes s'y refusèrent, le Christ en croix a toujours le regard fixé sur vous, où que l'on se place il vous épie de son œil noir, à croire qu'il peut tourner la tête. Alors ils se réunirent sous les platanes de la place. La parole se libéra vite, mais personne n'osa incriminer le Simple, d'autant qu'on le savait épaulé par ses beaucerons, le Simple n'y était pour rien, qui d'autre alors ? Fernand le maire et Couderc le maître les laissèrent dire ce qu'elles avaient sur le cœur, sachant d'avance que toutes avaient déjà leur idée du coupable...

— Dites-vous bien que si c'était l'Allemand qui volait les brebis, le Simple l'aurait vu, lança le maire, appuyé par l'air grave du maître.

— Bien sûr qu'il l'a vu, rétorqua Léone, celle de la ferme de La Brasse. Seulement le Simple il n'ose rien dire, il n'ose pas parce qu'il a peur. C'est humain, un homme avec des lions ça fait peur...

— Moi aussi je suis sûre que c'est ses lions qui les bouffent, la nuit je les entends.

— Et les chiens, qu'est-ce que vous en faites, répliqua le maire.

— Des chiens face à un dompteur ! Je suis certaine qu'ils n'osent même pas aboyer, qu'ils se font doux comme des chatons !

— Et si ça se trouve, c'est les lions eux-mêmes qui y vont, la nuit ils sortent de leur cage et ils foncent vers le troupeau...

Là-dessus une autre jura qu'une nuit, entre deux cauchemars, elle avait perçu des aboiements et même les couinements d'un mouton dévoré vivant...

— D'aussi loin ? Vous m'étonnez.

— Avec le vent oui, avec le vent...

— Ses fauves, je vous dis qu'il les lâche la nuit, on voit les ombres là-haut, on le voit qui mène ses lions jusqu'au troupeau avec son grand fouet, comme il le faisait dans sa cage, c'est normal, il préfère ses lions à nos moutons, il s'en fout de nos moutons...

— Faut le balancer ce Boche, faut le balancer avant qu'il nous bouffe tous...

— Oui, faut le balancer !

— Attendez !

Joséphine n'avait pas coutume de prendre la parole, et encore moins de donner son avis. Mais cette fois, elle monta même sur le banc parce qu'elle avait peu de voix, le banc en pierre sous les platanes. Sans préambule elle fit l'aveu d'être déjà allée là-haut, ces fameuses cages elle les avait vues, elle était même la seule à les avoir vues de près, et de toute évidence les fauves n'en sortaient jamais, sinon pour passer de leur box individuel à la grande cage rotonde, une cage ample et haute, plus large qu'une piste de cirque où le dompteur les entraînait l'après-midi pour répéter ses numéros, en aucun cas les lions n'étaient libres de se balader ou de sortir la nuit comme certaines l'affirmaient.

Avant qu'elle n'aide aux travaux des champs, Joséphine on la voyait comme une femme délicate accoutumée à la dentelle fine, avec ces volants de coton qui épousaient ses grands gestes. Il n'y avait qu'elle à avoir la présence d'esprit de mettre du parfum, à avoir le temps de penser à ses toilettes, son corsage dissipait des effluves de jasmin, ce qui était déroutant. Avant qu'elle ne vienne aider aux champs, pendant des années on l'avait vue comme une bienheureuse entièrement occupée à assister son mari, une bourgeoise qui avait le don d'être belle, une créature de salon absolument pas concernée par les tourments de la terre et des bêtes. En plus elle n'était pas d'ici, mais de Bergerac, du Périgord hautain. Cependant, depuis qu'on l'avait vue peser sur l'araire sans s'économiser, on lui reconnaissait des mérites. Perchée sur sa chaire, Joséphine les dominait tous, sa tête frôlait les plus basses feuilles du platane, si bien que par moments elle rejetait une ramille comme on le ferait d'une mèche trop affectueuse, aussi gracieuse que désinvolte, un geste qu'aucune autre ici n'aurait su faire. Une étroite bande de lumière la touchait là, en pleine poitrine, cet effet de luminosité rendait son corsage transparent, pour peu qu'on s'y concentre on devinait ses seins qui se tenaient là bien sages, ses seins cajolés par la chaleur de juillet, inconscients de leur souveraine audace, alors que tout le reste du corps dormait sous le coton éteint.

Elle avait beau jurer que le dompteur n'y était pour rien, on l'écoutait sans se laisser convaincre. Cette femme, de toute façon, elle ne dirait jamais de mal de personne, elle n'accuserait jamais personne, depuis toujours elle prônait le respect de l'autre et prenait la défense de quiconque se retrouvait accusé. Et puis Joséphine, on la révérait d'autant plus qu'à ce jour elle était la seule à avoir perdu son homme à la guerre. À ce jour, le médecin demeurait le seul mort reconnu du village, si bien que Joséphine on la regardait comme on honore une maison sur laquelle la foudre est tombée, on la regardait avec la reconnaissance envers celle qui a pris pour les autres, car la foudre ne frappe qu'une fois et on espérait qu'au prochain coup le hasard distribuerait la mort ailleurs, loin d'ici, dans un autre village, d'autres foyers, mais pas ici, pas à Orcières, puisque le tribut avait déjà été payé. Joséphine était la seule que la guerre avait atteinte, pour autant elle ne montrait pas le moindre signe de faiblesse ni d'abattement, au contraire, depuis qu'elle savait son mari mort elle perpétuait son dévouement, se sacrifiant aussi intensément qu'il le faisait lui, alors finalement on accepta de la croire, puisqu'elle le jurait que le dompteur n'y était pour rien, on se devait de la croire.

Durant tout ce temps, un homme se tenait en retrait de l'assemblée, regardant ce spectacle avec mépris. La Bûche, à cinquante ans révolus on ne lui avait jamais connu de femme. Il n'avait pas une tête à plaire, mais surtout il buvait comme un trou pour étancher la chaleur de sa forge. Derrière l'indulgence de Joséphine à l'égard du dompteur, il percevait autre chose que l'amour de l'humanité. Lui, depuis le début, il avait bien compris pourquoi cette femme tenait tellement à ce que l'Allemand reste là-haut, et que surtout on ne le dénonce pas. Il était d'autant moins dupe que plusieurs fois il l'avait vue qui montait, il l'avait vue s'engager à cheval par le sentier et continuer à gauche vers le mont plutôt que de tourner à droite vers les pâtures du Simple. Pas besoin de médisance pour supposer que ce n'était pas aux lions qu'elle allait rendre visite là-haut, sans compter qu'une fois, il l'avait vue redescendre toute dépeignée et le chignon défait. La Bûche avait passé l'âge de faire la guerre, mais il avait toujours celui d'être jaloux. La jalousie, c'était bien le seul sentiment qu'il aura eu le loisir d'explorer dans sa vie. La jalousie, c'était tout ce qu'il aura pu ressentir à l'égard des femmes, et de celle-là tout particulièrement. Lui mieux que quiconque savait ce que la jalousie peut vous amener à faire, cent fois dans sa tête gavée de sang ivre lui était venue l'idée de se débarrasser de l'Allemand. Ce dompteur, cent fois déjà il l'avait poignardé, cent fois la rancœur lui avait fait parcourir ce chemin qui va du village jusqu'à l'homicide, cent fois ses ascensions virtuelles avaient exorcisé l'attirance de Joséphine pour ce Boche. Seulement, cent fois il avait buté sur l'image de ces gueules immenses qu'on entendait rugir. Cent fois son envie de fracasser ce rival avait échoué sur la trouille qu'il avait de ces fauves. Sans les lions, il y a longtemps que la Bûche aurait déjà assouvi sa haine. Sans les lions, ce Boche ne lui ferait pas peur. Mais il y avait ces quintaux de muscles qui tournoyaient en boucle, ces monstres contenus par des barreaux trop minces. Dans son esprit les lions participaient grandement du charme de ce dompteur et de l'attirance que Joséphine éprouvait pour lui. De sorte qu'à ce jour, la Bûche était le seul homme sur terre à être amoureux d'une femme dont des fauves le détournaient. Il était le seul homme à être jaloux des lions.

Bien trop à sa colère, il n'entendit qu'à peine Joséphine faire part de son idée. Elle proposait rien moins que de remplacer le Simple. Pendant un mois elle irait là-haut et ferait la bergère. Elle était prête à se dévouer pour garder les brebis, comme ça au moins on verrait si elles continuaient à disparaître. En plus, ça permettrait de libérer le Simple, il reviendrait au village pour aider aux champs, la faucheuse était en panne et on avait besoin de sa force, sans même parler des moissons qui viendraient vite.

Les femmes se consultèrent du regard, et sans qu'il leur soit besoin de se passer le mot elles eurent toutes la même intuition. Puisqu'il était acquis que Joséphine attirait le malheur, qu'elle aimantait la foudre, dès lors qu'elle serait là-haut elle ferait office de paratonnerre… Puisque c'est elle que le malheur visait, une fois en haut elle en préserverait les autres en bas.

Il y a surtout que Joséphine était fiable, pas de doute qu'elle saurait faire en sorte que les brebis ne disparaissent plus. Tout le monde approuva l'idée, sauf la Bûche dont la jalousie fut décuplée. Si Joséphine partait là-haut, elle n'aurait même plus à se cacher pour rejoindre l'autre. Pour lui c'était même uniquement pour se rapprocher de l'Allemand qu'elle tenait tant à garder ces moutons, elle pourrait le retrouver en se préservant de tout regard, de tout commentaire. Mais le pire, si elle demeurait là-haut, c'est qu'elle aurait vite fait de comprendre quelle sorte de prédateurs capturaient les brebis, la belle étant bien plus maligne que le Simple et nettement plus sur ses gardes, elle ne manquerait pas de déchiffrer quelles étaient ces ombres calmes qui là-haut braconnaient les moutons.

Août 2017

Depuis dix minutes Franck les entendait remuer au fond de l'igue. Deux hommes s'activaient autour de la cage. Pour mieux voir il s'était avancé au maximum sur le promontoire, le chien collé à lui, il se tenait à couvert, avec la sensation assez proche de celle du soldat en zone ennemie. Il osait à peine hisser sa tête au-dessus du talus qui le dissimulait, de peur que d'en bas on le surprenne. Ce qu'il voyait au travers des arbustes, c'est que les deux hommes s'affairaient sans même se parler, ils semblaient concentrés et pressés. Avec prudence, il écarta les branches pour élargir l'angle de vue et distingua un fusil suspendu à la portière du véhicule, un fusil simplement accroché comme un ustensile banal. Quant au 4 × 4 c'était bien le même que celui de Limogne la veille, c'était bien celui des chasseurs, sinon que les hautes cages à chiens avaient disparu du plateau du pick-up, à la place il y avait deux tonneaux et tout un tas de matériel que les deux hommes manipulaient ou déchargeaient. Franck n'arrivait pas à voir toute la scène à travers les branchages, d'autant qu'un arbre à droite occultait son champ de vision. Il ne comprenait pas ce qu'ils fabriquaient. Il eut juste le temps d'apercevoir trois gros blocs translucides et apparemment lourds que le plus jeune souleva du pick-up pour les porter jusqu'à l'intérieur de la cage, de loin on aurait pu croire qu'il s'agissait d'énormes glaçons, des sortes de blocs de glace géants avec une cordelette qui passait au milieu. Il se dit que ça avait peut-être à voir avec la source, ou alors c'étaient des blocs de sel. Peut-être qu'ils avaient l'intention d'enfermer des animaux, à moins qu'au contraire ils ne préparent le terrain pour appâter des bêtes, les attirer comme dans un piège. Franck gardait un œil sur Alpha qui restait calme mais ne voulait pas s'asseoir. Il redoutait qu'il ne bouge ou ne se mette à aboyer, qu'il ne se manifeste d'une façon ou d'une autre, mais Alpha s'en tenait à cette obéissance surprenante, il l'écoutait et faisait ce qu'il lui demandait, en tout cas il jouait le jeu, assimilant totalement la consigne que Franck ne cessait de lui donner en roulant de gros yeux, surtout ne pas bouger.

Franck ne voulait pas être de nouveau confronté à ces types-là, ni leur parler. Il ne voulait pas qu'ils soient au courant qu'il se rendait à la grande cage. Personne ne devait être informé qu'il traînait dans le secteur, parce que cette cage maintenant il en avait besoin, il avait son plan et savait très précisément ce qu'il comptait en faire, que ces types soient là, d'une certaine manière, ça risquait de tout foutre en l'air, que d'autres gens s'approchent de cette zone, de ce fond de ravin complètement paumé, ça pouvait tout compromettre.

Ce que ces types manigançaient, à la limite il s'en fichait. En tout état de cause ces chasseurs n'avaient rien à faire là, ce n'était pas leurs terres. Franck n'avait pas la moindre idée de l'étendue réelle du domaine de la maison qu'il louait, jusqu'où il s'étendait, si ça se trouve ces types étaient chez lui, en un sens ils trafiquaient sur son territoire, à partir de là il serait parfaitement en droit de les virer.

Alpha semblait ne plus trop goûter à ce jeu de cache-cache, manifestement il en avait marre, il commença à remuer la queue et la tête en tous sens, au point que Franck le ramena contre lui en le chopant par la patte pour lui intimer de rester calme.

En bas, l'homme le plus âgé sentit qu'il y avait du mouvement juste au-dessus d'eux. Dans un geste réflexe il attrapa la carabine suspendue à la portière du 4 × 4, il l'arma et l'épaula. En voyant ça le plus jeune reposa le seau plein de vers de terre qu'il venait de saisir sur le plateau du pick-up, il s'approcha du vieux et le força à baisser son arme.

— Déconne pas, Maurice, va pas faire un pétard là-dedans.

— Y a des sangliers je te dis.

Ils attendirent sans plus bouger. Faisant silence pour guetter le moindre bruissement. L'un comme l'autre le savaient bien, les sangliers ne se montrent jamais de jour, et il est rare d'en entendre le bruit. Pourtant, des bruits il y en avait bien eu.

Franck s'était baissé le plus possible, du coup il ne les voyait plus, en revanche c'était clair que ces pauvres types le prenaient pour un sanglier planqué. Il ne fallait plus qu'il bouge. Mais c'était prendre le risque de se faire tirer dessus. Le chien le fixait, une fois de plus il attendait un ordre, une parole, Franck appuya sur sa tête pour qu'il se couche, ce qui provoqua de nouveau du bruit. Les deux autres en bas, ces deux rustiques nés dans ces bois, vivant depuis toujours dans cette campagne, avaient parfaitement perçu qu'une présence s'agitait là-haut, mais ça ne correspondait à rien qu'ils connaissaient, sans se consulter ils pensèrent à un lynx, ou plutôt à un loup, depuis quelques années ils revenaient, cette zone de forêt sauvage était même idéale pour qu'ils se cachent, la fierté que ce serait de pouvoir tirer un loup…

C'est le chien qui rompit la trêve en commençant à aboyer. Il se redressa bien droit et regarda Franck, lui aboyant dessus comme s'il lui donnait l'ordre de se relever.

Maurice se tourna vers Julien, stupéfait de découvrir qu'un chien puisse se tenir en planque par ici, se terrer comme devant un gibier et se mettre soudain à aboyer.

— Un chien ? Mais c'est quoi cette connerie…

Alpha s'avança au bout du promontoire et s'offrit au regard de ceux d'en bas, Franck n'eut d'autre choix que de sortir de derrière ces buissons, réalisant que le chien voulait le couvrir en s'exposant, qu'il se sacrifiait en un sens, c'était peut-être ça que l'animal avait dans l'idée, d'autant qu'avec une arme le jeu devient très vite dangereux. Les deux hommes reconnurent Franck. Pas ce grand chien, en revanche, qui descendait vers eux le long de la falaise, ils le détaillèrent comme une bête étrange. En retrait, Franck se sentait penaud. Il essaya de se débarrasser des deux cordes qu'il portait en bandoulière, mais il les avait trop bien calées sur ses épaules, il était comme ficelé dedans, alors il continua de dévaler avec un arrière-goût de reddition.

Pourtant ç'aurait plutôt été à lui de leur demander des comptes, c'étaient eux les intrus, il tenta de s'en persuader et de se donner l'influx, il devait absolument leur tenir tête. Quand il arriva à leur hauteur ils se regardèrent, il ne savait pas s'il devait leur serrer la main ou pas. Les deux hommes de leur côté ne bougeaient pas, le vieux tenait toujours le fusil, le canon pointé vers le bas.

Franck sentit que les deux gars n'étaient pas plus fiers que ça. À l'évidence ils étaient dans leur élément, mais peut-être pas sur leur terrain.

— Qu'est-ce que vous faites là ?

— Et vous ?

— Qu'est-ce que vous voulez faire avec ces cordes ?

— Je suis chez moi, non ? Je loue ici, c'est mon terrain...

En entendant ces mots le vieux fut pris d'un coup de sang, il remonta le canon de son arme pour le pointer vers Franck.

— T'es chez personne, t'entends, chez personne...

Julien saisit l'arme du vieil homme et la lui retira des mains sans ménagement. Le chien se remit à aboyer et d'instinct fonça sur le jeune qui venait d'empoigner l'arme, il montrait les dents, prêt à mordre...

— Tiens ton chien, bordel !

— Alpha, au pied, au pied...

Franck dut se jeter sur le chien parce qu'il avait déjà chopé le bas du jean du gars, lequel fut déséquilibré alors même qu'il tenait un fusil chargé...

— Tiens ton chien ou je le bute !

Franck empoigna le chien par la peau du cou et le ramena à lui, il le serrait fort au point peut-être de lui faire mal, mais le chien se calma et ne broncha plus. Ils s'en tinrent là, tous les quatre.

— Écoutez, les gars, je vous jure que je ne vous cherche pas d'histoires.

Julien se releva en inspectant l'ourlet de son pantalon, découvrant qu'Alpha l'avait salement déchiré.

— Putain, mais c'est quoi ce chien ?

Franck n'osa pas dire que c'était le sien, d'autant que ce n'était pas le cas, en fin de compte c'était un chien libre, un chien sauvage. Tout s'était inversé, même si ces deux hommes étaient bel et bien armés, qu'ils venaient rien moins que de pointer leur arme sur lui, c'était bien Franck qui se sentait dans la position de l'agresseur. Alpha venait d'inverser le rapport de forces et

Franck considérait qu'il leur devait des excuses, pour le moins des explications.

— Vous n'avez rien à craindre, vos histoires de chasse, tout ça, ça ne me regarde pas, je vous assure, c'est pas moi qui vous demanderais des comptes.

— Encore heureux, reprit le vieux. C'est pas parce que tu loues la bicoque que t'as des droits. Ici c'est chez nous, tu m'entends, partout, tous les bois là, sur plus de dix mille hectares c'est chez nous, tu piges...

— Écoutez, je m'en fous des histoires de terres, moi j'ai juste besoin de la cage, deux jours, et c'est tout.

Les deux hommes se regardèrent, puis se tournèrent vers la cage. Le jeune réalisa qu'il avait laissé le seau vide dedans. Il retourna à la rotonde, se baissa pour rentrer à l'intérieur, ramassa le seau, inspecta les deux fûts, passa la main sur la poix noire qu'il avait étalée sur le tronc des deux chênes au centre, puis ressortit et s'approcha de Franck, tout en prenant garde au chien.

— Ah oui, et t'en as besoin pour quoi ?

— Ça, c'est mes histoires.

Julien jeta un œil à Alpha qui le fixait toujours aussi durement.

— Il est bizarre, ton chien, il regarde plus qu'il renifle, y a du loup chez lui, c'est de l'hybride.

Le vieux plia sa carabine et en ôta les deux balles. D'un avis expert il lança :

— C'est sûrement un croisement avec un saarloos. À Saint-Clair là-haut, les fils Braquier s'étaient amusés à en croiser avec des bergers allemands.

— Et tu chasses quoi, toi, avec ça ?

— Rien qui vous intéresse.

Les deux hommes ramassèrent toutes leurs affaires. Le plus âgé s'installa dans l'habitacle mais le plus jeune se dirigea vers Franck en sortant son portefeuille de sa poche arrière.

— Eh bien, on va dire que l'incident est clos.

— Exact.

Julien lui tendit une petite carte de visite.

— Tiens, au cas où.

— C'est quoi.

— C'est notre numéro, pour la recherche au sang, on ne sait jamais, si ta chasse tourne mal.

Juillet 1915

Après trois jours à vivre là-haut, Joséphine se sentait délivrée de tout. Elle s'était libérée de la vie pesante au village, de cette hantise quotidienne qui les tenaillait tous, cette peur de voir un jour ou l'autre les gendarmes s'approcher de leur maison avec un avis de décès dans la sacoche. Des oiseaux de mauvais augure, voilà ce qu'étaient devenus les militaires dans les campagnes, tous les jours on tremblait d'avoir affaire à eux.

Pour Joséphine, vivre dans cette simple cabane de pierre sèche c'était un énorme changement. Ici elle ne retrouvait rien du confort du mas, et pourtant dans cette bâtisse sommaire d'une seule pièce, avec une porte d'un côté et une petite fenêtre de l'autre, elle avait la sensation de flotter au-dessus du monde. En se retrouvant au milieu des hautes prairies, elle avait quitté la guerre, elle s'était déprise du village où le spectre de la mort ne cessait de tout atteindre. Jamais elle n'avait vécu dans un tel dénuement, avec rien de plus qu'une pierre d'évier et une lampe à

pétrole. La couche rude était simplement adou-
cie par un petit matelas en laine, et malgré tout
jamais elle n'avait éprouvé un tel sentiment de
liberté. Au milieu de ces collines herbeuses elle
se sentait vivante, sans plus aucun repère en
dehors du soleil et des couleurs de l'été, comme
si rien de la vie d'avant n'avait existé.

Dans les prairies tout autour, quel que soit le
versant, l'herbe était abondante et grasse.
Les moutons paissaient tout au long du jour, le
soir ils rentraient rassasiés et ronds, quasi ivres,
c'en devenait simple de les parquer. Une fois rassemblés au plus près de la cabane, ils dormaient
toute la nuit sans demander leur reste. Quand
les bêtes sont sur des pâtures avares, où il n'y
a pas assez à manger, elles continuent à paître
après le coucher du soleil, parfois même toute
la nuit, si bien qu'elles ne se couchent pas et
s'éparpillent, dès lors le berger a un mal fou à
garder un œil sur toutes. Alors que là, Joséphine
regroupait ses bêtes à la tombée du jour et les
parquait entre les claies pour les protéger des
loups ou des chiens errants. Les trois beaucerons
restaient dehors pour assurer la garde, ils étaient
fiables et Joséphine pouvait dormir sans crainte.

Depuis qu'elle avait quitté la terre d'en bas,
elle avait lâché le lest de toutes les peurs qui y
régnaient, et surtout elle n'entendait plus l'écho
des lettres que les femmes recevaient depuis
quelque temps, ces lettres qu'elles se lisaient le
soir et qui parlaient d'obus, de cris, d'éternelles
fatigues et de blessures. Elle arrivait même à
oublier les articles en anglais que Couderc le

maître lui avait lus, à elle et à elle seule, pour préserver les autres de ces visions d'apocalypse. La journée, en marchant auprès des brebis, Joséphine perdait son regard dans cette mer de collines paisibles, tout en sachant qu'au nord, à huit cents kilomètres de là, des images de vandales ressuscitaient devant les yeux exorbités des civils. Joséphine n'ignorait plus que dans les villages près du front en ce moment même, des femmes et des enfants voyaient des pelotons de cavaliers allemands débouler sur de hauts chevaux noirs, poussant leurs montures excitées qui traînaient derrière elles des paquets étranges, c'étaient des corps de soldats français attachés par des sangles, et alors qu'ici dans les collines tout semblait tranquille, là-bas des cavaliers fous galopaient en tirant leurs trophées vers le centre du village, pour se positionner sur la grande place où ils se mettaient à tourner comme sur la piste d'un cirque. Les cadavres accrochés raclaient le sol en soulevant la poussière, le jeu pour les officiers c'était de sortir leur sabre et de fendre en deux un de ces crânes de vaincus qui tournoyaient follement comme dans un manège...

En ayant pris du recul elle comprenait que si Couderc le maître lui avait lu tout ça, c'était dans l'unique dessein de l'apaiser, convaincu que de lui confier ces horreurs relativiserait la mort de son mari, le docteur Manouvrier n'était pas la seule victime de cette guerre folle, et sur l'échelle de la barbarie, en un sens, il avait été épargné. Au lieu de se sentir consolée en quoi que ce soit, Joséphine n'en avait rien conçu d'autre qu'un profond dégoût de l'humanité.

Au moins dans ces prairies elle n'était plus une veuve de guerre ni une vieille fille, ici elle ne se sentait rien d'autre qu'elle-même, sans quoi que ce soit qui la désigne ou la condamne, elle découvrait à quel point il est rare et précieux de n'exister que par soi-même et de ne plus être atteinte par le regard de personne. Dans cette cabane elle avait retrouvé le sommeil et la paix. Ses nuits étaient peuplées de bruits étranges mais jamais inquiétants. Bien sûr, elle entendait tout un tas de choses dehors, parfois même elle devinait un mulot qui furetait sous son lit, et autant en bas la moindre araignée l'aurait fait bondir de son lit, autant là, au milieu de ces longues prairies perdues, rien ne lui faisait peur, plus rien ne l'agressait.

Au cinquième matin, Joséphine se réveilla dans une lumière franche. Comme chaque jour elle se passa de l'eau sur le visage puis ouvrit grand la porte pour s'abreuver de l'air neuf. Les moutons entre les claies étaient encore endormis, tout semblait calme, mais soudain elle vit les trois chiens qui s'étaient redressés et regardaient dans la même direction, signe que quelque chose approchait. Elle pensa d'abord à un chien perdu, un loup, elle songea même aux lions, peut-être que le dompteur les lâchait pour de vrai, qu'il les guidait jusque-là, à moins qu'ils ne vinssent d'eux-mêmes, cette fois au moins elle saurait. Elle ramena la porte sans la refermer complètement. Elle avait beau regarder par l'entrebâillement, elle ne distinguait rien, n'entendait rien, mais il aura suffi qu'une brebis se lève d'un bond pour qu'aussitôt toutes les autres en fassent de même, d'une seconde à l'autre cette masse paisible passa du sommeil à l'agitation. Par chance les brebis étaient encore parquées, elles ne pouvaient pas s'échapper ni fuir on ne sait où. Les chiens s'énervèrent, ils couinaient mais n'aboyaient toujours pas. Joséphine se positionna de façon à voir plus à gauche, et tout là-bas elle aperçut un cavalier qui sortait du bois, c'était le dompteur. De toute évidence il veillait à ne pas se montrer, en tout cas il prenait soin de bien rester à l'ombre. Il attacha son cheval à un arbre, et plutôt que de traverser le pré pour venir vers la maison, bizarrement il se mit à en faire le tour pour le contourner, demeurant à la lisière du bois comme s'il cherchait à se dissimuler. C'était donc lui le voleur de brebis, face à elles toutes au village elle avait donc pris la défense d'un coupable. Les massifs de genévriers faisaient écran, elle le perdit de vue quand il passa derrière. Il savait s'y prendre, car les chiens ne braillaient pas, sans doute qu'il était face au vent. À moins qu'il n'eût sur eux une forme d'ascendant, que même à distance il ne les ait matés, comme tous les autres animaux sans doute, de loin il arrivait à les contenir ou à les amadouer, ou alors ces chiens le connaissaient déjà, il les avait déjà apprivoisés. Dans la petite maison, il n'y avait qu'une fenêtre au fond, et pas la moindre ouverture donnant sur les genévriers.

Pour cela il faudrait qu'elle sorte. Seulement, elle voulait constater jusqu'où il irait afin de juger de sa forfaiture. À partir de là elle ne fit plus aucun mouvement, elle se plaqua contre la porte, riva son regard sur cette infime ouverture, attendant de voir par où il jaillirait, comment il ferait pour dérober des bêtes. Le cœur battant elle était sûre de le surprendre, pourtant ce fut elle qui sursauta, parce qu'il apparut juste là, à quelques centimètres de l'autre côté de la porte. Elle ne l'avait pas entendu approcher. Sans un mot il la fixa, elle en resta pétrifiée, puis elle vit ce visage s'ouvrir d'un grand sourire. Cet homme, cette fois, elle l'avait tout contre elle. Après avoir parcouru des kilomètres, il avait fait cet immense dernier pas qui le menait jusqu'à l'intérieur de la maison. Il était parti avant l'aube pour être là au lever du jour, sans un mot il la serrait contre lui. Elle le croyait venu pour enlever des brebis, mais ce fut elle qui fut soulevée de terre, il la tenait aussi fiévreusement qu'un tigre venant d'agripper une antilope, dans le même élan il plongea son visage dans ses cheveux pour ressentir le parfum du jour naissant. Ils se retrouvaient là, tous les deux, infiniment exhaussés, c'était tellement inattendu que Joséphine en éprouva un spasme, une déflagration, elle avait du mal à respirer. Pendant qu'elle perdait son visage dans le cou de cet homme, le serrant comme si elle voulait entrer en lui, elle songea que depuis plusieurs jours déjà il avait dû la voir, depuis plusieurs jours déjà il avait dû l'observer. C'est fou ce que les corps retrouvent vite le chemin du vertige, elle se sentait comme une vallée à sec, un oued oublié soudain gonflé par l'orage, passant d'une seconde à l'autre de l'aridité totale à l'allant des grands fleuves. Alors le temps s'immobilisa. Les brebis toujours contenues, ne pouvant se répandre sur cette prairie tentante, commencèrent à manger sur place. Les nuits ici étaient tellement fraîches que l'herbe se gorgeait de rosée, si bien qu'au matin elle repoussait comme neuve et bien haute, florissante comme le jour. Wolfgang oublia tout, il oublia ses prévenances quant au parfum, car les lions ce soir ne comprendraient pas cette odeur de jasmin, il oublia que Joséphine était la femme d'un homme qui à peine quelques mois auparavant était mort au combat. Mais tandis que les cœurs s'accéléraient, se fondant l'un dans l'autre, c'est Joséphine qui le serrait fort, cet homme, pour essorer toute pensée, elle délogeait la main prudente de son mari, qui bien que mort tentait de la retenir… Les brebis dans l'enclos s'agitaient et perturbaient les chiens, tous ces animaux voulaient profiter des pâtures qui leur étaient refusées ce matin-là. Le troupeau à l'étroit dans son parc voulait s'ébattre et courir à travers champs, alors que de l'autre côté de cette porte Joséphine et Wolfgang s'embrassaient à se mordre. Elle s'offrait là, au réveil, à un homme déjà parcouru par la sueur, les chiens hors des clôtures aboyaient maintenant contre les moutons qui ne se tenaient pas sages, ça les rendait fous de les voir bouger comme ça et pourtant ils n'arrivaient pas à les mater, et plus les chiens aboyaient, plus les moutons s'agaçaient. Ni Joséphine ni Wolfgang ne prêtaient attention à ce chorus endiablé, les moutons forcenés déchaînant les chiens, les chiens aboyant à présent en direction de la maison. Les lions de l'autre côté du versant devaient s'être mis à rugir, d'ici on ne pouvait les entendre, ils étaient trop loin, mais ces moutons qui s'agitaient et se heurtaient devaient propager dans le vent des molécules de sueurs évaporées, ce grand chahut les lions là-bas devaient le sentir, ils devaient renifler ce troupeau de bêlants qui s'échauffaient en tourmentant les chiens. C'est vrai qu'au village en bas, les lions ce matin-là on les entendit comme jamais, leurs rugissements incessants vous parcouraient l'échine et vous irriguaient de peur. En faisant l'amour sur le toit du monde, Wolfgang et Joséphine électrisaient toute la faune de leurs étreintes, ils enflammaient la paix d'un matin de juillet et poussaient les femmes à jurer.

Puis la faune retrouva son calme, Joséphine et Wolfgang s'improvisèrent un déjeuner sur la petite table installée dehors. Au mas ça ne se faisait pas de manger au grand air, à la rigueur il y avait la tonnelle pour profiter de la fraîcheur, mais manger tête nue en s'offrant au soleil, ça ne se faisait pas. En plus du café il n'y avait que du pain et du fromage, des figues à peine mûres, c'était bien peu de chose. Toutes sortes d'insectes n'en finissaient pas de tournoyer autour d'eux, des abeilles, des frelons et des guêpes, ça créait un bruit entêtant et doux. Joséphine avait libéré les brebis, elles étaient toutes descendues au pied du vallon accompagnées des chiens, elles pâturaient à flanc de coteau, d'en haut on les voyait bien. Wolfgang regarda ces animaux, cette harmonie complice entre les trois chiens et ces moutons avait quelque chose d'attendrissant. Il pensa à ses fauves qu'il avait laissés bien à l'ombre dans les cages du fond, parce qu'aujourd'hui il ferait chaud. Il avait prévu de passer une partie de la journée ici, signe qu'il savait que Joséphine ne se refuserait pas, le lien était déjà tissé de longue date. Vue d'ici, la terre était un infini relief, les collines autour d'eux développaient leurs contours, au loin on devait voir jusqu'au Massif central, au sud on se figurait les Pyrénées, à moins que toutes ces montagnes retirées à des dizaines de lieues ne fussent rien d'autre que des nuages, des cumulus de beau temps. Depuis qu'ils avaient fait l'amour, c'était comme si leurs corps continuaient cette forme de conversation, ils se parlaient peu, tels deux êtres en paix, surplombant tous les autres.

— Pourquoi es-tu venue t'installer là ?

— Des brebis disparaissent. Au village ils pensent que c'est toi qui les voles, pour les lions.

— Mes lions ont à manger. J'aurais même de quoi nourrir tout le monde au village.

— Je te crois. Je veux juste savoir quel genre de bêtes nous les prend, peut-être des loups.

— C'est pas des loups.

— Comment tu le sais...

— Regarde ces collines, il y a des millions d'années ici c'était le fond d'un océan, tous ces arbres, toutes ces prairies, elles poussent sur les restes de profondeurs marines. Quand la mer s'est retirée, les collines se sont retrouvées à l'air libre, alors les plantes sont apparues, puis des animaux, certains sont devenus des hommes. À cette époque-là les loups et les hommes étaient à égalité, ils chassaient les mêmes proies, sur les mêmes terres, dans les mêmes forêts, de là ils se sont organisés, en meute pour les loups, en groupe pour les hommes, à un moment ils se sont même alliés pour coordonner la chasse. Maintenant encore, les loups et les hommes, ce sont les mêmes, sinon qu'un loup quand il vole un animal ça se voit, un loup ne se préoccupe jamais de masquer son crime.

— Pourquoi tu dis ça ?

— Si une brebis disparaît sans laisser de traces, ce n'est pas un animal qui l'a tuée.

Août 2017

Franck était allé chercher Liem et Travis à la gare de Souillac. En les voyant avancer sur le quai il les sentit sur la défensive. Ce matin ils avaient pris le train de sept heures à Austerlitz, après six heures de voyage ils étaient épuisés. Ils n'en revenaient pas que ce soit si long. Pour venir jusque dans le Lot, ils avaient mis autant de temps que pour aller à New York, ils n'arrêtaient pas de le répéter, comme s'ils avaient fait là un exploit.

— Et c'est pas fini, les gars, attendez, il reste encore une petite heure de route...

— Non mais tu déconnes, tu veux nous tuer ou quoi... ?

Franck sourit à Travis en lui jetant un coup d'œil dans le rétroviseur.

— Mais vous allez voir, une fois que vous serez là-bas, ça va vous requinquer. Et puis, oh, une signature ça vaut bien ça, non ? Vous vouliez qu'on aille vite, eh bien ce sera fait ! On signe et tout est OK.

— Franck, c'est juste des avenants qu'on signe, pas un contrat.

— Alors ça, c'est à voir...

— Qu'est-ce que tu veux dire ?

— Rien, une signature c'est toujours solennel...

Travis continuait de chercher le regard de Franck dans le rétroviseur, sans être méfiant ni de mauvais poil, il trouvait cette bonne humeur de Franck un peu suspecte.

— Au fait, vos chaussures de randonnée, vous les avez apportées ?

Liem leva la jambe pour montrer à Franck sa paire de Meindl bleue, il en était fier. Il ne cessait de se vanter du trekking qu'il avait fait l'année de ses vingt ans, pas vraiment un tour du monde mais il avait marché depuis Paris jusqu'à l'Oural, alors que le projet initial était de rallier Pékin, un quasi-exploit sur lequel il ancrait un orgueil, une confiance, toujours nuancés d'un parfum de défaite. Franck savait que Liem était le moins coriace, sûrement du genre à craquer le premier, tandis que Travis, même s'il ne s'était jamais mesuré à aucune sorte d'exploit, devait être très en forme car il courait tous les jours, en plus de ça il pratiquait de la boxe en salle depuis l'enfance, et surtout il avait ce regard qui ne cillait jamais, un de ces regards effrontés qui ne se baissent pas.

Ils roulèrent d'abord sur la nationale, celle dite « ancienne route de Paris ». De là Franck bifurqua à gauche et s'engagea sur la départementale bien moins large. Tout à l'heure pour aller à la gare, il n'avait pas eu de mal à trouver les panneaux qui indiquaient Souillac, en revanche, là il y allait un peu au flair, se fiant au soleil et visant le sud. De toute façon il y avait peu de panneaux, sinon des petites pancartes bleues pour les lieux-dits, où généralement on ne voyait même pas de maison. Il roulait assez vite mais l'onctuosité de l'Audi donnait la sensation de survoler tous les nids-de-poule et les bas-côtés douteux. Franck se guidait comme s'il connaissait parfaitement le parcours, alors qu'en fait il attendait de tomber sur un panneau indiquant Limogne. Une fois là-bas, il saurait comment rejoindre le mont d'Orcières. Il refusait de se servir du GPS, avec ce truc il n'y avait plus rien d'aventureux, et il ne voulait pas que Liem et Travis se repèrent, ni qu'ils sachent l'adresse exacte, d'autant qu'il n'y en avait pas. Non seulement il voulait qu'ils se sentent paumés, mais qu'ils le soient pour de vrai.

— Écoutez, les gars, je me dois d'être honnête avec vous. Vous savez pourquoi je vous ai demandé de venir ?

— Pour signer !

— Oui, mais pas uniquement.

— Je ne sais pas, tu veux nous faire le coup du team building, la randonnée en pleine forêt, histoire de souder le groupe, c'est ça ?

— Non, si je vous ai demandé de venir, c'est juste que je ne voulais pas remonter à Paris. Déjà que je me plie à vos conditions, j'allais pas en plus vous faire le cadeau de rappliquer comme un bon toutou...

— Mais Franck, les conditions, elles sont bonnes pour nous trois ! C'est pour la boîte qu'on fait ça, fais-nous confiance, faut vraiment qu'on soit les premiers à matcher avec Netflix en France, on va leur couper l'herbe sous le pied à tous les autres...

— Tu ne vas pas me refaire le topo maintenant... C'est bon, les gars. Je vais signer, ne vous en faites pas.

En arrivant à un croisement sans la moindre indication, Franck eut un moment de flottement, il y avait trois options, mais il se fia au soleil comme le lui avait dit Lise et prit à droite, puis au bout de cinq kilomètres il reconnut la route qui menait à Limogne, il avait bien fait d'aller vers la droite, plein sud.

— Eh Franck, c'est quoi cette blague, y a pas de réseau ou quoi ?

— Ça dépend, Travis, y en a pas partout. Par endroits ça ne capte carrément pas... Pas du tout.

Franck le voyait dans le rétroviseur. Depuis un quart d'heure il ne décollait pas le nez de son smartphone, l'air de plus en plus inquiet.

Lorsqu'ils parvinrent à l'entrée du chemin, Franck fit exprès de s'y engager un peu sèchement et de monter vigoureusement la côte, juste pour bien les secouer.

— Putain, mais où est-ce que tu nous amènes, dans un trou ou quoi ?

— Ben non, tu vois bien qu'on monte... C'est tout le contraire d'un trou.

Une fois en haut, Liem et Travis lancèrent un regard sur la vue, emballés tout de même par ce panorama pas banal. Très vite ils remarquèrent le chien haut sur pattes et véloce qui trottait derrière la voiture, Franck roulait à faible allure sur le chemin de crête et le chien cherchait à voir qui il y avait dans cette voiture, qui il ramenait.

— Ça alors, t'as un chien ?

— Oui.

Quand ils descendirent de la voiture, le chien s'approcha de Franck et lui fit la fête, visiblement ravi de le revoir. Mais très vite il prit la marque olfactive de Liem et Travis, reniflant leurs chaussures et leurs mollets. L'un et l'autre ne semblaient pas trop à l'aise face au molosse.

— On peut le caresser ?

— C'est à lui qu'il faut le demander.

Ce grand animal au regard indéchiffrable ne les rassurait pas. En revanche ils semblèrent sincèrement heureux de retrouver Lise, Franck le sentit aux bises qu'ils s'échangèrent, à cette franche familiarité qu'ils lui manifestèrent. L'image lui vint, là, en les voyant tous deux l'enserrer à pleins bras, de deux enfants retrouvant leur mère. Il fit rapidement le calcul. En un sens c'était possible, aussi fou que cela puisse paraître, il réalisa qu'avec Lise ils pourraient parfaitement être les parents de ces deux petits cons. Il les en méprisa davantage, tout autant qu'il en fut ému. Une fois de plus il admirait l'aisance de Lise, cette fluidité avec laquelle elle les accueillait, cette façon qu'elle avait d'être présente à l'autre, elle les aida à sortir leurs deux grands sacs du coffre, chacun un comme s'ils avaient prévu de rester là quinze jours, les cons. Lise les invita à s'asseoir, les mit à l'aise. Puis, dans un mouvement jumeau, l'un et l'autre jetèrent un œil sur leur portable et firent le même constat.

— Dis, mais ça ne capte vraiment pas !

— Ici non.

— Attends, y a même pas de Wi-Fi ?

— Ne vous en faites pas, je vais vous emmener dans un endroit où y a du réseau.

Pour eux c'était pire que si on leur avait dit qu'il n'y avait pas d'eau. Dans le regard qu'ils lancèrent à Franck se mêlaient incompréhension et colère, ils lui en voulaient, comme s'il y était pour quelque chose.

Lise revint avec un broc rempli d'eau fraîche et d'un bouquet de fleurs.

— Il faut d'abord que ça infuse, en attendant venez, je vais vous montrer votre chambre.

Elle les guida jusqu'à la pièce sous les toits, un endroit étrange, un grenier autant qu'une chambre. Elle avait réussi à aménager deux couchages tout de même, avec deux vieux lits qu'il y avait là, consolidés avec ses tapis de yoga. Franck ne savait pas comment elle faisait pour improviser de tels éléments de confort. Elle arrivait à tout. D'une cave elle aurait pu faire un palais, d'un pique-nique elle faisait un banquet, d'un simple instant volé elle faisait un moment de grâce. Il l'entendait qui leur parlait, toute de bienveillance et de générosité non feinte, il se dit qu'elle était vraiment la meilleure partie de lui-même. Il ne se rappelait plus quel artiste il avait entendu déclarer ça, en réponse à cette question, Qu'est-ce qu'il y a de meilleur en vous ? Ma femme, avait-il répliqué. En l'occurrence ça l'arrangeait bien de croire ça, car si Lise représentait le meilleur, il pourrait donc sans états d'âme basculer vers le pire, ne lui restait plus qu'à être le plus dur possible, le plus cruel, le plus violent qui soit, mais pour de vrai cette fois.

Lise leur fit visiter l'étage, la terrasse. Alpha était resté près de Franck. Il semblait attendre une instruction, une consigne au sujet de ces deux nouveaux venus, savoir ce qu'il devait en penser. Était-ce plutôt des sangliers ou des écureuils ? Faudrait-il se faire tout doux, s'abandonner si leur venait l'idée de le caresser, ne pas aboyer, être un animal domestique et tendre, ou au contraire devrait-il les tenir à distance, grogner dès qu'ils approcheraient la main, leur faire peur, les voir comme des sangliers ?

Franck avait noté la gravité avec laquelle Alpha les avait reniflés quand ils étaient descendus de voiture. Sans qu'ils s'en rendent compte, le chien avait pris sur eux des tas d'informations, il les avait enregistrées. Déjà il serait capable de les repérer au milieu de ces collines, de cette forêt. Avec ce signal olfactif qu'il avait engrangé d'eux, il pourrait tout aussi bien les traquer que les secourir. Plus que jamais Franck se sentait proche de ce chien, qui vint poser sa tête sur ses genoux. Il but un grand verre de cette infusion que concoctait Lise en plongeant on ne sait quelles plantes dans un grand broc d'eau. Il regarda le mini-bouquet qui ondulait dans la grande carafe transparente, ça faisait comme une fleur de thé, une fleur noyée. En sentant le chien près de lui, Franck se sut réconcilié avec cette ambiguïté fondatrice, dans la vie il ne s'agit pas d'être le bon ou le méchant, tout comme dans les affaires il ne s'agit pas de prêter le flanc ou de mordre, il convient plutôt de toujours maîtriser les deux registres, en fonction des circonstances. Tout animal est fondé sur cette ambivalence. Le chat qui se fait tout doux, qui ronronne sous les caresses sera un massacreur impitoyable de mulots, une fois dehors. De même que dans les poses alanguies des fauves sur la piste d'un cirque on lit par moments des éclairs de rage, et les pattes dociles qu'ils posent sur le dos du dompteur décapiteraient un buffle. Dans l'animal le plus tendre dort toute une forêt d'instincts, des muscles prêts à courir, des mâchoires prêtes à l'entaille et des dents prêtes à déchirer.

Liem et Travis redescendirent de leur chambre, suivis de Lise. Depuis qu'elle les avait pris en main, ils semblaient adoucis, Franck les trouva d'un coup reposés et rajeunis, aimables et fringants. Ils souriaient. Ils se dirigèrent vers la table dehors où se tenait Franck. Lise dit qu'elle avait préparé une autre boisson fraîche, avec des herbes là encore, des herbes qu'elle avait cueillies dans la prairie et qu'elle faisait infuser, depuis qu'ils étaient ici elle se livrait à des essais bizarres, Franck redoutait toujours un peu que dans ces plantes il n'y en ait de toxiques.

Travis jeta un coup d'œil au chien assis aux pieds de Franck, sans plus, alors que Liem, plus attentif aux bêtes sans doute, ou plus curieux, s'approcha de l'animal mais hésita à se baisser pour se mettre à sa hauteur. Il n'osait pas le caresser.

— Je peux ?

— Essaie, tu verras.

— Il est bizarre ton chien, on dirait un loup.

— C'est un peu des deux.

— Et depuis quand t'as un chien ?

— C'est plutôt lui qui m'a adopté.

Travis, quant à lui, n'en revenait pas de cette maison, de ce décor.

— T'avais raison, Franck, il est quand même dingue, cet endroit. Il se passe un truc ici, je sais pas quoi, mais il se passe un truc.

— Peut-être parce que c'est là qu'on va signer, répondit Franck, revenant mine de rien à l'objet de leur visite.

— Tu sais quoi, j'ai complètement oublié d'apporter le champagne, t'en as toi ici du champagne ?

— Ne vous en faites pas, les gars, on a le temps, on a tout le temps.

Juillet 1915

Depuis que Joséphine vivait à l'estive, la vie semblait dégagée de toute attente, délestée de toute crainte. Le temps était un allié. Elle se sentait portée par ces terres libres tout autour d'elle, portée par l'idée de revoir cet homme et de librement l'aimer. Aimer c'est ne pas se rendre compte, aimer c'est ne même pas réaliser que l'on est tendu vers l'autre, sans cesse propulsé vers un déséquilibre tentant. Cet homme pour elle, c'était Ulysse délivré de son périple, c'était Noé affranchi de tout pacte avec Dieu, cet homme c'était l'être le plus libre qui soit. Toutefois, l'amour n'est jamais simple, et s'ils étaient réellement seuls au monde, perdus dans leur royaume aux perspectives infinies, Wolfgang habitait de l'autre côté des collines et pour le rejoindre il n'y avait pas de route ni de sentier, à cheval il fallait près de deux heures, avec le risque de s'égarer ou de se blesser.

La journée s'annonçait idéale, depuis le matin le soleil siégeait seul dans le ciel, sans un nuage à l'horizon. Passé midi les brebis étaient déjà bien rondes, elles pâturaient depuis le lever du jour, mais sentant la chaleur venir, une fois le soleil au zénith, elles étaient remontées s'abriter sous les arbres. Depuis elles chômaient à l'orée du bois, cherchant l'ombre et n'en bougeant plus. Un peu en retrait, il y avait la petite source qui emplissait l'abreuvoir, une eau bien fraîche et sapide, à coup sûr les brebis s'installeraient là jusqu'à ce soir. Les chiens étaient vigilants et calmes, à l'ombre eux aussi, tout était en paix.

Joséphine avait une poignée d'heures devant elle, alors elle sella le cheval et le hâta sur ces chemins intermittents. Malgré la chaleur elle le fit cavaler dès que le sentier était visible, l'animal était contrarié de galoper sous un tel soleil, elle le sentait nerveux et chaud entre ses jambes, déjà une sueur écumeuse et grasse lui recouvrait le poil, signe qu'il renâclait, pourtant elle le relançait, y compris dans les passages boisés. Plus elle avançait et plus chaque branche semblait se tendre vers elle pour l'empêcher d'aller plus loin, chaque ronce paraissait vouloir l'agripper, elle refusait d'y voir un signe, mais à mesure qu'elle approchait du territoire du dompteur, une prémonition coupable déployait ses rameaux, tout la retenait. Après tout cet homme, c'est vrai qu'elle ne le connaissait pas. Pire que cela, le dompteur résumait à lui seul tout ce que la terre portait de menaces et de maux, déjà parce qu'il était allemand, déserteur certes, mais un ennemi quand même, et puis parce que c'était un homme au cœur suffisamment sec pour vivre seul sur ces terres maudites, un être

470

doté d'une âme suffisamment féroce pour asservir des fauves et les dompter. Elle pensa à ces femmes qui en ce moment même devaient travailler dans la vallée, ces femmes pliées en deux sous le soleil, très vite elle évacua cette pensée coupable qui elle aussi tentait de la dissuader.

Plutôt que de passer par la crête, Joséphine voulut rester à l'ombre, elle s'enfonça donc vers la ravine. Plus que jamais le cheval renâclait, il refusait d'entrer dans les bois en pente, ses boulets trompés par la déclivité dévissaient sur ce sol trop sec. Joséphine était bonne cavalière, elle savait manœuvrer prudemment entre les obstacles, seulement la pente était forte, le cheval avait beau écarter les membres par moments il manquait de perdre l'équilibre, ses muscles aux épaules étaient pris de spasmes, descendre est toujours plus périlleux que monter. Alors elle posa pied à terre, au moins sous les arbres il y avait de l'ombre, elle se dit que la bête récupérerait à la fraîcheur du sous-bois, toutefois la pente ne cessait de s'accentuer. Finalement ce raccourci était une erreur. Pourtant elle était sûre qu'on pouvait rejoindre le mont d'Orcières en passant par là, il n'y avait plus le moindre horizon devant elle pour en juger, soudain des chocs la désorientèrent, des bruits de métal qui retentissaient par là, à gauche, alors que la maison de Wolfgang devait plutôt être par là-bas, à droite, au-delà de la seconde colline du côté de l'ouest. Mais ces bruits de ferraille venaient bien de la gauche, de l'autre côté de cette butte juste au-dessus d'elle. Alors elle continua de descendre avec prudence entre les chênes serrés et les bosquets de houx, jusqu'à se retrouver sur un promontoire. Là elle découvrit face à elle un ravin à la paroi abrupte, un vrai mur, c'était bien du fond de cette igue-là que montaient ces bruits. Qui d'autre que lui pouvait faire ce boucan-là ? Elle prit le risque de s'avancer, cependant les passages étaient trop étroits et la descente trop escarpée, alors elle attacha le cheval à un arbre et se lança seule entre les ronces. D'en bas, Wolfgang perçut le bruit d'un animal approchant, il empoigna son pieu, pensant à un chevreuil égaré ou à un jeune sanglier attiré par la poix, jusqu'à ce que, par éclipses, tout là-haut il devine le tissu clair de la robe connue, il comprit que c'était elle qui dévalait la pente, prise par l'élan elle se retenait aux troncs mais trébucha dans les derniers mètres, il la recueillit au bout de sa cavalcade, ses bras et ses jambes étaient griffés de toutes parts, son visage aussi s'était pris dans les ronces, elle tomba littéralement dans ses bras. Il essuya la goutte de sang qui perlait sur sa joue, à ce moment-là tout aurait commandé qu'ils s'embrassent, qu'ils s'enlacent comme s'ils ne s'étaient pas vus depuis des mois. Pourtant Joséphine se sentit piégée au fond de cette igue, d'un coup elle se sentit perdue, loin de tout repère, au point d'être prise d'un sentiment de panique, elle en tremblait comme les muscles de son cheval tout à l'heure, plutôt que de se blottir dans les bras de cet homme, avant toute chose elle eut besoin de comprendre ce qu'il faisait là.

— Ne t'en fais pas, c'est la vieille cage de piste, je l'ai descendue cet hiver et je veux juste l'agrandir.

— Pourquoi mettre les lions aussi loin ?

— C'est pas pour les lions.

Wolfgang était contrarié que Joséphine voie cela. Ce dispositif il aurait préféré être le seul à le connaître, en tout cas personne ne devait être au courant au village, seulement maintenant que Joséphine était là il n'avait plus le choix, alors il lui expliqua le piège, sa méthode d'agrainage pour attirer les bêtes, comme ces deux fûts à vin qu'il avait trouvés dans la maison abandonnée et dans lesquels il avait percé des trous, des fûts emplis de maïs dans lesquels les sangliers venaient se nourrir comme à une mangeoire mécanique. Puis il lui montra le goudron de Norvège qu'il répandait à la base des arbres, et les plants d'asphodèles pour le ver jaune, Joséphine ne saisissait pas tout de ses astuces, sinon qu'avec ça il appâtait les animaux sauvages, et grâce à la cage il les contenait. Toutes les bêtes qu'on ne chassait plus, depuis la guerre, tous les gibiers qui abondaient dans ces collines que plus aucun humain ne fréquentait, il arrivait à les domestiquer. Avec ce piège-zoo il capturait autant de bêtes qu'il voulait, et jamais il n'en manquerait pour ses fauves.

— Eh bien, voilà, dis-leur au village que de la viande tu peux en avoir tant et plus, dis-le-leur, comme ça ils ne te suspecteront pas de leur voler les bêtes...

Pour Wolfgang personne ne devait savoir comment il se débrouillait pour attraper autant de gibier sans tirer un coup de fusil, sans quoi c'est sûr, un jour ou l'autre des mômes ou des anciens essaieraient de faire comme lui, des pièges comme ça ils en mettraient partout, simplement ils le feraient mal, et très vite ça épuiserait le cheptel et ça foutrait tout en l'air.

— Joséphine, ce que tu vois là c'est un secret.

— Entre nous tout est secret.

Il avait dressé la vieille cage au fond de cette ravine et l'avait fait seul. Cela avait été un travail de titan d'édifier l'antique cage de treize mètres cinquante de long sur près de quatre mètres de haut, de transporter tous les éléments jusque-là et de les monter au fond de cette igue au milieu de nulle part. Ce puits karstique c'était une sorte de territoire perdu sur la planète, un écosystème jamais utilisé par l'homme, jamais cultivé. Peut-être qu'à l'âge de pierre des humains avaient vécu là, mais toute plante, tout arbre qui s'y trouvait y était venu de lui-même, ici il n'y avait jamais eu nulle culture ni semence, nul engrais, nulle coupe d'arbres, depuis la nuit des temps la nature faisait ce qu'elle voulait. Ici c'était un monde à part, et dans cette cage, les sangliers et les chevreuils étaient attirés par les appâts et le goudron, des animaux entraient pour approcher des mirages et découvraient même de l'eau, du grain dans les fûts, pour les sangliers c'était une vraie aubaine, si bien qu'ils venaient et revenaient, souvent même à plusieurs, après quoi Wolfgang lâchait le chien pour les retenir sur place, le berger allemand qui les bloquait dans la cage et ne baissait jamais la garde, même face à des sangliers armés. Sinon, quand du haut du promontoire Wolfgang voyait la zone de nourriture bien garnie, il tirait sur la corde et le sas se refermait.

— Jusque-là j'avais fait un petit piège, mais maintenant je vois plus grand, tu vois, c'est encore plus grand qu'une piste de cirque !

Joséphine le prit dans ses bras, et pourtant elle se sentait mal. C'était la faute à ce bois, à ce fond de puits, là-dedans il faisait frais, presque froid, le soleil ne parvenait pas à percer la cime des arbres, la lumière ici était celle d'un matin de novembre, et la flore était d'un exotisme gênant. Et puis il y avait cette haute cage dressée, et ces barreaux à terre qu'il allait ajouter, tous ces lourds outils sur le plateau de la charrette, tout dans cet endroit disait la mort, la mort certaine pour tant d'animaux à venir... Elle ne voulait pas rester là, d'autant qu'il fallait encore remonter cette paroi, rassurer le cheval qu'elle avait laissé en haut, retourner jusqu'à la cabane. D'un coup, tout lui faisait peur, elle se sentait perdue dans cette igue, en un instant elle éprouva le même manque, le même vide que celui de sa vie d'avant, avant la guerre, avant la mort, avant ces barreaux et ces cages, avant ces moutons et ces fauves, avant ces bêtes à fuir ou à garder, avant tout ça...

Wolfgang la raccompagna. Ils remontèrent par le versant le moins abrupt, une brèche de paroi éboulée, ils marchèrent sur des amoncellements de pierres qui faisaient presque comme une voie. Une fois là-haut, le cheval de Joséphine étant de l'autre côté, ils firent le tour en surplombant l'igue, elle s'ouvrait comme le cratère d'un volcan diabolique, un volcan bouillonnant de feuilles vers le centre duquel des tas d'animaux se précipitaient, attirés par l'odeur de la poix, des tas de proies inconscientes se jetaient dans la gueule du loup. Wolfgang proposa à Joséphine de rester ce soir-là avec lui. À cause des brebis elle ne le pouvait pas, mais ce qu'elle tut c'est qu'elle avait aussi besoin de retrouver sa cabane grande ouverte sur les plateaux. Ils se quittèrent sans douleur, avec la certitude inquiète des amants qui se promettent de se revoir.

Quand Joséphine sortit du bois elle retrouva la lumière de plein été qu'elle avait abandonnée là, sur ce chemin, ce fin sentier qui ramenait à l'air libre. Elle s'en retourna sans hâter le cheval, elle le laissa simplement aller à son rythme. De loin, elle vit que les brebis étaient toujours à l'ombre. Elles n'avaient pas bougé. Seules certaines s'étaient levées pour brouter de nouveau, mais la chaleur n'était pas retombée. Joséphine rentra dans la cabane, à l'intérieur l'air y était doux, ça lui fit un bien fou de retrouver cet environnement si modeste, comme si une telle modestie facilitait les pensées. Mais alors, elle remarqua une jarre posée au pied de la pierre d'évier, une jarre qui n'y était pas depuis qu'elle vivait là, une jarre avec quatre billets bleus posés dessus, vingt francs en tout. En soulevant le couvercle, elle découvrit un magma odorant qu'elle reconnut tout de suite, un sauté d'agneau longuement cuisiné. Mais surtout elle reconnut ce genre de récipient de terre cuite, c'était un de ceux dans lesquels le boucher de Limogne cuisait ses terrines depuis toujours. Son premier réflexe fut de sortir pour compter les brebis, voir s'il n'en manquait pas, mais sa précipitation agita les bêtes, en voyant la bergère approcher en courant, les brebis se mirent à bouger en tous sens, Joséphine eut du mal mais elle les recompta pourtant, ça lui prit un temps fou, et de toute évidence il en manquait deux. Le Simple depuis quelque temps devait les vendre, une par une ou deux par deux, il cherchait quoi en faisant cela, à se faire de l'argent, ou à ne pas contrarier le boucher, le boucher qui le soudoyait à coups de petits billets. De découvrir cela la fit intimement paniquer, car accuser le Simple elle ne le pourrait pas, en le dénonçant elle aurait la sensation de commettre elle-même un crime. Elle ne le pourrait pas. Seulement, en ne disant rien elle devenait complice, et malgré sa présence, malgré toute l'assiduité et la vigilance qu'elle y mettait, deux brebis venaient toutefois de disparaître. Elle n'avait rien pu faire pour empêcher cela. Et là en parcourant du regard ce territoire inviolé, ces plateaux désertés de tout homme, elle se dit que ce monde était fou. Le mal était en tout. Où qu'on aille, même là, même au plus loin dans la nature, au plus loin des hommes, elle était rattrapée par la malveillance et les pactes obscurs.

Août 2017

C'était le chien qui les guidait. Ils marchaient tous trois derrière lui en file indienne, slalomant entre les arbres. Ils s'étaient lancés dans l'ascension de la colline, et au bout de dix minutes déjà ils avaient le souffle court, la nuque chaude, ils ne se parlaient plus. Alpha allait vite. La détermination de ce chien soulageait Franck, à croire que l'animal avait tout saisi de ses arrière-pensées et qu'il les menait très précisément là où il avait prévu de les emmener. Depuis que Liem et Travis étaient arrivés, Franck observait comment le chien se comportait avec eux, il avait dû deviner la méfiance qu'ils lui inspiraient.

Alpha dirigeait le groupe, il les menait à travers ces passages dont il maîtrisait tout. Il avait compris que le projet c'était de retourner vers l'igue et qu'une fois là-bas il faudrait sans doute épauler Franck, lui insuffler ce peu de férocité qui lui manquait pour devenir intraitable, peut-être même lui apprendre à mordre.

En parvenant au sommet de la première colline Liem et Travis voulurent marquer une pause. Ils étaient d'autant plus contrariés qu'une fois en haut ils étaient convaincus que cette fois ça capterait, du coup leur application Sports Tracker ne servait à rien puisque les téléphones ne pouvaient se géolocaliser, et à force de sans cesse chercher du réseau les batteries s'épuisaient déjà. Sans pouvoir contrôler tous ces paramètres, ils avaient le sentiment de faire du sport pour rien.

Franck s'avança vers eux et leur balança, avec ce qu'il pouvait d'ironie :

— Vous les aviez paramétrés pour un trekking, c'est ça ?

— Oui, le nombre de pas, le dénivelé, la fréquence cardiaque, tout ce qu'il faut pour savoir où on en est.

— Vous en faites pas, ce soir c'est vos jambes qui vous diront que vous avez bien marché, pas l'appli !

Travis ne se retint pas de lâcher sa petite perfidie :

— Tu sais, Franck, si tu veux nous prouver que tu tiens toujours la forme, te casse pas la tête, on a pigé.

— Pas du tout, les gars, vous n'y êtes pas du tout... Je ne cherche pas à prouver quoi que ce soit, c'est juste que ça fait pas de mal de se voir en vrai, au grand air, vous pensez pas... ?

— Et ton spot, là, t'es sûr que ça vaut le coup ?

— Ah ça oui, je veux vous le montrer, c'est un spot de dingues comme tu dis, une cage à tigres de quatre mètres de haut au fond d'une igue, on se croirait dans la jungle du Venezuela.

— Et dans ton truc ça capte ?

— Vous inquiétez pas...

Ils se remirent en marche, cette fois dans le sens de la descente. De nouveau la pente était sacrément traîtresse, mais ils se calaient sur le rythme du chien comme s'ils avaient peur de le perdre. Avec le poids du corps, le terrain caillouteux se dérobait sous les chaussures, en se réglant sur la trajectoire du chien, ils se griffaient les jambes dans des tas de ronces, se prenaient des branchages dans le visage, en plus de ça ils trébuchaient sur des racines enfouies, pour les mollets c'était rude. Le chien, lui, continuait de tracer, par moments il jetait un regard en arrière pour voir s'ils étaient toujours là, Liem se méfiait de ce chien, redoutant qu'il ne les mène vers le fond des âges, qu'il ne cherche à les perdre dans un territoire intemporel et sauvage, de ces repaires où le temps a cessé de passer.

Franck fermait la marche, cette fois il les surplombait. Ça l'amusait de les voir s'efforcer de suivre un animal. Il repensa à ces deux dernières années de galère, ces deux bides encaissés coup sur coup, et cette façon dont les autres autour de lui avaient réagi. Depuis quelques mois tout le monde lui tournait le dos. Ça le mortifiait au moins autant que ça l'enrageait. C'est dur de voir naître le désintérêt dans les yeux des autres, quand ça n'est pas carrément de la pitié, les gens craignent toujours que l'échec ne soit contagieux. Il repensa à ces regards fuyants dans les festivals ou les soirées, à ces distributeurs ou ces partenaires d'hier qui ne répondaient plus au téléphone ou qui soudain avaient des tas d'autres projets ailleurs, avec d'autres.

Liem et Travis, il les avait rencontrés à Cannes. Au début il s'était dit que c'était une aubaine, à cause de cette énergie incroyable qu'ils dégageaient, cette expérience qu'ils avaient des nouvelles technologies et des jeux vidéo, des jeux de guerre en 3D au design parfait, ils disaient en avoir fait le tour et vouloir se lancer dans le cinéma, ils semblaient regorger d'idées. En un sens ils étaient neufs et lui un peu cassé, tout concourait à ce qu'ils s'entendent. D'autant que Cannes est trompeur, comme il en va de tous les festivals, il y règne une euphorie inhérente à la fête, tout le monde y est beau, triomphant, tous les projets sont des promesses, tout le monde a envie de dire oui à tout le monde, mais une fois que le festival est fini plus personne ne donne de nouvelles. Ils avaient produit deux courts-métrages, pour « s'amuser » comme ils disaient, mais ils juraient que leur expérience du numérique aiderait Alpha Productions à rebondir, grâce à la production des jeux vidéo ils étaient rompus à des plans d'investissement de plusieurs dizaines de millions d'euros. Face à eux, Franck avait pensé qu'il avait effectivement besoin de sang neuf, d'être épaulé pour relancer sa boîte, sur le coup il les avait crus purs et n'avait compris que plus tard qu'en réalité ils comptaient se servir de son catalogue pour appâter les ogres, qu'ils n'en avaient rien à faire des films, de toute évidence ils n'avaient pas d'autre ambition que de se lancer dans des

séries sponsorisées, de tout miser sur le Net...
Son pied se prit dans une racine, il manqua de
tomber, son lacet s'était défait, il se baissa pour
le renouer.

— T'as plus l'âge, mec. Tu veux pas voir que
le monde a changé !

— Quoi ?

— Rien, rien, Franck, je te demandais juste
si ça allait...

— Oui, ça va.

— Dis, quand on sera en bas, est-ce qu'il faudra encore se taper une autre montée ?

— Oui, il y aura encore une colline à grimper
et à redescendre, et on sera arrivés...

Franck se releva mais la tête lui tournait, il
avait le sang qui lui battait aux tempes, sans
savoir si c'était la chaleur ou bien la colère, il
était baigné de sueur et ressentait des aigreurs
lui remonter de l'œsophage. Depuis qu'il reman-
geait de la viande, il avait des brûlures d'estomac
et retrouvait cet arrière-goût un peu acide après
le repas, cette espèce de suc vital que produit
sans doute la digestion de la chair d'autres animaux, une chair pareille à la sienne, manger de
la viande c'est manger le cadavre de ses ennemis
ou de ses proies. En fait il avait envie de les
bouffer. Eux deux, là, il les haïssait. Le chien
ne marqua même pas de pause en atteignant
la seconde ravine, il se lança aussitôt dans la
dernière ascension. Bon Dieu, il pensa à ces
aigreurs que doivent avoir les chiens, ou plus
encore les fauves, tous ces grands carnassiers
qui ne se remplissent que de chair crue, et ces

lions qui n'avalent jamais le moindre légume, bon sang, dans leur estomac ça doit bouillir d'acides, d'enzymes et de protéines affolées... Dans la tête des lions comme dans celle de tout pur carnassier ça doit être une vraie pyrotechnie d'agressivité et de violence, parce que maintenant il en était sûr, manger de la viande rend vorace, avide, et c'est par cette avidité-là qu'on conquiert, c'est de cette avidité-là que vient le goût de combattre, de conquérir le monde, de bouffer l'autre en quelque sorte, oui c'est ça, de « bouffer l'autre », peut-être qu'il convient parfois de le faire, comme à la guerre où on motive les hommes dans ce but-là, bouffer l'autre ou au moins le tuer, les tuer tous... Ces deux types qui marchaient devant lui, il avait envie de leur déclarer la guerre, de les bouffer, oui de les bouffer. Il se disait, S'ils sont là c'est parce qu'ils sont certains que je vais signer, ils sont venus jusqu'à moi poussés par la plus pure cupidité, ils ont fait sept heures de voyage et sont prêts à marcher par 40 degrés uniquement parce qu'ils ne doutent pas de me manœuvrer tranquille et que je signe leur contrat... Mais pour l'heure, c'était lui qui les manœuvrait, ou plutôt ce chien, ils avançaient sans la moindre idée de ce qui les attendait.

C'est là que, voyant ces hommes encadrés par le chien et lui, ces prisonniers qu'ils escortaient, il renoua avec sa part animale. Au milieu de ces bois il se sentit participer de l'environnement, faire corps avec la nature sauvage. D'ailleurs, sauvage, il le redevenait, à l'image de ces bois, ces roches et ces sentiers jamais foulés par personne, des pistes tracées par le seul passage des sangliers qui la nuit descendent vers les terres meubles et les points d'eau, les sangliers qui comme tout mammifère ne font rien d'autre que lutter pour survivre et suivent toujours le même parcours, au point de frayer par endroits des trouées comparables aux chemins des humains. Des humains par ici, voilà bien longtemps qu'il n'y en avait plus. En dehors d'eux trois il n'y avait pas âme qui vive dans ce périmètre. Pour ce qui était des chasseurs, ceux qui explorent les terres reculées et qui s'éloignent des sentiers battus, il y en avait de moins en moins. Dans ces coins-ci les jeunes générations ne chassaient plus, et surtout elles avaient quitté la ferme et vivaient loin. Quant aux anciens, ils n'avaient plus la force de monter des collines aussi abruptes, si bien que dans les profondeurs de ces reliefs la nature était redevenue sauvage et les animaux dansaient.

Lise était montée sur la terrasse. Elle comptait peindre un tableau de cinquante par soixante centimètres. Elle voulait que la lumière arrive par la gauche, pour cela il lui faudrait appliquer du magenta et du jaune en bas de la toile. Et du bleu clair au-delà, pour le ciel. Poser d'abord la lumière solaire et vive des premiers plans, puis une lumière plus douce au loin. Seulement la chaleur était caniculaire, le risque c'était que la peinture sèche. Pour faire un essai elle prépara du bleu ciel, elle devrait y ajouter davantage de blanc pour obtenir cette teinte pure qu'elle voyait en face d'elle, pour réaliser la couche du fond. Elle commença à tracer une esquisse, et soudain elle crut entendre aboyer au loin, oui là, de l'autre côté des collines, c'étaient bien des aboiements courts et graves, des aboiements rauques, à croire que ce n'était pas des chiens. Mais qui d'autre aboie en dehors des chiens, elle ne le savait pas. Elle pensa à Franck, à cette randonnée qu'il tenait absolument à faire avec ses deux associés alors qu'il faisait plus de 36 degrés, ne prenait-il pas le risque de se perdre, de chuter ou d'avoir un coup de chaud, un coup de sang. Quand ils étaient partis tout à l'heure, jamais elle ne l'avait vu à ce point tendu, rude. Les aboiements reprirent de plus belle, mais plus lointains encore. Elle s'était juré de ne plus jamais céder à la peur, plus jamais elle ne s'inquiéterait de quoi que ce soit, pas plus qu'elle ne voulait s'offrir au lot de désillusions et de défaites qui obscurcissent toute vie. Parfois pourtant, elle constatait que le sort ne l'avait pas épargnée, mais alors elle s'appliquait à ne ressentir que la grâce du moment, comme dans le cas présent, cette chance de pouvoir peindre au milieu de nulle part, d'être seule au monde, de regarder, de respirer tout simplement. La méditation c'est bien beau, mais c'est comme un mur qui renvoie sans cesse à soi, tandis que de peindre pendant des heures, c'est une méditation concrète, à la fin il en reste quelque chose. Depuis la terrasse de cette maison, au milieu de son océan de collines, elle se rendit compte qu'une maison est une sorte d'organisme vivant

qui grignote l'espace tout autour d'elle. D'abord elle attire l'eau, puis elle la rassemble dans ses gouttières et la reverse dans une réserve ou des canalisations, l'hiver elle grignote la forêt environnante pour en consommer le bois de chauffage, des arbres entiers qu'elle digère d'année en année, de même que les fruits et les légumes qui poussent alentour, une maison c'est un corps qui s'approprie tout ce qui vit autour d'elle dans la nature, l'eau de pluie, la chaleur, le soleil, les fleurs, les fruits. Une maison absorbe tout...
À cet instant, Lise aperçut le fil noir qui se raccordait à la maison, il provenait du poteau en bois à côté, sans doute était-ce le fil électrique. Si c'était un fil de téléphone elle le couperait...

La hantise qu'elle avait maintenant du téléphone venait aussi du fait qu'un jour il n'avait plus sonné. Depuis sa maladie on ne l'appelait plus, et le téléphone était devenu un ustensile accusateur, mortifère. Alors qu'avant c'était le contraire, elle n'en pouvait plus de l'entendre sans cesse sonner ou vibrer. Puis un jour il s'était tu. Au moins ici elle était hors zone, ce qui la libérait totalement de la question de savoir si on l'appelait ou pas. Elle eut un petit frisson d'angoisse en entendant de nouveau les aboiements, vraiment très loin cette fois, est-ce qu'ils se seraient fait attaquer par des chiens errants ou des loups, est-ce que les loups aboient ainsi ?

Ils avaient presque fini l'ultime ascension les amenant sur les hauteurs de l'igue. Les aboiements bizarres reprirent, Franck se demanda s'ils ne venaient pas de derrière, du côté de la maison, le pire c'est que ces cris ne ressemblaient à rien, on aurait dit des faux chiens ou des chacals, pourquoi pas des lynx.

— C'est quoi ?

— Des loups ! Non, je déconne. J'en sais rien, des renards peut-être.

— Parce que ça aboie les renards ?

— Par ici tout est possible… Il y a même eu des lions à une époque.

— Putain mais c'est quoi ton plan, tu veux nous foutre les jetons, c'est ça… ?

— Je vous assure, c'est plein de bêtes par ici, c'est normal, c'est la nature, y a rien de grave…

Franck avait intégré cet environnement où rien ne devait surprendre. Qu'importe, ce pouvait être des renards, des putois ou des loups, tous ces animaux dont à vrai dire il ne connaissait pas les cris. D'eux tous, seul le chien savait que ces aboiements-là venaient de chevreuils, de brocards en alerte qui prévenaient d'un danger. Il s'arrêta un temps, pas plus que ça, pour l'heure ces bêtes ne l'intéressaient pas.

Une fois en haut, Liem et Travis marquèrent une pause. Ils jetèrent un œil à leur smartphone, Liem prit son pouls en se plaquant le doigt sur la gorge.

— Combien ? lui demanda Travis.

— 160, répondit fièrement Liem.

— Pas mal. Les ischio-jambiers ça va, mais au niveau des mollets on va prendre cher dans la descente.

— Et alors, vous ne jetez même pas un coup d'œil en bas ?

Franck leur désignait le panorama, du moins ce qu'on en entrevoyait entre les arbres. Liem et Travis ne s'étaient pas rendu compte qu'ils trônaient au sommet d'un gouffre, en surplomb de la végétation dense d'une sorte de cirque de calcaire. Au travers des feuillages, ils aperçurent les lueurs métalliques des cages tout là-bas, tout au fond. Le soleil tapait pile dans l'axe de l'igue, avec un angle pareil il donnait un éclat inédit au métal.

— Ça alors, ça a l'air dingue... Je te connais, Franck, si tu nous montres ce truc-là c'est que t'as une idée derrière la tête, un décor c'est ça ?

— Non, c'est pour vous, c'est cadeau, juste pour le plaisir de la balade...

Encore cinq bonnes minutes de descente, cinq minutes à se retenir de dégringoler. D'avance Franck savait que Liem et Travis iraient à l'intérieur de la cage, c'était trop tentant, d'eux-mêmes ils iraient se placer en son centre, seul endroit où le ciel était un peu visible, ils voudraient voir de près les tonneaux profonds, la mare. En somme ils se jetteraient dans la gueule du loup. Ne resterait plus qu'à espérer que le chien comprenne qu'il devait les contenir, après quoi il suffirait de rabattre le pan de grille qui refermait le sas, de le ficeler avec les cordes, de faire un nœud serré. Ils riraient, puis ne riraient plus. Puis ils lui diraient de ne pas déconner. Il s'assurerait alors qu'Alpha saurait les empêcher de passer les mains au travers des barreaux afin de dénouer les cordes, et ensuite il les laisserait là toute une nuit à mariner avec le chien geôlier. Franck savait qu'ils ne signeraient pas tout de suite, ils ne signeraient pas les nouveaux avenants qu'il avait rédigés avant d'au moins les lire, et il leur faudrait pas moins d'une nuit, peut-être deux, pour qu'ils craquent et le supplient de les libérer. Tant qu'ils n'auraient pas signé, il ne les relâcherait pas.

À mesure qu'ils progressaient, ils visualisaient de mieux en mieux la gigantesque volière perdue au milieu des arbres.

— Franck, c'est vraiment incroyable ton truc...

Franck ralentit, il les laissa avancer vers la cage, se tenant à trente bons mètres derrière eux. C'est donc en les surplombant qu'il les vit l'un et l'autre se baisser pour passer par le sas, puis pénétrer dans la cage. C'était beau. D'en haut, il les voyait comme deux figurines piégées dans une boule à neige, il n'y aurait plus qu'à la refermer et à l'agiter pour que les flocons tombent. Il les tenait. Alpha semblait quêter son assentiment, lui aussi savait. Ils les tenaient.

Le chien se posta en dehors de la cage, haletant et tendu, il jeta un œil à Franck qui finissait de descendre, attendant un ordre. Mais lequel devait le donner à l'autre, Franck ou le chien ? Lequel des deux devait prendre le dessus, la part du loup en l'homme, ou la part de l'homme en ce chien ?

Juillet 1915

Les loups chassent à la course. Ils fondent sur les troupeaux qui avancent au ralenti, souvent ils attendent le brouillard et se lancent depuis les coteaux sur les bêtes affolées et les pourchassent ou les précipitent dans le vide, quarante-deux dents aiguisées qui s'échauffent dans la gueule haletante, quarante-deux lames prêtes à arracher des gorges pour les faire saigner. À la différence des hommes, les animaux doivent se battre pour vivre. D'ailleurs ils le font en permanence, pour manger ou garder un territoire, les oiseaux eux-mêmes passent leur existence sur le qui-vive, si le merle chante au matin c'est moins pour égayer le ciel que pour repousser d'éventuels rivaux. Joséphine vivait dans un monde de paix, la paix de ces collines tout autour d'elle où des animaux pourtant s'entretuaient pour se nourrir. Pour beaucoup d'entre eux cette violence est la condition sine qua non de leur existence, les sangliers dévorent les nichées de perdreaux quand les glands viennent à manquer, les renards s'ils ne trouvent pas de lièvres massacreront des poules, tandis qu'elles-mêmes becquettent des vers et des moucherons, quant aux buses et aux milans tournoyant dans le ciel à longueur de journée, par moments ils fondent sur des souris ou des mulots pendant qu'eux-mêmes sont en chasse de chenilles... Même les fauves finissent dévorés par des hyènes lâches qui attendent qu'ils soient morts avant de les attaquer.

Dans ce tableau l'homme ne fait qu'ajouter à cette cruauté, d'autant qu'en période de guerre les restrictions et les manques sont propices aux chasses sauvages et aux braconnages. Entre deux feux les soldats se livraient à ce genre de forfaits. Certains concevaient de vrais plans de tir en arrière des combats. Au mépris de toute loi ils s'en remettaient à la faim avide, tels ces fantassins hantés par le manque qui foulaient le fond des rivières pour pêcher à la grenade, ou ces autres à l'écart des tranchées qui chassaient en battue. La chasse est interdite dans les zones d'affrontement des armées, mais les officiers fermaient les yeux. Personne n'aurait compris que ces gradés qui lancent les hommes sur l'ennemi sanctionnent un soldat ayant buté un canard ou une truite.

La guerre est un carnaval d'effrois, une pourvoyeuse d'atrocités et de chagrins, elle broie les hommes comme les animaux, seulement ici sur le causse vert, puisqu'il n'y avait plus d'hommes pour chasser, cette guerre avait valeur de répit pour le gibier. Au point que dans ces collines désertées, les bêtes sauvages proliféraient. Des sangliers aux chevreuils, des renards aux loups, tous profitaient de l'absence des hommes et regagnaient du territoire. Dans ce grand rééquilibrage des terres affranchies il n'y avait guère que le dompteur qui continuait de tenir le front, le dompteur qui du fond de son igue ne cessait de piéger des animaux pour nourrir les siens. Quant à Joséphine, sentinelle des hautes prairies, elle se sentait parfaitement dégagée de toute guerre. Vu d'ici, le monde des hommes lui semblait un lointain enfer, alors que celui des femmes en bas des chemins devait s'enfoncer chaque jour un peu plus dans le désarroi.

Autour de la cabane les pentes étaient douces, la conduite des bêtes facile. Ce n'était pas comme en montagne où les descentes sont raides et où il faut veiller sur les brebis dans les parties escarpées, ne pas trop les engager sur les flancs trop pentus où elles risquent à tout moment de se dérocher. Ici au contraire les collines étaient souples et les prairies aimantes, les brebis dormaient à plat. Tous les matins Joséphine se levait à l'aube. Le soleil faisait un court séjour derrière les monts d'est, avant de sortir lentement et de réveiller le monde, à partir de là les oiseaux accompagnaient l'aurore, le jour revenait comme le sang revient aux joues. Joséphine assistait à ça en observatrice attentive. Il y avait toujours un renard retardataire pour muloter en retournant vers les bois, pendant que les buses et les milans se repositionnaient sur les piquets ou les arbres, se perchant sur tout ce qu'ils trouvaient comme hauteurs pour traquer le moindre mouvement dans les herbes. De leur côté les chevreuils et les sangliers, tous ces acteurs agités de la nuit, se repliaient vers les zones d'ombre. On disait les loups revenus mais Joséphine jusque-là n'en avait pas vu. Pas plus que d'ici elle n'entendait les lions. Maintenant, tout ce qu'elle entendait de cet homme, c'était la voix qui résonnait en elle quand il n'était plus là, cette voix au français imparfait, douce et droite en face d'elle. Pour la soirée et pour la nuit, elle se gardait ses mots, leurs soupirs échangés, il ne la quittait pas.

À passer ses jours dans un dénuement originel, elle aurait pu se croire retournée à l'aube des temps. Elle ne cherchait même plus à savoir si c'était par peur ou par égoïsme qu'elle était là, ou par générosité peut-être. Qu'importe, depuis deux mois la vie avait retrouvé un semblant de légèreté, Wolfgang venait tous les deux jours. Il ne restait jamais plus de quelques heures, de peur de laisser ses fauves sans surveillance, mais durant ces quelques heures-là ils oubliaient tout, ils s'aimaient, sans même la naïveté d'évoquer l'avenir.

Pour Joséphine là-haut c'était le paradis humble des collines perdues, jusqu'à ce qu'un homme un jour, un homme de nouveau, n'abîme tout. L'homme c'est cette créature de Dieu qui corrompt et dilapide, qui se fait un devoir de tout salir et d'abîmer. Sans qu'il soit question de malveillance ou de jalousie, de frustration ou de colère, par sa seule présence un homme peut tout détruire.

Ce soir-là, Wolfgang était monté vers les hautes prairies. Avant de partir il avait copieusement nourri les fauves pour qu'ils se tiennent calmes. Cette nuit il avait prévu de dormir là-haut avec Joséphine pour vivre cette chose inouïe, se réveiller au petit matin à côté d'elle. Voilà des années qu'il dormait seul, si bien que passer toute une nuit auprès d'une femme lui paraissait vertigineux, cela lui faisait même un peu peur. Concernant ses fauves, il savait qu'il prenait un risque, non pas parce qu'il les laissait seuls, bien enfermés mais sans surveillance, mais parce que le lendemain les lions sentiraient sur lui le parfum de son escapade et qu'ils lui tiendraient rigueur de les avoir abandonnés. D'avance il savait que, d'une façon ou d'une autre, ils manifesteraient leur jalousie, sans doute qu'il devrait se tenir sur ses gardes au moment d'ouvrir la cage pour les nourrir, mais c'était un risque à courir, il laissa là toute prévenance au profit du seul bien-être de vivre une soirée et une nuit entières avec elle.

Ils firent l'amour avant même de parquer les brebis, loin dans le pré, alors que le jour baissait. Le repas était frugal, mais l'appétit était ailleurs, et surtout ils parlaient, ils se parlèrent comme jamais, ils demeurèrent longtemps sur le banc de pierre devant la maison, l'air était bon après cette journée de trop grand soleil, la chaleur en s'adoucissant faisait l'effet d'un véritable apaisement. Joséphine se confia comme jamais, après tout, au village en bas elle était peu bavarde, ne se livrait à personne, au contraire, jusque-là elle n'avait fait qu'écouter les maux des autres, pendant des années elle avait même recueilli les douleurs des patients qui s'épanchaient avant que son mari ne les ausculte. Pendant des années, ce fut comme si personne ne lui reconnaissait le droit à la tristesse ou à la peine. D'ailleurs, elle se surprit elle-même quand elle se mit à parler de son mari. Elle ne le faisait jamais. Elle dit à Wolfgang que si elle était montée ici à l'estive, si elle aimait tant se retrouver dans cette simple cabane, c'est aussi parce qu'elle n'en pouvait plus de sa maison. Depuis la mort de son mari, depuis qu'elle avait la preuve que le docteur Manouvrier n'existait plus, lui était venue une intuition terrible, une sorte de révélation, dont secrètement elle n'attendait plus qu'une chose, pouvoir un jour la valider.

— Joséphine, de quoi tu veux parler ?

— Non, Wolfgang, ça je ne peux pas te le dire. Et pourtant c'est une question à laquelle toi seul peut-être pourrais répondre.

Là-dessus elle posa la tête sur l'épaule de Wolfgang, de loin elle voyait ses brebis, bien que repues, qui continuaient mollement de paître, le soleil était descendu de l'autre côté de la colline.

Son doute n'était pas mince, il était même tellement atroce qu'elle ne pouvait pas s'en ouvrir à cet homme, si proche qu'il fût, et même si elle sentait que de toute évidence elle l'aimait, elle ne pouvait lui confier que depuis toujours son mari lui avait expliqué que c'était à cause d'elle qu'ils ne pouvaient pas avoir d'enfants, que ça venait d'elle, et comme il était un médecin honnête, loyal et franc et qu'elle lui avait toujours fait confiance, eh bien là-dessus aussi elle l'avait cru, elle l'avait toujours cru. Seulement, depuis qu'il était mort, elle se disait que si ça se trouve, ce n'était pas vrai. Si ça se trouve c'était lui qui était infécond, stérile, et pas elle. Elle était même sûre qu'en étant là-haut sur le front à côtoyer la mort, il n'avait dû cesser d'y penser. Elle était sûre que cette pensée l'avait hanté jour et nuit jusqu'à sa mort, que cette hantise l'avait même obsédé jusqu'à le rendre fou, la hantise qu'un jour elle tombe enceinte, si par malheur il ne revenait pas de cette guerre, et que par la force des choses elle découvre que pendant toutes ces années il lui avait menti. C'était horrible de penser ça.

Pour ne pas que cette soirée soit le lit de mauvaises pensées, elle prit Wolfgang par la main et l'entraîna vers la cabane, ce petit antre où maintenant il faisait plus chaud que dehors. Ils se déshabillèrent tous deux, oubliant les brebis égaillées sur le flanc ouest.

Dans un monde pourtant en guerre, tout était calme et l'air était doux, les brebis paissaient tranquilles dans ces prés sans limites, sans même qu'il soit pour elles question de faim. À l'intérieur ils n'avaient pas allumé la petite lampe à pétrole. Par la porte restée grande ouverte, le dehors faisait rentrer un peu de son royaume argenté, la lune venait juste de hisser son parfait luminaire, à partir de maintenant ils avaient l'éternité pour eux. Là, sur un des toits du monde, soulagés du grand chahut des hommes, Joséphine et Wolfgang s'abandonnaient au bonheur simple de tout oublier.

Août 2017

Franck reposa son bol et ressentit un parfait éblouissement, un sentiment de communion totale avec la nature autour de lui, ce matin il avait la conviction d'en faire pleinement partie, il ressentait ces collines et ce ciel bleu comme une coalition fabuleuse qui n'attendait que lui. Avec Lise ils prenaient le petit déjeuner dehors. Il se leva et marcha jusqu'à la maison, peu après, sous le regard éberlué de sa femme, il en ressortit avec un épais paquet rouge dans la main, l'emballage du boucher qu'il posa sur la table au milieu des pains et des pots de marmelade. Il déroula le papier et préleva une tranche de jambon qu'il tint devant lui, telle une offrande brandie vers les collines, comme s'il la destinait symboliquement au chien resté là-bas, au fond de l'igue, ce chien allié qui œuvrait pour lui. Puis il la ramena vers son visage, la huma et l'enfourna d'un trait. Elle était si large qu'il dut la pousser avec les doigts pour qu'elle rentre dans sa bouche, avant de la malaxer puissamment et de s'en régaler. Lise le regardait, sans plus s'étonner de cette nouvelle excentricité, mais se demandant comment il pouvait avaler ça.

— Tu sais, Lise, en fait hier, c'est pas eux qui ont voulu jouer les Robinson Crusoé.

— Comment ça ? Tu m'as dit qu'ils avaient voulu rester là-bas pour dormir à la belle étoile...

— Oui, c'est vrai, mais en fait c'est un peu moi qui les y ai forcés. Je les ai laissés dans la cage.

— Qu'est-ce que tu me racontes... ?

— J'ai fait exprès de les laisser dans la cage, avec le chien pour les garder...

— Tu veux dire que tu les as piégés ? Mais comment t'as pu leur faire ça ?

— Lise, tu sais ce qu'ils sont prêts à me faire, eux ?

— Enfin, Franck, deux hommes, tu te rends compte, t'as laissé deux hommes toute une nuit là-bas dans une cage, non mais tu te rends compte ?

— Attends, ce n'est pas moi qui les retiens, tu le vois bien, je suis là...

Là-dessus il se leva et écarta grand les bras, il gonfla les poumons comme s'il embrassait tout le décor face à lui, tout ce beau déroulé de collines, et ce ciel, et ces gros nuages s'annonçant tout là-bas à l'est, des continents de blancs d'œuf battus en neige qui semblaient lentement flotter vers eux...

— Lise, ce qui les retient, c'est tout ça, la nature, les bois, toutes ces bêtes sauvages, le chien, c'est tout ça qui les retient, pas moi...

Il revint vers Lise en lui désignant ce panorama comme s'il le lui tendait, comme si elle le découvrait.

— Regarde-moi ça, regarde-moi ces nuages énormes qui s'avancent, on dirait que tout est là pour nous, rien que pour nous. Lise, t'avais raison, ça fait un bien fou de se reconnecter aux éléments, d'ailleurs tu sais quoi, je crois que je resterais bien encore un peu, je veux dire, une fois que tout ça sera réglé... Cette maison on pourrait la louer à l'année, ces collines, ces bois, de toute façon il n'y a jamais personne qui y vient, tu ne crois pas que ce serait une bonne idée ?

Lise le regardait comme s'il était ivre ou fou, ou soudainement pris d'un mal étrange, possédé par une exaltation inexplicable. Franck s'assit en face d'elle.

— Lise, comprends-moi bien. Avec les conditions que je vais leur faire signer, crois-moi que je serai libre, libre de faire les films que je veux, un long-métrage tous les deux ans, avec un budget minimum garanti de cinq millions... Et puis, tu sais quoi, j'ai envie de tourner ici... Oui. Ici. Quelle histoire ? Ça je n'en ai pas la moindre idée, mais j'ai envie de ces décors, j'ai envie de travailler ça... En fouillant un peu, je suis sûr que cette maison en est pleine, d'histoires, et ces ruines en bas, ce village qu'on aurait déserté du jour au lendemain, tout ça je le sens c'est plein d'histoires, je sens que c'est une vraie mine...

Lise gardait son bol de thé devant son visage, elle ne savait plus quoi lui répondre. Elle le vit se relever pour retourner à la maison, dans l'entrée il prit son sac et ses chaussures de randonnée, il les chaussa et fit des nœuds serrés, d'ici elle le voyait. Puis il marcha jusqu'à la voiture et sortit du coffre trois paquets de feuilles agrafées, trois documents de format A4, que de loin il lui montra.

— Hier, je leur ai laissé les contrats pour qu'ils les lisent, mais je ramène des doubles, au cas où, ils ont dû les saloper cette nuit. D'autant qu'à mon avis, il va pleuvoir d'ici à ce soir...

— Parce qu'en plus tu sais prédire le temps maintenant.

— Tu vas voir, Lise, tu vas voir, la nature, je l'ai en moi, je la ressens.

À ce stade de détermination, Lise ne voulait pas le contredire ni le contrer. Elle avait toujours su discerner chez les autres la force de leur résolution. Pourtant, quand il vint lui faire une bise avant de partir, elle ne put s'empêcher de lui dire le fond de sa pensée.

— C'est quand même pas rien d'avoir laissé ces deux garçons toute une nuit dehors, tu te rends compte que t'es à deux doigts de...

— De quoi ?

— Eh bien je ne sais pas, de la séquestration.

— Mais Lise, et eux, t'as vu ce qu'ils voulaient me faire, eux, ils voulaient me descendre !

— Entre êtres humains on se parle, on s'explique...

— Mais là c'est plus des êtres humains, c'est des chacals, leur méthode c'est des méthodes de chacals, trouver la bête blessée et mettre la main dessus, me piquer mon catalogue pour pouvoir mieux me jeter après, me délester de vingt-cinq ans de boulot, tout ça pour appâter ces salauds de Netflix, mais tu vois pas que si on se laisse faire ils vont écraser le marché avec leurs milliards... Avant on devait se mesurer aux tycoons, de gras producteurs américains suintant de sueur mais là, c'est mille fois pire, là c'est des empires qui nous attaquent, les géants du numérique c'est des monstres qui nous tombent dessus, ils n'ont pas de limites, et en plus ils ne payent pas d'impôts...

— Moi je te parle de deux personnes, de deux gamins !

— Lise, je crois que j'ai un problème avec la génération à venir. Faut pas se laisser faire, Lise, crois-moi, faut pas se laisser faire...

Franck descendit la colline, l'herbe et la terre y étaient plus sèches que jamais. En un sens Liem et Travis avaient eu de la chance, il aurait pu pleuvoir cette nuit, ils auraient pu se prendre des seaux d'eau sur la tête, d'ailleurs ces gros cumulus là-bas n'en finissaient pas de gonfler, pour l'heure ils approchaient lentement mais ils étaient annonciateurs de colère, de ces gros nuages noirs qui enflent à mesure que l'air s'échauffe et éclatent souvent en orage.

Il n'eut aucun mal à retrouver le chemin, il se fiait à ce qu'il reconnaissait des passages déjà empruntés, au soleil aussi, et surtout à cette sorte d'instinct qui le ramenait vers le chien. Il enchaîna les deux collines avec une aisance qui le surprit lui-même, il n'avait pas le souffle court comme les précédentes fois, déjà il s'acclimatait et son corps s'endurcissait.

En arrivant au sommet de la troisième montée, il se posta sur un promontoire dégagé pour surplomber l'igue. Tout en bas, on discernait le métal des cages entre les arbres, les nuages avaient bien avancé, il n'y avait plus de soleil pour scintiller sur l'acier, l'orage allait gagner la partie, au loin on percevait des grondements sourds, des coups de canon étouffés, comme si le fond du ciel tout là-bas était le théâtre d'une guerre. À coup sûr ça devait bastonner fort à l'est, au-dessus du Massif central, ce qui se dirigeait vers eux c'était le tonnerre et la grêle, Franck le comprit bien, d'ailleurs il ne faudrait pas laisser Liem et Travis dans la cage, c'était dangereux, à moins au contraire de profiter du déchaînement des éléments pour les affoler plus encore, les effrayer en leur faisant comprendre que s'ils ne signaient pas, au cas où ils ne l'auraient pas déjà fait, la foudre leur tomberait dessus, parce que la foudre serait attirée par les barreaux de métal...

D'avance Franck savait qu'en le voyant, le chien se mettrait à frétiller tout en demeurant posté devant le sas, il le gratifierait d'une danse reconnaissante. Quant à Liem et Travis, ils seraient sans doute assis au centre de la cage. À son arrivée, têtus et vexés, ils ne bougeraient pas. Franck continua de descendre, apercevant de mieux en mieux le fond de l'igue au travers des branches, maintenant il voyait l'intérieur de la cage, les fûts au milieu, à terre, renversés, mais il ne les voyait pas eux, ni les hommes ni le chien, et surtout il n'y avait pas un bruit. Alors il finit de dévaler la pente à toute vitesse, paniqué à l'idée qu'ils se soient envolés, qu'ils aient fui, pourtant c'était impossible qu'ils soient parvenus à sortir de cette cage, et encore moins à semer le chien, et pour aller où... ?

Mais la réalité était bien celle-là, la porte du sas n'avait pas été forcée, même pas ouverte, les cordes étaient toujours fermement serrées, nouées comme des verrous, c'est qu'ils avaient dû passer par le haut alors, ils avaient dû se hisser jusqu'en haut de ces grilles de plus de quatre mètres. Toujours est-il qu'il n'y avait plus personne, plus rien. En revanche ils avaient laissé là les contrats, jetés au sol, trois liasses de feuilles en trois exemplaires, toujours pas signés. Franck les ramassa et les fourra dans sa poche intérieure.

Puis il appela le chien, il siffla, il fit résonner son nom entre les parois de ce grand cirque de calcaire.

— Alpha... Alpha... ! Al-pha...!

L'impuissance la plus totale le submergea, au point de lui plier les jambes. Il s'assit sur une souche, se frotta le crâne, se malaxant la tête des deux mains, la seule intuition qui lui vint sur le moment, c'était de retrouver la petite carte de visite que lui avait donnée le jeune chasseur, « Recherche au sang, battue, récupération de chien ».

Mais il fallait qu'il remonte, il fallait qu'il grimpe au plus haut pour trouver la zone où ça captait, les chasseurs lui avaient dit qu'on attrapait un bout de réseau en remontant par là, à l'est, là même d'où venait l'orage, il s'engagea sur le chemin d'où les chasseurs étaient descendus en 4 × 4 l'autre fois.

Le tonnerre se faisait de plus en plus pressant. Les coups tonnaient, de plus en plus proches. De ce côté-là la pente était moins rude mais longue, il marcha longtemps, la pluie commença de tomber de plus en plus fort, il était essoré. De ce côté-ci ça ne captait toujours pas. Il avait la sensation de s'enfoncer pour de bon dans cette nature sauvage, de s'y plonger encore plus profondément que d'habitude, au point de s'y perdre, à moins que ce ne soit les arbres qui se refermaient sur lui. Le versant oriental était plus haut que les autres, une fois au sommet de l'igue, l'horizon s'ouvrit devant lui, d'ici on voyait jusqu'aux monts du Cantal, cette fois les nuages n'étaient plus onctueux et blancs mais minéraux et noirs. Toute cette lave météorologique galopait vers lui, le vent là-haut était fort, une vraie averse tombait à présent. Franck sortit son téléphone de son sac, il y avait une barre, une barre miraculeuse sans doute insufflée par les champs électriques. Alors il appela, et à l'autre bout l'homme répondit tout de suite.

— Oui ?

— J'ai... j'ai besoin de vous.

— C'est qui ?

— C'est moi, vous m'avez donné votre carte l'autre jour, pour la recherche au sang.

— Vous avez perdu le chien, c'est ça ?

— Oui, mais pas seulement.

— Ah bon, vous chassez quoi ?

— Écoutez, vous pouvez me rejoindre au sommet de l'igue maintenant ?

— Ça marche.

Quand il raccrocha la pluie redoubla, puis très vite ce fut de la grêle, elle s'abattait si fort sur les arbres qu'on aurait dit de la mitraille. Pour le coup il était paniqué, parce que là, tout le rattrapait, la frousse, l'orage, la colère que ces deux salauds se soient barrés, et en plus de tout ça, la peur qu'il soit arrivé quelque chose au chien.

À leur arrivée les gars eurent la présence d'esprit de lui tendre un chiffon, un genre de vieux torchon, Franck s'essuya avec ce linge douteux, il était trempé. Cette fois il y avait les deux cages sur le plateau arrière du pick-up, avec les deux gros chiens dedans. C'étaient les deux mêmes que l'autre jour, mais là ils bougeaient en tous sens, excités par la perspective de la mission, ou attisés par l'orage.

— Alors, vous cherchez quoi ?

— Des hommes. Deux.

Maurice et Julien se consultèrent du regard, incrédules et méfiants.

— Désolé, on ne marche pas dans ce genre de plans.

— Les plans, tout le monde en a, tout le monde a ses petites combines, pas vrai, vous avez les vôtres avec la cage, et moi j'ai les miennes aussi, hein, vous croyez quoi, que les vôtres sont plus nobles que les miennes… ?

— Vous avez un vêtement ?

— Quel vêtement...

— Un vêtement qui leur appartient, un truc où il y a leur odeur, pour que les chiens les pistent...

Franck n'avait pas le moindre mouchoir ni bout de chaussette leur appartenant. C'est là qu'il eut l'idée des contrats, il sortit les exemplaires qu'il leur avait laissés à lire hier et qu'il avait ramassés.

— Tenez, ces trucs-là ils ont dû les tripoter partout, c'est sûr, ils les ont tenus dans leurs mains, je suis même sûr qu'ils ont sué dessus...

— Ça marche.

Juillet 1915

Depuis que Joséphine était partie du village, la Bûche ne supportait pas l'idée de la savoir là-haut. En dehors de l'attirance qu'il avait pour elle, tous les étés il était habitué à la guetter, sans gêne il l'observait quand elle allait se baigner seule dans la rivière ou à l'étang de Lauzès. Tout un chacun connaissait ses travers, on disait que la Bûche se rinçait l'œil, on savait cela de lui, mais comme personne ne pensait à mal, on ne voulait pas y voir la marque d'une nature perverse. Pourtant, embrasser une femme du regard c'est déjà la contraindre, mais reluquer relevait pour lui de l'extase, on trouvait cela bien plus triste que méchant, et puis c'était un homme, qui plus est forgeron et maréchal-ferrant. Comme c'est souvent le cas face à un comportement qui nous dépasse, au village on disait de lui qu'il ne ferait pas de mal à une mouche, alors que des mouches il en tuait, comme tout le monde.

Un être n'est rien tant que les autres n'en ont pas pensé quelque chose, et dans l'esprit de tous la Bûche se résumait à cela, un homme à la fois *célibataire* et *jaloux*. À tel point que pour la Bûche, ne plus avoir la femme du médecin à portée de regard, c'était pire qu'un abandon. Pour le reste, il n'avait même pas besoin de monter aux prairies pour savoir que là-haut Joséphine se faisait aimer de cet homme. Il se doutait bien qu'avec le dompteur ils se donnaient le corps, pour eux les collines devaient être ce territoire béni des beaux jours, ils y étaient libres de s'aimer, là-haut ils devaient passer des heures à se prendre et à se toucher, à se posséder pour de bon, cette image-là le rendait fou, d'autant que c'était bien la guerre qui avait rendu cet amour possible, c'était bien cette guerre qui leur servait de paravent, sans elle jamais ils ne se seraient trouvés, jamais cet amour n'aurait existé.

Cette idée-là le révoltait. Surtout qu'il avait un statut à défendre. Pour tout le monde ici, depuis toujours la Bûche était l'homme fort. Par nature un maréchal-ferrant, doublé de plus d'un forgeron, est une force de la nature, une force à l'œuvre, déjà parce qu'il est constamment environné par le feu, une forge qui excrète sans cesse sa lave, et aussi parce que tout forgeron passe ses journées à cogner avec des marteaux lourds. En temps normal, de l'autre bout du village on entendait l'enclume résonner de ses bruits monstres. Seulement depuis que les bêtes étaient parties et qu'on manquait de charbon, la Bûche ne faisait plus de feu et ne produisait plus rien de grandiose, il se limitait à réparer des outils un peu partout dans le canton, car les objets se cassaient beaucoup ces temps-ci, « C'est que les femmes ne savent pas s'en servir » qu'il disait, les femmes étaient la cause de tout. Plus que jamais il avait l'assurance de ces hommes qui se croient au-dessus de tout, au-dessus des autres hommes déjà, et évidemment des femmes. C'est pourquoi, depuis que les hommes étaient partis, il se savait le seul mâle dûment certifié dans tout le village, et ce dompteur en un sens il lui faisait de l'ombre, depuis le jour même de son arrivée il le gênait. La rivalité entre les hommes ça n'en finit pas, ne seraient-ils plus que deux sur terre qu'il y en aurait toujours assez pour rivaliser. Maintenant que la Bûche savait que le médecin ne reviendrait plus, il se sentait le devoir de protéger Joséphine, il se croyait des droits, au point même de ne plus voir en elle qu'un désir inassouvi, une âme en peine qui n'attendrait que lui, au point même de se convaincre d'être secrètement désiré par elle. Tous les soirs il effectuait le grand tour jusqu'au fond de son pré. En fonction de ce qu'il restait de jour il jetait un œil maussade au mont au-dessus. Lui, les lions il ne les entendait pas, à cause de toutes ces années passées à taper le fer, son oreille droite n'entendait plus rien. Mais grâce à son regard aiguisé il lui sembla que ce soir le mont était plus surplombant que jamais, son ombre n'avait jamais été aussi imposante, il avait l'impression même qu'elle s'avançait sur lui, comme la proue insupportable d'un paquebot près de l'engloutir... Ce soir une fièvre régnait dans l'air, la pénombre faisait du ciel une alcôve où tout appelait à la sensualité. Ce soir il le sentait, Joséphine devait être là-haut dans les bras de l'autre, en ce moment même ils s'aimaient au cœur de ces cieux noirs juste au-dessus de lui. Oui, en ce moment même ils étaient là-haut tous les deux, à s'enlacer dans la pénombre, à s'aimer dans le périmètre des lions, et il fallait que cela cesse, c'était ce soir qu'il fallait les surprendre, ce soir qu'il fallait les châtier. Alors il attendit que tout le monde soit couché, qu'il n'y ait plus nulle part une bougie à veiller, pour sortir du village, et il se dirigea vers le mont par le rude sentier.

Pour marcher il s'aidait de sa fourche qu'il tenait à l'envers, se servant du manche comme d'un bâton, tout en sachant qu'une fois là-haut il aurait un tout autre usage de l'outil, repousser les lions et les tigres au cas où ils s'approche-raient de lui. Avec ça, il ne doutait pas de pou-voir les refouler si d'aventure ils s'en prenaient à lui lorsqu'il ouvrirait les cages. Car c'est bien ça qu'il avait dans la tête, pendant que les deux amants dormiraient ou feraient l'amour au pre-mier étage de la petite maison, il déverrouil-lerait la cage pour que les fauves en sortent, certain qu'une fois libérés ces monstres affamés se propulseraient vers la maison et se jetteraient sur les amants pour les dévorer, ou bien alors ils s'éparpilleraient dans la nature pour réveil-ler tout le monde et semer la panique partout dans le canton, une peur qui durerait à jamais puisque ces fauves nul ne saurait les chasser, tout cela déclencherait une peur et peut-être même un carnage dont il ne viendrait à l'idée de personne de ne pas en tenir le dompteur pour responsable. D'une façon ou d'une autre il disparaîtrait ce dompteur, qu'il finisse dès ce soir en miettes sous les crocs de ses bêtes ou dès demain à titre de fléau, il disparaîtrait.

Seulement, une fois les cages ouvertes, rien ne se déroula comme prévu. La Bûche avait beau s'être hissé au-dessus des grilles et tenter de repousser les lions pour qu'ils aillent du côté de la maison, ils n'en faisaient rien. Les tigres et les lions, sans doute tout étonnés de cette latitude soudaine, de cette liberté totale de choisir où aller, ne bougeaient pas. Dans un premier temps ils restèrent là, n'allant même pas renifler du côté de la maison ou du chemin. Ils grognaient un peu, feignaient même de se mordre les uns les autres en ouvrant grand la gueule et en se donnant des coups de pattes, par jeu peut-être, ou parce qu'ils se disputaient l'initiative d'une décision. La Bûche comptait sur ce raffut pour faire sortir l'Allemand et Joséphine, mais ni l'un ni l'autre ne se manifesta, à croire qu'ils n'étaient pas là. Puis, sans que la Bûche comprenne ce qu'il se passait, il vit les fauves lever la tête et humer l'air, signe qu'ils déchiffraient ce tout fin mouvement de vent qui venait de se lever à l'est, et ni une ni deux, ils se faufilèrent de l'autre côté des cages, comme si on venait subitement de les appeler ils s'engagèrent plein est vers les hautes prairies où étaient les brebis.

Août 2017

Le chevreuil a le cœur rapide, ce qui lui permet de détaler en enchaînant les bonds, de fuir vite, seulement il ne peut courir longtemps, il s'épuise dans les trop longues courses. Tout comme le lion qui propulse ses deux cent cinquante kilos à plus de quatre-vingts kilomètres-heure, mais sur une courte distance uniquement. Chez l'être humain les variations sont très grandes, tel fuyard cavalera pendant des kilomètres, alors qu'un autre s'épuisera au premier effort. Dans tous les cas, aucun ne résistera à la poursuite d'un chien, parce que les chiens, eux, n'en finissent jamais de courir.

Le rhodésie et le rouge de Hanovre traçaient en avant du Land Rover, on voyait leur poil brillant au travers du pare-brise sale, ils ouvraient la route tels des mâtins de Naples porteurs de feux grégeois, ils pistaient sans relâche, prêts à incendier. Pourtant vingt minutes après ils n'avaient toujours pas rattrapé Liem et Travis, pas plus qu'ils n'avaient remonté Alpha.

— Faut croire qu'ils marchent vite, tes gars, avec la pluie en plus c'est rude, mais ils marchent bien...

Franck ne répondit pas. Tous trois étaient serrés sur les sièges avant. Franck se faisait rattraper par une sourde culpabilité. En se retrouvant lancé dans cette chasse à l'homme il prenait la mesure de son acte, de cette situation dans laquelle il s'était mis, d'autant que les deux inconnus qui le conduisaient étaient maintenant des témoins, peut-être même des complices de rien moins qu'une séquestration.

Ce qui le réconfortait c'est que les deux braconniers n'avaient pas d'états d'âme, ils vivaient cette traque comme quelque chose de tout à fait naturel. Ils n'avaient même pas besoin de se prendre au jeu. En parfaits chasseurs ils se contentaient de remonter la trace d'un gibier en fuite, comme ils le faisaient depuis toujours, sinon qu'en bout de course, ce gibier-là il ne serait pas question de le finir, encore moins de le tirer, il s'agissait uniquement de le pister pour le récupérer. Pour eux ça semblait simple, et pour tout dire normal, alors que Franck de son côté n'en menait pas large et restait muré dans le silence. Julien au volant s'appliquait à ne pas perdre de vue ses chiens qui filaient vite dans ces chemins défoncés. À cause de la pluie battante les vieux essuie-glaces étaient débordés, ils balayaient mal, on ne voyait rien à travers la saleté du pare-brise.

— Si les chiens ne tournent pas d'ici un kilomètre, à mon avis c'est que tes gars sont allés vers Crégols, déclara Julien, tenant fermement le volant pour contenir les secousses. Mais bon, s'ils vont là-bas, ils vont tomber sur un os...

— Quoi ?

— La falaise, rétorqua Maurice, jamais trop bavard.

— Quelle falaise ?

— La falaise des cent brebis, précisa Julien. Un à-pic de plus de cent mètres de hauteur, au-dessus de la rivière. Ils vont se piéger tout seuls parce que c'est un cul-de-sac. En tout cas tu peux être sûr qu'ils ne pourront pas sauter.

De l'autre côté du pare-brise nébuleux, ils aperçurent au loin une sorte de double masse épaisse, luisante et noire, une créature étrange près de laquelle les deux chiens marquèrent un arrêt pour la renifler. En plus de la pluie, la buée n'en finissait pas de se reformer sur la vitre sale.

— C'est quoi, ce bordel ?

Franck ne décrypta pas tout de suite ce que c'était, au contraire des deux hommes qui comprirent vite que cette sorte d'énorme cône se tenant au milieu du chemin, ce sinistre fantôme, n'était rien d'autre qu'un pénitent recouvert d'une cape de pluie, elle l'enveloppait des pieds à la tête et se gonflait à chaque bourrasque. Derrière lui il tirait une mule recouverte elle aussi d'une bâche claquante, un plastique agricole qui se modulait sous l'effet du vent.

— T'inquiète, c'est un pèlerin... En un sens ça tombe bien.

Ils s'arrêtèrent auprès de cet homme. Julien baissa sa vitre pour lui parler.

— Alors saint Christophe, on est perdu ?

Apparemment les deux hommes ne lésinaient pas sur l'ironie, pas de doute que pour eux c'était risible qu'on puisse tirer une mule depuis Conques jusqu'à Saint-Jacques-de-Compostelle.

L'homme glissa un regard sous sa capuche ruisselante. Visiblement il savait où il allait, il montra la carte protégée dans un plastique transparent, une carte détrempée. Les deux chiens continuaient de le renifler, comme s'ils voulaient être bien sûrs que sous les bâches ne se planquaient pas les deux gibiers qu'ils pistaient.

— Dis-moi, le pèlerin, ce matin t'aurais pas vu deux types suivis d'un chien ?

— Non, depuis hier j'ai vu personne.

— T'as longé la falaise ?

— Non justement, je l'évite.

Julien siffla pour relancer les chiens, il salua le gars et redémarra. Franck se retourna pour voir ce binôme étrange, la mule et le pèlerin, dégoulinant sous le plastique.

— Les cons, s'ils n'ont pas suivi le GR c'est qu'ils vont droit à la falaise.

— Et alors ?

— Alors faut les remonter avant qu'ils sautent, lâcha Maurice. Non, je déconne.

Au milieu de ces deux hommes à la détermination méthodique, Franck avait de plus en plus de mal à contenir son malaise, d'autant qu'ils se mirent à lui poser des questions.

— C'est pour ces contrats que tu leur cours après ?

— En partie, oui.

— Tu voulais qu'ils te les signent, c'est ça ?

— C'est ça.

Franck n'avait fait qu'une seule fois un safari, et encore c'était un safari-photo au Kenya, rien d'autre qu'une excursion tranquille au regard de ce qu'il vivait là, traquer deux hommes sous la pluie, deux hommes avec deux chiens de sang lancés à leurs trousses. Après avoir plusieurs fois produit ce genre de scène au cinéma, il vivait une chasse à l'homme pour de vrai. Alors il se concentra sur Alpha, après tout ce qu'il voulait aussi c'était récupérer Alpha.

— Et le chien à votre avis, pourquoi il s'est barré ?

— Ton chien il fait son boulot, il les suit. Je te parie que c'est lui qu'on verra en premier.

— Je comprends pas, il aurait dû les retenir quand ils se sont tirés de la cage, il aurait dû les... je ne sais pas, les attaquer.

— Tu voulais quand même pas qu'il les bouffe !

— Non, mais qu'il les retienne.

— Si tu ne lui as pas donné l'ordre de les choper pour de bon, il ne le fera pas. De lui-même il ne le fera pas.

Pour attiser sa haine Franck se concentra sur ces deux enfoirés, il se focalisa sur la combine qu'ils avaient en tête, se servir de sa boîte histoire d'appâter un grand groupe, profiter de sa mauvaise passe pour faire une augmentation de capital et céder le catalogue à Netflix ou Amazon afin de donner le change, après quoi tout lui échapperait. C'était bien ce qu'ils avaient en tête, le foutre sur la touche, faire en sorte que son actif lui échappe, et un beau matin il retrouverait ses quarante-huit films sur la page d'accueil d'un géant d'Internet, juste pour attirer des abonnés. Au moins en les coinçant là avec trois chiens et deux fusils, il leur foutrait le nez dans cette violence qui avait fait leur fortune, ces conneries de jeux ultraviolents centrés toujours sur le même objectif : buter, buter un maximum de cibles, tirer sur tout ce qui bouge pour additionner des points... C'est ce qu'il leur balancerait à la gueule quand il leur remettrait la main dessus, Alors les gars, vous vous en êtes gavés, de violence, vos jeux de guerre, de traque, vos gameplays hyperréalistes qui vous ont élevés et vous ont fait vivre, eh bien voilà, cette fois on est en plein dedans, alors, c'est moins drôle quand c'est en vrai, hein, vous trouvez pas... ?

Le chemin devint plus étroit, ce n'était plus qu'un sentier coincé entre deux murets de pierres sèches. Et là au beau milieu du passage apparut Alpha, debout sous la pluie, les deux chiens arrivèrent à sa hauteur, ils le reniflèrent puis reprirent leur course, alors qu'Alpha restait sur place, il regardait approcher le 4 × 4 comme s'il l'espérait.

Julien coupa le moteur et sortit sous la pluie battante, il siffla deux grands coups. Franck sortit derrière lui et Alpha se précipita à ses pieds, tête basse, il se frottait contre ses jambes.

— Tu vois, ton chien il a fait le boulot. En revanche faut que je récupère les miens sans quoi ça va affoler tes deux perdreaux.

Julien siffla de nouveau et les deux chiens firent demi-tour pour revenir vers eux, le corps trempé et la gueule asphyxiée. À la pluie se mêlait la grêle maintenant, elle martelait la carrosserie.

Julien et Franck remontèrent dans le Land Rover. D'un coup il n'y eut plus que ce bruit de grêlons mitraillant le métal. Maurice avait sorti un paquet de tabac à rouler, de ses gros doigts secs il façonnait une paire de cigarettes, en proposa une à Franck qui refusa.

— Bon, et alors on n'y va pas ?

— On va d'abord attendre que ça se calme, parce que là ça va bastonner, regarde la tête que tirent les chiens, tu peux être sûr que ça va péter.

Julien fit grimper les chiens dans la voiture. Ils avaient le regard inquiet et la tête basse d'avant l'orage. Ils se calèrent difficilement tous les trois, deux aux pieds, qui prirent toute la place en se collant contre les jambes des hommes, tandis qu'Alpha se glissait derrière les sièges, près des fusils.

— De toute façon, te bile pas. Tes gars ils sont là-bas, c'est clair. Tu vois, au bout il y a une trouée qu'on pourrait prendre pour un chemin, sauf que ça débouche sur un à-pic. La roche fait une niche au-dessus du vide, un genre de grotte, ils doivent s'y abriter.

— Et s'ils se barrent ?

— Ils ne peuvent aller ni à gauche ni à droite. La seule issue c'est de revenir par ici, ou alors de sauter... Mais se jeter de cent mètres dans la flotte, ils le feront pas.

Les deux braconniers se mirent à tirer sur leurs cigarettes épaisses, recrachant une fumée marronnasse, flottant là-dedans comme dans un nuage. Franck était assis entre eux, il demanda à Julien d'ouvrir un peu la fenêtre, mais la pluie projeta mille gouttes dans l'habitacle, puis les cumulus qui suivaient la rivière s'obscurcirent encore plus et furent traversés d'éclairs. Ils regardaient tous trois ce spectacle, comme livrés aux éléments, fatalistes et émerveillés, alors que les chiens semblaient chercher à se fondre dans le plancher.

— Tu sais, la maison que tu loues là-haut, eh ben tu revis un peu la même histoire...

— Quelle histoire ?

— Les cent brebis.

— Comment ça... ?

— À l'époque c'était un dompteur qui vivait là-dedans, un vrai, avec des lions. Je te parle de ça y a cent ans... Demande à Maurice, la bergère elle était un peu de la famille de son arrière-grand-mère.

Et là Maurice qui ne parlait jamais, sans doute un peu porté par la furie du ciel, lui raconta comment son arrière-grand-père, celui qui avait des lions, était parti un soir rejoindre cette bergère, elle habitait dans une cabane au bout de ces prés à gauche, en haut des prairies, à l'époque c'était la guerre, personne n'était au courant de leur histoire, sauf un gars au village, un jaloux.

Juillet 1915

La tête tendue et les oreilles rabattues, les lions et les tigres remontèrent les traces sur ce chemin de nuit. Ils progressaient dans les collines, pistant tout à la fois l'odeur du dompteur et les effluves mirifiques du troupeau lointain. Voilà des semaines qu'ils percevaient dans l'air ces molécules de chair vive, des semaines qu'ils rêvaient de chevauchées et d'affût, cette nuit les lions et les tigres avançaient enfin vers les brebis, face au vent. Ils savaient que ces proies étaient bien trop lointaines pour qu'elles les repèrent, d'autant que le vent était pour eux, alors ils progressaient à couvert, sans s'accroupir ni ramper, en accélérant parfois dans les zones à découvert. En revanche, une fois les proies en vue il faudrait courir, de leur vie ils n'avaient encore jamais couru, nés en captivité ils n'avaient pas la moindre expérience des cavalcades et des traques, seul l'instinct les guidait vers ce troupeau tout là-bas à l'estive.

Les huit fauves ne se quittaient pas, ils marchaient derrière Thor, traversant à la queue leu leu le velours de la nuit. La Bûche restait là, près de la maison, paniqué à l'idée que ces félins soient en liberté dans les alentours, sans savoir s'ils étaient toujours dans les parages de la maison, juste là, ou partis loin déjà. Il n'osait plus faire un geste, voyant bouger des ombres dans chaque buisson, craignant avec terreur que surgisse du moindre fourré une gueule prête à le bouffer. Il en tremblait. Il n'avait même plus le cran de redescendre au village, s'imaginant déjà rattrapé par la harde. Alors que les lions filaient vers les prairies.

C'était leur première expérience de liberté et ils la vouaient à une chasse prometteuse, une chasse fabuleuse, à partir de là pour ces félins en chasse il n'y avait plus de cage, plus de guerre, rien d'autre que cette marée de brebis dont les émanations ne cessaient de s'intensifier à mesure qu'ils progressaient.

Wolfgang et Joséphine étaient allongés sur le lit, nus dans la paix du monde. En apercevant la terrine rouge posée sous l'évier, Joséphine fut rattrapée par l'âpreté de la nature humaine.

— Tu connais le boucher de Limogne ?

— Un peu. Dans les premiers temps il me donnait des os et des abats, puis il s'est mis à tout vendre à prix d'or, les os et même les intestins...

— Tu sais, je crois que c'est lui qui vole les brebis, et il donne de l'argent au Simple pour qu'il ferme les yeux. Je ne l'ai pas vu mais j'en ai la preuve.

— Ça ne m'étonne pas. Quand la nourriture vient à manquer, l'homme devient plus sauvage que les bêtes. Les lions ne s'entretuent pas pour une proie, tandis que les hommes le feraient.

Ils restèrent sur ce constat, ils le gardèrent en tête comme on garde un noyau de cerise en bouche, pensivement. Dans ce parfait silence ils ne se dirent plus rien, l'un contre l'autre, ils s'évadèrent très loin en se touchant la peau. En bruit de fond il y avait le doux cliquetis des brebis équipées de sonnailles, ce soir elles veillaient, grignotant sans plus de faim le serpolet et le petit trèfle. À croire qu'elles prenaient des forces, la plupart agnèleraient à l'automne. À l'oreille, Joséphine comprit qu'elles étaient grandement dispersées, avant que la lune ne se couche il faudrait les regrouper et les ramener vers le parc. Tout cela sentait bon la nuit d'été. Puis il y eut une agitation. Ça commença par les cloches les plus lointaines qui semblaient secouées, comme si des brebis se mettaient à courir, que d'un coup elles détalaient. Très vite cette rumeur enfla comme une vague, toutes les cloches maintenant étaient secouées au collet des bêtes galopantes. Dans ce curieux vacarme Wolfgang crut reconnaître un rugissement, avant de le distinguer vraiment. Ils se levèrent tous deux pour avancer devant de la maison. Dans le peu de lumière qu'offrait encore la lune ils virent toutes les bêtes qui cavalaient plein est en se rassemblant, Wolfgang eut vite fait de comprendre, alors il rentra dans la cabane pour saisir le fusil, d'une seconde à l'autre le monde bascula, l'éden idyllique fit place au plus effrayant cauchemar, ce fut aussi saisissant qu'une bombe, en un éclair il comprit que ses huit fauves étaient là à se jeter sur les brebis, sans même réfléchir il n'avait plus d'autre choix que de les tuer, sans quoi, après les brebis ils fondraient dans la vallée et se jetteraient sur des femmes, des hommes, des enfants qui sait. Les huit fauves excités continuaient de pousser les brebis vers la falaise, les égorgeant une à une au passage et s'entêtant à décimer tout le troupeau, tels des loups ou des renards assoiffés par la mort et qui, dépassés par leur folie, se mettent à tout tuer avant de manger. Alors Wolfgang tira, ce qui affola plus encore les brebis en fuite et les propulsa vers le goulet qui mène à la falaise.

Août 2017

La pluie s'était calmée. L'air rafraîchi après la grêle. Des cigarettes finalement ils s'en étaient refait trois fois. Sans en avoir fumé une seule, Franck était pourtant saoul de fumée et d'histoires, sonné comme un enfant étourdi de trop de contes. Par-dessus tout il était ému de mettre enfin des vies, sinon des visages, sur cette maison. Et s'il est des décors qui façonnent, des décors qui environnent toute l'enfance et forgent les êtres à leur image, il en est certains que l'on rencontre plus tard dans la vie, à un autre âge, et qui vous changent. Franck se sentait un parcours commun avec ces deux êtres dont il venait de découvrir l'existence, deux êtres à jamais inaccessibles, mais qui avaient habité ces mêmes murs, deux inconnus dont il connaissait maintenant les prénoms et les sorts. Il s'en sentait proche de ces deux-là, simplement parce que, avec Lise, ils avaient en commun ces paysages, ces silences du matin et du soir, ce territoire. Comme eux ils étaient bien la preuve que dans le fond il n'est pas de paix possible en ce monde, pas de vie paisible. La moitié des brebis s'étaient jetées de la falaise, Wolfgang avait dû tuer ses lions, quant aux tigres ils s'étaient perdus, ils avaient dû être tués par d'autres, à moins qu'ils ne courent toujours, dans la tête de quelques-uns, sous forme de légendes égarées.

— Y en a même qui disent qu'ils sont descendus au village le lendemain et qu'ils ont tout bouffé, c'est pour ça que le village aurait été brûlé, mais bon tout ça c'est des conneries, à mon avis c'est plutôt le contraire, c'est des paysans d'ici qui les ont bouffés ces fauves.

— Et le dompteur, il est resté ici durant toute la guerre ?

— Oui, ils sont restés là-haut tous les deux. Ils ont élevé des moutons pour reconstituer le troupeau, le dompteur a démonté la cage près de sa maison pour doubler celle de l'igue, c'est celle qui est encore là aujourd'hui. Avec ça il attrapait des chevreuils et des sangliers à n'en plus finir, il aura nourri tout le village jusqu'à la fin de la guerre.

— Et après ?

— Après ils sont partis en Amérique. Comme il n'avait plus de fauves, Wolfgang est rentré chez Barnum, les cirques là-bas c'était grandiose. Ils ont eu une fille, Iris, ils lui parlaient toujours de cette maison comme si c'était, je ne sais pas, le paradis sur terre. Joséphine avait vendu son mas pour avoir de l'argent, et avec elle avait acheté la maison du haut et toutes les terres autour, plus de cent vingt hectares. À partir des années cinquante, ils y venaient de temps en temps, après leurs petits-enfants y passaient parfois l'été, mais bon, toute la descendance vit un peu éparpillée dans le monde, depuis vingt ans la maison ils l'ont laissé tomber. Justement c'est Iris qui veut qu'elle soit habitée, sinon un jour elle finira en ruine. Maintenant qu'elle arrive sur ses cent ans, Iris, ses enfants se sont mis en tête de rentabiliser...

— Et ils la vendraient ?

— Plus personne n'achète par ici, c'est trop paumé.

— Oui, mais ça les arrangerait tous de la vendre...

— Pourquoi, tu veux l'acheter ?

Les trois chiens étaient descendus de la voiture depuis longtemps, ils regardaient les trois hommes depuis l'autre côté du pare-brise, trépignant comme s'ils étaient en quête d'action.

— Bon, on va les faire signer tes contrats ?

— Non, je vais y aller seul.

— Comme tu le sens... Mais prends les chiens.

— OK.

— S'ils deviennent trop féroces, pour les arrêter tu dis juste Stop ou Au pied, mais tu le dis fort, tu verras ça les arrête net.

Franck sortit avec les trois exemplaires du contrat roulés dans la main, il les serrait comme un bout de bois. Les chiens impatients se dirent qu'enfin ça y était, enfin ils allaient remonter le fil de cette trace qu'ils sentaient depuis deux heures, ce gibier qui se terrait à quelques centaines de mètres de là. Franck s'engagea sur le chemin, les chiens partirent devant sans prendre trop d'avance, en fait de chemin ça faisait plutôt comme un goulet entre deux parois, un passage coiffé de buis et de petits érables, en avançant dans ce sas il pensa à ces brebis qui il y a un siècle s'étaient engouffrées là-dedans. Les chiens qui couraient devant lui, il les voyait comme des loups ou des lions, des bêtes impatientes qui chassent à la course, et là il était comme eux, c'est de lui que soufflait le vent de panique qui allait à l'assaut de ces deux morveux. Une trouée apparut au milieu des buissons, les deux chiens marquèrent l'arrêt tandis qu'Alpha revenait vers lui, guettant l'instruction. Franck continua d'avancer et enfin il les aperçut tout là-bas qui marchaient vers lui, ils n'avaient pas sauté, ils semblaient épuisés et tremblants, ils étaient trempés, mais surtout terrorisés face à ces deux molosses qui allaient au-devant d'eux en grognant... De loin ils lancèrent à Franck :

— Bordel, retiens tes chiens !

Ils étaient à bout. Leurs téléphones avaient dû prendre l'eau et étaient déchargés depuis longtemps, pourtant chacun tenait le sien dans sa main comme un môme ne lâche pas son doudou.

Alpha se tourna vers Franck et le fixa dans les yeux, il y décela assez de haine pour prendre l'initiative et se précipiter vers Liem et Travis, apparemment prêt à les choper comme des lièvres. Les deux autres chiens lui emboîtèrent le pas et tous trois se ruèrent vers les deux hommes.

— Stop... Stop !

Franck courut se poster devant les chiens pour les contenir, mais ils ne lâchaient pas l'affaire, ils voulaient être en première ligne et continuaient d'aboyer comme ils le faisaient face à un sanglier qu'ils viennent de coincer, dans leur esprit il s'agissait de tenir au ferme ces deux proies en attendant que viennent les tirs ou les coups d'épieu. Mais tout ce qu'ils virent c'est Franck qui tenait ses contrats à la main et les brandissait à la face de ses deux associés.

— OK, OK, t'excite pas, on signe, on signe...

— Vous avez lu ?

— Oui, mais on va signer, pas de problème on va signer...

— Vraiment ? Alors comme ça vous êtes disposés à signer sous la menace de trois chiens ? Vous allez vous abaisser à reconnaître que vous vous êtes fait dominer par des animaux, je le crois pas...

Les trois chiens aboyaient méchamment, s'approchant au plus près de Liem et Travis, avec l'expression barbare de ceux qui ne se retiennent plus, décidés à mordre.

— Retiens tes chiens, bordel !

— Vous voyez cette saloperie de traquenard dans lequel vous vouliez me piéger, eh bien cette fois c'est vous qu'êtes dedans ?

— D'accord, si tu veux, mais vire les chiens.

Franck s'avança et ordonna aux molosses d'arrêter d'aboyer, il claquait des doigts pour joindre le geste à la parole, et bizarrement ils s'assirent, ils continuaient à s'agiter et à remuer mais assis. Franck déroula les contrats, il les lissa pour les remettre propres, bien à plat, puis il fit une pause, et là plutôt que de les leur donner il les ramena à lui, les cala contre son torse et les déchira.

Liem et Travis le regardèrent, médusés, aussitôt envahis d'une ultime panique.

— Mais qu'est-ce que tu fous ?

— C'est bon. J'ai vu ce que je voulais voir...

— Voir quoi ?

— La peur. Je voulais la lire, là, dans votre regard, je voulais voir la supplique de vos yeux de biche devant les fauves, et maintenant que je l'ai vue, ça me suffit, je vous laisse monter au front, je vous laisse vous battre avec vos banques, avec Netflix et qui vous voulez, allez-y mais je vous préviens, quand on commence à se battre ça n'en finit jamais, surtout quand on ne connaît pas les règles, c'est sans fin.

— C'est toi qui vas avoir des histoires.

— Quoi, vous voulez porter plainte ? Ne jouez pas à ça les gars, sans quoi je vous casse, face à tout le milieu je vous casse, les réalisateurs, les comédiens, les coprods, je les connais tous... Jusqu'ici le cinéma est encore fait par des êtres humains, ce paramètre que vous ne maîtrisez pas.

— Mais alors, tu veux quoi ?

— Vous tenir à distance.

— Enfin, Franck, t'avais pas besoin de nous monter tout ce plan pour ça. On pouvait parler.

— J'ai bien compris votre embrouille.

— Mais non, je t'assure que non.

— Vous voulez me foutre sur la touche, les gars, c'est ça que vous vouliez, avoir les mains libres pour faire vos petites séries et vos petits *contenus*, eh bien soit, j'y vais, sur la touche, je vous laisse le catalogue et je sors avec du cash.

— Franck, t'es sérieux ? Non, déconne pas, on a besoin de toi, on n'a jamais vraiment touché à la prod de films, nous, on n'y connaît rien.

— Dites-moi, les yeux dans les yeux, que c'est pas le catalogue qui vous intéresse...

Il sentit bien qu'ils n'avaient plus le cran de bluffer.

— Alors ?

— Si, lâcha Liem, le catalogue c'est important, pour nous c'est même déterminant.

— Dans le dernier contrat vous m'aviez bien prévu un poste de conseiller artistique ou un truc du genre... ?

— En gros.

— Eh bien voilà, ça me va. À condition de me laisser les mains libres pour faire un long-métrage tous les deux ans, de me mettre toute la boîte à disposition quand j'en ai besoin. De toute façon je ne pourrais pas bosser avec vous. Ce serait se lancer dans des rapports de forces à n'en plus finir, parce que vous aimez ça, vous n'attendez que ça. Les rapports de forces, ça peut paraître très enfoui, alors qu'en fait c'est toujours là, ça affleure en permanence, entre trois associés, entre un patron et ses employés, et même entre deux acteurs, la rivalité c'est la sève qui stimule les hommes, toute performance vient du conflictuel, de l'émulation, mais l'émulation c'est une façon comme une autre de se marcher sur la gueule. Et moi j'ai plus envie de ça. Là, j'ai juste envie de prendre du recul, de la distance, et je crois que j'ai trouvé l'endroit.

ÉPILOGUE

Les chiens avaient remonté la piste jusqu'au bout, en bons alliés de chasse ils avaient la satisfaction d'avoir débusqué les proies. Ensuite les braconniers avaient ramené les prises jusqu'à la maison du mont d'Orcières, où Liem et Travis reprirent une apparence humaine. Après quoi Franck les raccompagna à la gare. Puis il rentra. Quand il fit part à Lise de son idée de s'installer dans cette maison, et pourquoi pas de travailler de là, d'y vivre à un tout autre rythme, elle n'eut pas l'air surprise. Et même si vivre à l'écart, vivre pleinement à l'abri des autres ne se peut pas, parce qu'il n'y a plus la moindre zone sacrée, plus la moindre zone blanche sur les cartes, pas le moindre territoire où la vie sorte toujours victorieuse, il existe au moins des zones d'accalmie coincées entre deux combats, des zones à l'écart.

Alpha ne savait pas s'il avait pleinement accompli ce qu'on attendait de lui. Les humains sont souvent complexes à deviner, ce sont des êtres aussi bien capables de chasser en meute que de se chasser entre eux, tout comme les loups et les lions le font parfois. Mais en son for intérieur quelque chose différenciait Alpha de ce loup dont il était pour partie constitué, cette chose c'était ce besoin de s'associer à l'homme, de s'en remettre à un être qu'il s'agirait moins de servir que d'épauler, et dont en échange il retirerait une forme d'assurance, celle d'un abri, d'un bol toujours rempli d'eau fraîche, et d'une complicité pas trop lointaine de l'amitié. En revanche, de ses ancêtres il avait retenu qu'il ne fallait pas rentrer dans les maisons. Alors Alpha resta dehors toute la nuit, il se coucha devant la maison, près de la porte, l'âme tranquille mais l'oreille aux aguets, comme s'il voulait se porter garant d'une forme de paix. Comme si cette paix impossible à tenir, il se promettait de la veiller, en allié fidèle, sans même savoir que dès demain, on déciderait finalement de l'appeler Bambi.

Petite constellation de livres et d'êtres qui m'auront accompagné pour la partie historique de ce roman

Eric Baratay : *Bêtes de somme. Des animaux au service des hommes*, Points, 2011.
Colette : *Les Heures longues (1917)*, Fayard, 1984.
Jean Giono : *Le Grand Troupeau*, Gallimard, 1931.
Jean-Marc Moriceau : *Histoire du méchant loup*, Fayard, 2007.
Paul Pavlowitch : *Victor*, Fayard, 2000.
Yves Pourcher : *Les Jours de guerre*, Pluriel, 2008.
Françoise Thébaud : *Les Femmes au temps de la guerre de 14*, Payot, 2013.
Et Wolfgang Holzmair.

12358

Achevé d'imprimer en Espagne
par BLACK PRINT
le 17 novembre 2020.

1er dépôt légal dans la collection : novembre 2019
EAN 9782290155097
OTP L21EPLN002049A003
ÉDITIONS J'AI LU
87, quai Panhard-et-Levassor, 75013 Paris

Diffusion France et étranger : Flammarion